L'OSCURITÀ IMMINENTE

SUSAN-ALIA TERRY

Traduzione di
LUISA ERCOLANO

UNO

"Quelli non li metti".

Trattenendo un sospiro, Kai abbassò lo sguardo e vide i suoi vestiti cambiare. Invece di pantaloni, camicia e stivali neri, ora aveva un abito su misura color cachi e crema – con i mocassini. Odiava i mocassini. Si voltò, aspettando che il suo amante entrasse nel foyer.

Lucifero, con i capelli bianchi sciolti lungo le spalle e una gatta nera adottata di recente fra le braccia, entrò nel foyer e fissò i critici occhi argento su di lui. Essendo uno che indossava sempre qualche tonalità di bianco – e chi lo sapeva che ce n'erano così tante? – Lucifero aveva molto da ridire su cosa indossava Kai. In effetti, Lucifero lo vestiva con tale dedicato fervore che qualcuno, meno comprensivo, l'avrebbe definito ossessionato. Era per quello che Kai

1

aveva cercato di sgattaiolare fuori di casa prima che Lucifero lo vedesse.

"Andiamo, Luc, non è pratico e lo sai", disse Te, raggiungendoli nel foyer e trasformando i vestiti di Kai in quelli che aveva prima. "Come ti salta in mente di mandarlo in ricognizione e a fare un recupero con i mocassini e un abito color cachi? Non lo capirò mai".

"Grazie", gli disse Kai, sorridendo.

"Vivo con dei Filistei", disse Lucifero, con una finta smorfia. "Il minimo che tu possa fare è indossare seta".

Detto fatto: Kai ora indossava una camicia nera di seta grezza; tuttavia si rifiutò di ammettere che la sensazione di seta sulla pelle gli piaceva. "Avete finito voi due?" li apostrofò, ma anziché sembrare esasperato, finì col dare l'idea di un'affettuosa accettazione.

Te rise. Aveva la pelle scura, la testa pelata lucida, un orecchino d'oro e denti bianchissimi; quanto ai suoi occhi argento, Kai trovava difficile ricordare momenti in cui non brillassero di puro divertimento. Sempre vestito in modo impeccabile, Te condivideva con Lucifero la predilezione per i vestiti eleganti e costosi; a differenza di Lucifero, però, non aveva mai trovato un colore che non gli piacesse o non gli stesse bene. L'abito che indossava era un gessato rosso, completo di bombetta, farfallino e ghette abbinati.

Lucifero rivolse loro il suo sguardo brevettato e oltremodo sfruttato, per poi andarsene con il naso per aria nel salotto adiacente. Si distese sul divano: a vedere il suo lungo corpo snello non si poteva che restarne impressionati. La gatta imitò la sua posizione distendendosi sopra di lui. Anche se stavano insieme da più di settecento anni, Kai non si stancava mai di guardare colui che considerava il suo compagno. Ne era infinitamente affascinato, lo amava e gli era devoto.

Te entrò in salotto dietro Lucifero, si sedette su una poltrona d'antiquariato e mise i piedi sul poggiapiedi abbinato. Era sempre una sorpresa che i mobili vecchi e delicati di quella casa non protestassero quando Te li usava per sedersi. D'altro canto, le sue fattezze fisiche erano ingannevoli. Vero, era alto almeno un metro e novantotto e aveva una stazza poderosa, ma la sua personalità, come quella di Lucifero, lo faceva sembrare molto più grosso.

"Che c'è stasera?" chiese Te, quando si accese la smart TV da sessanta pollici.

Lucifero non faceva mistero di quanto odiasse gli esseri umani. In effetti, faceva tutto il possibile per esporre quell'odio a chiunque lo ascoltasse. Ciò non significava però che non gli piacessero il cibo, i vestiti e i tantissimi aggeggi creati dagli esseri umani. Aveva riempito la casa di oggetti che lo incuriosivano, inclusa la tecnologia più recente.

"*Housewives*", rispose Lucifero mentre i canali cambiavano da soli.

"È quello con Kendra?" Te afferrò una ciotola di

popcorn che gli comparve in grembo. Dal nulla comparvero anche altri quattro gatti, che si sistemarono intorno ai due.

"Non la Kendra a cui stai pensando, no".

Il grosso demone fece una smorfia e si ficcò una manciata di popcorn in bocca.

Kai si appoggiò allo stipite della porta, prendendosi un momento per godersi la sua famigliola.

"Aspetta, aspetta, torna indietro", disse Te.

"È *Rosemary's Baby*?" chiese Lucifero, tornando al canale richiesto. "Oh, sì. Me l'ero quasi perso. Bella scelta". Alzò lo sguardo verso Kai e curvò il dito. "Andiamo, sai già che vuoi restare".

Aveva ragione. *Rosemary's Baby* era uno dei loro film preferiti. La tentazione di unirsi a loro era molto forte, ma Kai aveva un compito da svolgere. Andò all'attaccapanni accanto alla porta a prendere il suo trench di pelle.

"Devo andare", si scusò, mettendo il trench. "Te, ti dispiacerebbe darmi un passaggio?"

Te lo guardò e sorrise. "Sei sicuro? Gregory non va da nessuna parte".

"Sono sicuro".

"Certo, allora. Buona caccia".

Con un ultimo cenno di saluto, Kai sparì.

DUE

Starr Roberta Maxwell sedeva alla scrivania, immaginandosi di uccidere il suo capo con il taglia-carte o, meglio ancora, con la spillatrice, così ci sa-rebbe voluto più tempo. Niente era mai abbastanza per William Ford Gregory III.

"Starr, hai già faxato quei numeri a Ginevra? Perché ci stai mettendo tanto? E portami un'altra tazza di caffè. Questa è fredda", urlò Gregory, alias lo Stronzo, attraverso la porta aperta dell'ufficio.

Andando alla porta per rispondergli – le sem-brava che urlare sul posto di lavoro non fosse profes-sionale – maledisse, per l'ennesima volta da quando era andata a lavorare lì, il suo primo nome e le aspira-zioni della madre per lei quando gliel'aveva dato. Pre-sentarsi come Roberta era stato tempo sprecato: la prima volta che si erano visti, quell'uomo conosceva già il suo nome completo e si era rifiutato di chiamarla così, scegliendo invece di modulare "Starr" in modo tale da ricordarle che lei non era una stella, né mai lo sarebbe stata.

Ripetendosi che quello era solo un lavoro temporaneo, e che, una volta che la settimana fosse finita, avrebbe potuto bruciare l'effigie del figlio di puttana, rispose in modo educato: "Ho mandato il fax venti minuti fa. Sono le due del mattino a Ginevra, per cui dubito che ci sia qualcuno a riceverlo". Nel mentre andò alla scrivania e prese la tazza del caffè.

"Certo che ci sarà qualcuno. È per questo che li pago. Dov'è il mio caffè? Lenta *e pure* stupida. Cosa ti pago a fare?"

Roberta sospirò e cercò di non perdere le staffe. "Ora la metto in contatto con Mr. Prideaux e le porto subito il caffè, signore".

Aveva cercato di far suonare il "signore" come un "vaffanculo", ma non c'era riuscita. La sua educazione rigida le impediva di essere maleducata con il suo capo, indipendentemente da quanto lui lo fosse con lei. Corse nell'atrio dell'ufficio, chiedendosi cosa avrebbe dovuto fare prima, il caffè o la telefonata. Era fottuta in ogni caso, per cui scelse di riempire di nuovo la tazza senza sprecarsi a rifare il caffè, ma usando il fondo della caraffa. Se non riusciva a dirgli di andarsene a fanculo, almeno poteva rovinargli il caffè. Con un sorrisetto, gli riportò la tazza in ufficio, poggiandola con cura sulla scrivania.

Di ritorno nell'atrio, fece la telefonata in Svizzera, preparandosi mentalmente a dire allo Stronzo che non aveva risposto nessuno.

La cornetta fu sollevata al terzo squillo. "Pronto?"

Roberta rilasciò la tensione. "Sì, Mr. William Ford Gregory III cerca Mr. Pierre Prideaux".

"Sono Pierre".

"Resti in linea, per favore".

"Mr. Gregory, ho Mr. Prideaux in linea; le trasferisco la chiamata".

"Pierre, figlio di puttana, come stai? Come sta la tua bella moglie? Ottimo. La tua bambina ha avuto il regalo di compleanno che le ho mandato? Le è piaciuto, vero? Bene, bene. So che è tardi: apprezzo che tu abbia risposto, lo apprezzo davvero. Ascolta, la mia segretaria dice che ti ha mandato il fax. Be', l'hai ricevuto? Sì? Ok, allora ti dico cosa dobbiamo fare..."

Roberta chiuse silenziosamente la porta dell'ufficio di Gregory, zittendone la voce. Le bruciavano gli occhi, ma li chiuse e trattenne il fiato per non piangere. A sentire la premura e le scuse sincere nella voce del suo capo pochi secondi dopo che le aveva urlato dietro, le era venuta voglia di lasciarsi andare a una crisi di pianto. Come faceva Gregory a essere così gentile con tutti tranne che con lei?

Solo altri tre giorni, si disse. *Altri tre giorni, e sarò fuori di qui.*

* * *

Avvolto nell'ombra, Kai sedeva sul muro alto che circondava l'enorme complesso in cui viveva e lavorava Gregory. Aveva passato lì due giorni a guardare chi andava e veniva ed era impaziente di portare a termine il suo compito. Il complesso copriva almeno quaranta acri di terra a nord di New York, a circa un'ora di macchina dalla città. Il lungo viale di accesso serpeggiava attraverso la proprietà fino agli edifici principali, che erano nascosti dal fogliame. Le telecamere di sorveglianza, d'obbligo per un posto del genere, punteggiavano il paesaggio fornendo una copertura più che adeguata sull'intero complesso. C'erano guardie stazionate al cancello e – Kai lo sapeva – a un posto di blocco vicino agli edifici. Tutto sommato, le misure di sicurezza erano sorprendentemente leggere e non avrebbero posto problemi.

Il vero problema, semmai, erano i gatti. Ce n'erano ovunque: si aggiravano fra gli alberi, cacciavano, giocavano fra loro, facevano la siesta nell'erba. Kai non vedeva punti liberi dalle bestioline. Non c'era modo di avvicinarsi all'edificio senza creare trambusto. Senza dubbio, Gregory aveva previsto un attacco da parte di Te e si era preparato di conseguenza.

Un forte odore di ozono con un sottofondo di cannella gli riempì le narici: le labbra gli si sollevarono in un sorriso. "Uriele. E io che pensavo mi avessi abbandonato".

"Attento, vampiro, a non diventare troppo sfacciato", rispose Uriele.

"So già che non me lo permetteresti mai".

Kai si voltò a guardare l'arcangelo per controllare di non aver passato il segno con la sua risposta. Anche se Uriele aveva preso ad accompagnarlo regolarmente in quelle missioni, Kai aveva da poco iniziato a rilassarsi in sua presenza, e i loro battibecchi lo mettevano ancora a disagio. Come al solito, Uriele non dava nessun segno di dispiacere; d'altronde, Kai non aveva idea di quale sarebbe stata la sua espressione in caso contrario.

L'arcangelo indossava una tunica nera con decorazioni rosse, calzoni neri e stivali di cuoio neri; i capelli rosso vivo, lunghi fino alle spalle, incorniciavano lineamenti attraenti ma talmente inespressivi da sembrare scolpiti nella pietra. Se avesse osato sorridere, forse la sua pelle si sarebbe riempita di crepe, pensò Kai.

Uriele non lo guardò, ma lasciò vagare gli occhi color rame sulla proprietà. Meglio così. Avere addosso quello sguardo pesante lo metteva sempre a disagio, come se Uriele lo stesse giudicando e non lo trovasse all'altezza – il che, data la sua generale aria di disprezzo, probabilmente era vero. Prima di quelle visite, Kai conosceva l'arcangelo solo per le storie che si raccontavano su di lui: Uriele era noto per essere un assassino e uno zelota. Le distruzioni di massa come Sodoma e Gomorra ben si accordavano alla sua reputazione; la versione dell'arcangelo che aiutava il vampiro, no. Di tutta la famiglia di Lucifero, Uriele era per Kai la presenza più inquietante.

"Sembra che tu abbia un problema", disse Uriele.

"Solo un fastidio", bluffò Kai, fingendo di non essere stato su quel muro per due giorni per via dei gatti. Tipico di Uriele: non solo sottolineava l'ovvio, ma lo faceva anche sentire inadeguato.

"Qual è il tuo piano per superarli?"

Kai alzò lo sguardo. Era divertimento, quello che sentiva nella voce di Uriele? Dannazione. "Il mio piano non arriva a tanto", ammise, sentendo la gola stringersi per l'imbarazzo. "Non mi dispiacerebbe usufruire del tuo aiuto". Era proprio quello che l'arcangelo voleva sentirsi dire, anche se Kai detestò doverglielo chiedere.

Uriele scivolò giù dal muro fino a terra: i gatti nelle immediate vicinanze arrivarono di corsa, gli fecero le fusa e si strusciarono contro di lui infilandosi tra le sue gambe, contenti della sua presenza.

Gli Egizi avevano ragione a venerare i gatti, pensò Kai: grazie alla loro singolare sintonia con il sovrannaturale, i gatti tenevano lontani spiriti e fantasmi; inoltre, la loro saliva era velenosa per i Non-umani. Kai però non li temeva, perché non potevano fargli del male; temeva solo che dessero l'allarme, motivo per cui l'intervento dell'arcangelo gli fu immensamente utile.

Ancora appollaiato sul muro, osservò Uriele che

camminava tra loro e si chinava ogni tanto ad accarezzarli, a coccolarli e a fare grattini dietro le orecchie sollevate. Alla fine, l'arcangelo ne prese in braccio uno grigio e si allontanò di qualche metro. "Vieni giù, vampiro", disse poi, voltandosi verso di lui. "Non annunceranno la tua presenza".

* * *

Roberta guardò le fotografie sulla sua scrivania: ritraevano i due gatti della segretaria che l'aveva preceduta. Chissà che fine avevano fatto, le bestiole. La loro padrona era morta all'improvviso per un ictus, dopo aver occupato quella posizione a tempo pieno per quasi quindici anni. Come avesse fatto a lavorare lì così a lungo, Roberta non riusciva a immaginarselo. Lei era la terza lavoratrice temporanea assegnata allo Stronzo in soli tre giorni, e visto che le altre due se l'erano data a gambe subito, le era stata offerta una somma esorbitante per accettare e mantenere il posto. Avere la reputazione di essere in grado di lavorare per qualsiasi datore di lavoro, indipendentemente da quanto fosse difficile, aveva i suoi lati positivi.

Prima dello Stronzo, aveva avuto l'impressione di averle viste tutte, di poter affrontare qualsiasi cosa con un sorriso e in modo professionale. Ma lo Stronzo aveva messo a dura prova quella teoria nei primi quindici minuti del loro primo incontro. Era stato maleducato, volgare e offensivo. Alla fine della prima ora, Roberta si era chiusa in bagno con il viso rigato di lacrime.

Era stato allora che si era resa conto della vera ragione per cui le avevano offerto una tariffa di quaranta dollari all'ora: si trattava di una tangente, pura e semplice. L'agenzia interinale era finalmente riuscita ad acquisire lo Stronzo come cliente e voleva tenerselo. Se non ce l'avesse fatta Roberta a gestirlo, chi altri poteva? E lei, per quaranta dollari all'ora, certo che poteva farcela. La sola idea di tutti quei soldi l'aveva elettrizzata. Sarebbe riuscita ad aprire per davvero un conto di risparmio.

Ma quello era stato prima di conoscere lo Stronzo. Ora voleva solo arrivare fino a venerdì. Una volta che fosse stato venerdì, si sarebbe rifiutata di continuare. Che corrompessero qualcun altro. Potevano comprarla, sì, ma solo fino a un certo punto.

Sospirò e guardò fuori dalle vetrate dell'atrio dell'ufficio. Il fatto che la casa e l'ufficio dello Stronzo si trovassero in una vasta proprietà a nord di New York l'aveva sorpresa. A quanto pareva, il suo capo era un eremita maniaco del lavoro che viveva e lavorava nella sua proprietà e si aspettava che alcuni dei suoi dipendenti copiassero il suo bizzarro stile di vita.

Roberta si era stabilita nel cottage della precedente segretaria, una struttura adorabile, a un solo piano, che sembrava uscita da un libro illustrato, con un caminetto e le pareti di pietra nuda. Agli altri impiegati era fornito un dormitorio. Doveva ancora capire perché lo Stronzo esigeva che tanti suoi impiegati vivessero in loco. L'edificio di uffici principale ospitava una mensa, un minimarket e una sala fitness con una spa e una sauna. I pasti erano deliziosi, la maggior parte degli impiegati era amichevole, se non un po' strana. Nel complesso, non sembrava un brutto posto in cui lavorare. Aveva vitto e alloggio gratuito, oltre all'ottimo stipendio.

Sfortunatamente, la persona che rendeva tutto insopportabile era proprio la persona per cui doveva lavorare.

Si rimproverò per essersi lasciata sedurre dai soldi, dal vitto e dall'alloggio gratis. Era già passato un mese. Alla fine di ogni settimana aveva una gran voglia di licenziarsi e dire all'agenzia di prendere il lavoro e di ficcarselo su per il culo, ma non faceva mai quella telefonata. Si ripeteva che il suo impiego non era poi così male, che poteva riposare nel finesettimana, vedere come si sarebbe sentita il lunedì mattina, e se proprio avesse voluto licenziarsi, avrebbe potuto chiamare allora.

Ma il lunedì mattina si era sempre auto-convinta a restare. Quando le era stato offerto il cottage, all'inizio aveva rifiutato, dicendo che non voleva trasferirsi finché non avesse avuto un impiego permanente; in realtà era stato solo un modo educato per dire "Col cazzo". Poi, all'improvviso, il suo appartamento a Brooklyn era stato messo in vendita, e si era dovuta trasferire. Catherine, alias la Lady di Ferro, ovvero la moglie, nonché l'assistente personale dello Stronzo, era intervenuta facendo impacchettare e trasportare tutte le sue cose nel cottage. Così, di botto. Roberta avrebbe voluto protestare, ma ogni volta che ce n'era stata l'opportunità, le sue ragioni le erano sembrate inconsistenti e si era vergognata anche solo di aver pensato di lamentarsi. Inoltre, da quando viveva nella proprietà, era tutto molto più facile.

Un paio di gatti sfrecciarono inseguendosi al di là delle vetrate. Chissà se fra i tanti gatti là fuori c'erano anche quelli della segretaria precedente. Quando Roberta aveva fatto domande sulla loro presenza, la Lady di Ferro le aveva detto che lei e il marito li amavano così tanto che avevano reso la proprietà un rifugio.

Roberta trovava difficile credere che uno dei due potesse amare qualcosa che non fosse il potere o il denaro. Ne avevano un sacco, sia dell'uno che dell'altro, e non avevano eredi. Forse avrebbero ereditato tutto i gatti, a meno che quei due non avessero in mente di vivere per sempre o di farsi seppellire con il loro patrimonio – nessuna delle due cose l'avrebbe sorpresa.

"Dopo tutto il tempo che hai passato con Lucifero, vampiro, mi sorprende che tu abbia ancora paura dei gatti", disse Uriele mentre camminavano, continuando ad accarezzare il gatto che aveva in braccio.

"Non ho paura. Semplicemente non mi piacciono", ribatté Kai. Con gli occhi fissi per terra, zigzagava tra gli animali che lo circondavano. "Gregory è in uno degli edifici lì davanti. Mi sai dire quale?"

"No. Si sta nascondendo. La sua presenza è mascherata e riecheggia. Potrei trovarlo, sì, ma ottenere le informazioni alla vecchia maniera sarebbe più veloce".

"E anche più divertente", aggiunse Kai, prima di inciampare su un grosso gatto arancione. "L'hai fatto di proposito", lo accusò. Il gatto batté le palpebre e miagolò la sua innocenza. Kai non aveva dubbi che sia Uriele, sia il gatto stessero ridendo di lui. "Fallo di nuovo, e diventerai un paio di pantofole per scaldarmi i piedi", disse al gatto, che continuava ad apparire imperturbato in modo esasperante.

"Mi era parso di capire, vampiro, che la tua razza viene celebrata per i riflessi amplificati". Le labbra di Uriele si curvarono, accennando un sorriso. "Forse i secoli passati con mio fratello ti hanno rammollito".

Kai si fermò e lo guardò. "Fai l'antipatico così presto, Uriele?"

L'arcangelo ricambiò il suo sguardo, valutandolo. Inclinò la testa. "Attento, vampiro, o mi diventi permaloso con la vecchiaia".

Kai non poté fare a meno di sogghignare. Nonostante il disagio che provava in sua presenza, Uriele gli piaceva. Ricominciarono a camminare.

Alla fine si fermarono davanti a una siepe. Dall'altra parte, non c'erano gatti. Uriele mise delicatamente giù il gatto grigio che aveva in braccio e gli fece un'ultima carezza. "Le rune lungo la siepe", disse indicando a Kai una fila di pietre, "impediscono ai gatti di superarla. La quantità di impegno, di tempo e di denaro che ci ha messo Gregory per proteggere la proprietà è impressionante. È ben protetto da tutto, tranne che dalla mia specie – e da te, ovviamente".

Te l'aveva detto a Kai, che Gregory aveva dei deterrenti magici, ma date le protezioni di Kai, nessuno dei due li aveva presi seriamente. I gatti l'avevano colto di sorpresa, certo, ma grazie a Uriele erano stati solo un lieve fastidio. Il tutto provava in modo piuttosto eloquente la colpevolezza di Gregory: nessuno si sarebbe mai preso tutto quel disturbo, se non per nascondersi da qualcosa.

* * *

Lo stomaco di Roberta brontolò. Chissà se riusciva sgattaiolare fuori per prendersi qualcosa da mangiare, magari con la scusa di portare la cena allo Stronzo. Le avrebbe urlato dietro comunque, quindi, dopo una frettolosa occhiata in giro per assicurarsi che non ci fosse bisogno di fare nulla di urgente, decise di rischiare. Andò alla porta dell'ufficio e rimase in ascolto, per capire se lo Stronzo stava per finire la telefonata o era sul punto di chiamarla. No, era ancora impegnato. Bene. Andò alla porta dell'atrio.

Inspirò per farsi coraggio e uscì dall'atrio dell'ufficio con la testa china e gli occhi fissi sul pavimento. Camminando a passo svelto, superò le guardie del corpo dello Stronzo posizionate lungo il corridoio. Erano uomini asiatici alti e magri con i capelli lunghi, le cui pettinature andavano da un'unica treccia folta a tante treccine raccolte sulla sommità del capo per non adombrare il viso. Vestiti di nero in modo identico, con intricati tatuaggi tribali su ogni centimetro di pelle scoperta, avevano un'aria minacciosa che le faceva sempre contorcere lo stomaco. Non avevano pistole, o perlomeno lei non ne vedeva, ma appesa al fianco di ciascuno c'era una lama dall'aspetto pericoloso. Più che paura, Roberta provava disagio in loro presenza.

Dopo aver superato le guardie, tirò un sospiro di sollievo e svoltò dal corridoio verso la mensa. Di nuovo, non fece vagare lo sguardo mentre passava tra le statue di pietra allineate a intervalli regolari lungo le pareti.

La Lady di Ferro aveva un gusto orribile in fatto di arte. Quel posto era disseminato di opere d'arte orrende. Poi c'erano i brutti gingilli sulla scrivania e sulle mensole dello Stronzo, alcuni dei quali sembravano fatti veramente con parti di animali, se non addirittura di persone. A pensarci rabbrividì dal disgusto. Una volta, quando aveva espresso un commento su quegli oggetti d'arredo, la Lady di Ferro le aveva detto che sia lei, sia lo Stronzo amavano l'arte primitiva e che facevano viaggi frequenti in posti dimenticati in giro per il mondo, allo scopo specifico di aggiungere pezzi inusuali alla loro collezione.

Non appena entrò nella mensa, dimenticò il filo dei suoi pensieri. Per un po' rimase davanti al menù, aggrottando la fronte. Quando si fu ripresa, scelse per sé il cheeseburger con gorgonzola e patatine – al diavolo le calorie – e il polpettone con purè di patate e verdure assortite per lo Stronzo. Senza dubbio lui avrebbe guardato il cheeseburger e le avrebbe chiesto con sarcasmo: "Insalata mai?". Allora lei avrebbe riso educatamente provando il forte desiderio di avergli avvelenato il polpettone.

Certo che sapeva di essere grassa: era ovvio, come il fatto di avere gli occhi marroni. Ma c'erano altre cose del proprio corpo di cui era felice. Era alta uno e ottanta, quindi torreggiava sia sullo Stronzo che sulla Lady di Ferro, che quella fosse con o senza tacchi. Aveva capelli lunghi, folti e spessi che ben sopportavano ogni suo capriccio, da quando li voleva ricci a quando cambiava colore. Preferiva una tinta rosso-bruna: credeva che desse vita al suo aspetto altrimenti insignificante. No, non girava tutto intorno al suo peso; anzi, lei si era accettata così com'era.

Peccato che sua madre la pensasse diversamente. Quando Roberta era andata a trovare i genitori per Natale e aveva insistito perché il proprio peso non fosse argomento di discussione a tavola, la madre, una perfetta taglia quaranta, aveva storto il naso. La donna era convinta che la figlia avesse "gettato via" una "promettente carriera nell'intrattenimento" e che fosse necessario farle capire che l'aspetto era tutto ciò che contava nella vita. A sostegno di quella credenza le aveva addirittura posto la domanda: "Quale uomo vuole una moglie grassa?"

Roberta aveva circa dieci anni quando si era resa conto che la madre delirava riguardo i suoi presunti talenti. Da bambina aveva dovuto sopportare le lezioni di danza, dolorosamente consapevole di non essere aggraziata, una consapevolezza che aveva fiaccato la sua autostima, cosa che, di conseguenza, l'aveva resa una ballerina ancora peggiore, se peggio di così si poteva essere. Aveva avuto incubi sulle lezioni di canto. Indipendentemente da quanta pratica facesse, non era riuscita a fare in modo che la sua voce si accordasse alla musica. Era stata irrimediabilmente stonata e tormentata dal senso di colpa per la propria mancanza di abilità.

Eppure aveva continuato ad assecondare la madre, sopportando gli sguardi imbarazzati degli altri bambini e dei loro genitori mentre la donna si vantava di come la figlia sarebbe diventata una star. Accettabile nella recitazione, da giovane adulta era riuscita a prendere parte ad alcune pubblicità, ma dopo una chiacchierata molto franca – e privata – con il suo agente, Roberta aveva mollato.

Il lavoro temporaneo era stata la sua salvezza. Scoprire di avere un talento per il lavoro d'ufficio le aveva dato un profondo senso di orgoglio: finalmente, era brava in qualcosa. Ovviamente la madre non l'aveva mai perdonata e ancora si dispiaceva per il fatto che avesse buttato alle ortiche la possibilità di diventare una star. Di conseguenza, le vacanze e le telefonate occasionali erano il massimo del contatto con la famiglia che Roberta riusciva a sopportare.

Quando i pasti furono pronti e impacchettati, li prese e si incamminò verso l'ufficio, chiedendosi se lo Stronzo si fosse accorto che se n'era andata. Nel timore di essere stata via troppo a lungo, decise di tornare indietro passando per la cucina. Da lì, sarebbe arrivata in ufficio molto più in fretta che se avesse rifatto la strada da cui era venuta.

Quando giunse nell'atrio, sentì urlare lo Stronzo attraverso la porta dell'ufficio aperta. Supponendo che ce l'avesse con lei – le sembrava di essere l'unica persona contro cui urlasse lo Stronzo – Roberta lo ignorò momentaneamente per mettere la propria cena sulla scrivania. Poi si raddrizzò, si sistemò l'armatura mentale e andò a portargli la cena in ufficio, aspettandosi una sfuriata.

* * *

Una volta che ebbe superato la siepe, Kai sentì un odore e capì perché i gatti erano confinati nel prato. Annusando l'aria con attenzione, scoprì che più avanti c'erano cinque lupi mannari. Non gli serviva il naso per sapere che erano dei mezzo-sangue: nessun purosangue avrebbe mai lavorato per un umano.

Si mise a correre andando dritto verso di loro. Erano raggruppati vicino al secondo posto di blocco; doveva esserci appena stato il cambio di turno, poiché ridevano e fumavano rilassati. Senza rallentare, usando la sorpresa a proprio vantaggio, spezzò il collo a due. I mezzo-sangue si trasformavano in lupi mannari solo con la luna piena, ma dato che alla luna piena mancavano alcune settimane, il meglio che avevano quei poveracci per difendersi dal suo attacco erano la velocità e i sensi amplificati. Il che era ben lungi dall'essere abbastanza, considerando anche solo l'età di Kai. Lo circondarono preparandosi ad attaccare. Ne schivò uno e stava per balzare su un altro, quando tre frecce infuocate apparvero dal nulla, eliminandoli all'istante.

"Dannazione, Uriele". Kai si voltò verso il compagno, colpevole di avergli tolto il divertimento.

Uriele lo superò sul vialetto. "Andiamo, vampiro. Non perdere tempo".

Disarmato da quel comportamento, Kai rise. Per quanto fosse poco plausibile, era più divertito che irritato. A passo svelto raggiunse l'arcangelo. Due guardie meticce chiacchieravano vicino all'ingresso. Sembravano calme: evidentemente non avevano sentito la confusione lungo il vialetto.

"Da adesso in poi, ci penso io", disse Kai, guardando Uriele di sbieco.

"Come vuoi, vampiro".

"Ho un nome, sai", borbottò, prima di procedere verso le guardie.

"Certo, vampiro".

Kai sbuffò e scosse la testa. Non avrebbe mai avuto l'ultima parola.

Mentre si avvicinava ai meticci, provò una gioiosa sensazione per l'opportunità di toglierli di mezzo. Percorse il vialetto tenendo a freno l'odio: era lì per lavoro, il che significava che doveva eliminarli in modo pulito, senza perdere tempo a torturarli. Dato che non potevano percepirlo, si mosse con passo lento, dando loro tutto il tempo di vederlo.

Non appena lo notarono, il più vicino alzò la pistola. "Fermo lì".

"Meticci con le pistole", disse Kai senza rallentare. "Se aveste rispetto di voi stessi, vi vergognereste".

"Forse ci ripenserai". Con un ghigno la guardia premette il grilletto.

Preso in pieno torace, Kai grugnì di dolore, balzò in avanti, afferrò la pistola e gliela spaccò in testa. L'altra guardia allora gli sparò alla schiena: con un'imprecazione lui si voltò e le balzò addosso, strappandole di mano l'arma e simultaneamente rompendole le gambe con un calcio. La guardia urlò e cadde a terra; lui spaccò la pistola a metà e gettò via i pezzi.

Sentiva i proiettili che stavano ancora attraversando il suo corpo. Non gli piaceva, quando gli sparavano, e probabilmente si sarebbe sforzato di più per non farsi colpire, se non fosse stato per le facce dei suoi assalitori quando i loro proiettili non lo fermavano. Solo per quelle valeva la pena di sopportare il dolore ogni volta.

"Quando il primo proiettile non mi ha abbattuto, avreste dovuto cambiare tattica". Si accovacciò per guardare la guardia superstite negli occhi.

"Quei proiettili non solo erano d'argento, ma erano benedetti ed erano stati immersi nell'acqua santa", disse il meticcio scioccato, cercando di allontanarsi da Kai. "Saresti dovuto cadere al primo sparo".

"Sfortunatamente per te, non è stato così". Il suono dei proiettili che cadevano a terra sottolineò la sua risposta. Da una tasca del trench estrasse una fiaschetta, svitò il tappo e bevve un sorso del contenuto; poi allungò il braccio e ne versò un po' sulla guardia, che urlò e si ritrasse.

I suoi occhi terrorizzati si fissarono su Kai. "Che cosa *sei*?"

"È davvero rilevante, tenuto conto del tuo stato attuale?" Il meticcio a terra lo guardò impotente. Kai bevve un altro sorso di acqua santa. "Gregory. Dov'è?"

Gli occhi della guardia non si staccavano dalla fiaschetta. "Come faccio a sapere che non me ne verserai dell'altra addosso?"

"Non puoi saperlo. Ma avrai già immaginato che lo farò di certo, se non mi rispondi in modo corretto".

E a riprova delle sue intenzioni, versò un altro rivoletto sulle gambe rotte del meticcio, strappandogli altre grida.

"Basta, ti prego! Vai lungo il corridoio e poi a sinistra." Il poveraccio agitò freneticamente le braccia in quella direzione.

Kai inclinò la testa. "Grazie". Chiuse la fiaschetta, la rimise in tasca e si alzò per andarsene.

"Aspetta! Non puoi lasciarmi così". Indicò le gambe rotte che si scioglievano.

"Che suggeriresti?"

La guardia abbassò la testa e distolse lo sguardo.

"Se non riesci a chiederlo, non lo meriti". Con un sorriso oscuro, Kai si voltò e se ne andò, ignorando il suono dei singhiozzi soffocati della guardia.

Torturare i meticci prima di ucciderli era uno dei suoi passatempi preferiti. L'idea di ucciderne uno senza torturarlo neanche un minimo era stata davvero assurda. Ridacchiò fra sé: l'acqua santa era come acido sulla carne dei meticci; lavarla via non serviva a niente, poiché veniva assorbita subito e continuava ad avvelenarli fino a ucciderli. Provò soddisfazione al pensiero che la morte della guardia sarebbe stata lenta e dolorosa, anche se non sarebbe stato lì a godersi lo spettacolo.

Trovò Uriele ad aspettarlo con pazienza alla porta. L'arcangelo si stava divertendo: più che notarlo, Kai lo percepì. "Che c'è?" gli domandò, non riuscendo a nascondere il proprio sorriso.

24

"Hai finito? Non c'era bisogno di fare in fretta per me".

Kai rise apertamente: per lui i meticci erano dei parassiti e a quanto pareva, Uriele la pensava allo stesso modo.

Entrarono insieme nell'edificio. Appena varcò la soglia, Kai sentì la magia nell'aria, una magia antica e opprimente, ma non riuscì a individuarne l'origine.

"Per far sì che l'inusuale sembri usuale, per confondere la mente e turbarla affinché non faccia domande", rispose l'arcangelo alla muta domanda negli occhi del vampiro, indicando le statue lungo il corridoio.

Kai provò subito l'istinto di farle a pezzi, ma Uriele gli risparmiò il disturbo e le distrusse lui scoccando frecce man mano che le superavano. Nessuna guardia accorse al rumore, il che fu sorprendente. Al pensiero che non ci sarebbero stati altri ostacoli, Kai rimase un po' deluso. Ma dovette ricredersi non appena svoltarono l'angolo. "Ronin", sussurrò, avvertendo che neanche Uriele se li aspettava.

A metà del corridoio c'erano sei guerrieri tatuati con le lame sguainate. Come mai Te non sapeva che Gregory aveva guardie Ronin?

"Non posso esserti d'aiuto in questo scontro", rispose Uriele alla muta domanda di Kai. "Ma posso fare questo".

Tra le mani del vampiro apparve una spada. Lui l'afferrò, la sollevò e la provò con qualche fendente nell'aria: non solo era bellissima, ma anche ben equili-brata. Quando poi alzò lo sguardo per ringraziare Uriele, rimase sorpreso nel vedere quella che sem-brava compassione negli occhi ramati dell'arcangelo, che però non gli disse nulla. Allora si voltò verso gli avversari e fece un passo avanti, sforzandosi di ricor-dare ciò che il suo sire, che era stato addestrato dai Ronin, gli aveva detto su come combatterli.

La prima cosa, ovviamente, era non trovarsi mai a doverli combattere, perché avrebbe perso. La seconda cosa era ingaggiare il combattimento e fuggire appena possibile. Il codice d'onore dei Ronin proibiva di inse-guire un avversario che si ritirava. La paura gli attana-gliò le viscere. Né lui, né il suo sire erano dei codardi, ma i fatti erano fatti. I Ronin erano imbattibili.

Il fatto che Gregory avesse dei membri di quel-l'antica razza come guardie l'aveva lasciato di stucco. Trovare qualcuno che conoscesse per filo e per segno i loro rituali era praticamente impossibile. Si trattava di rituali di alta precisione e complessità; persino chi li conosceva doveva stare attento: un solo passo falso, ed era finita, nel senso che il cercatore moriva oppure era completamente dissuaso dal continuare, al punto da non riuscire neanche più a parlare dell'esperienza.

I Ronin non erano violenti con i loro simili. Le storie dei Ronin che avevano lasciato il campo di bat-taglia pur di non combattersi a vicenda erano leggen-darie. Tra loro comunicavano con la telepatia, erano maestri nell'uso di ogni arma possibile e immaginabile, e avevano forza, velocità e resistenza sovrannaturali. In pratica, erano macchine per uccidere. Persino i Kazat evitavano gli scontri con i Ronin.

Kai fece un respiro profondo e lasciò che i propri istinti prendessero il sopravvento. Un ultimo pensiero, mentre faceva un altro passo avanti, fu chiedersi se Lucifero l'aveva ascoltato, quando gli aveva detto di non mettergli un sigillo anti-decapitazione. Sperò proprio di no, perché nella situazione in cui si trovava, senza quel sigillo, sarebbe morto di sicuro.

Un Ronin si staccò dal gruppo per venirgli incontro. Secondo il loro codice, i Ronin potevano farsi avanti e combattere solo in numero uguale al numero degli avversari. Dunque Kai ne avrebbe affrontato uno alla volta. Se non altro, una piccola grazia gli era concessa.

I due si fermarono a pochi passi l'uno dall'altro. Kai si inchinò, come era appropriato, non perdendosi lo sguardo piacevolmente sorpreso sui volti dei Ronin, prima che l'avversario si inchinasse a sua volta. Un attimo dopo, alzò la spada e lo affrontò. I due si girarono intorno, mettendo a prova le loro abilità. Ogni affondo parato, ogni colpo schivato li avvicinava al combattimento vero e proprio. Kai ormai riusciva bene ad assumere le posture e a eseguire movimenti fluidi facendo affidamento sulla sua memoria muscolare.

Ben presto la fase di prova finì e lo scontro si intensificò. Il vampiro riuscì a schivare un colpo alla testa e reagì con un affondo alle viscere, che fu elegantemente evitato. Poi tentò di disarmare l'avversario, ma riuscì solo a colpire l'aria mentre il Ronin spariva e riappariva dietro di lui, e si riprese appena in tempo per non essere tagliato a metà. Continuarono così: nessuno dei due guadagnava terreno, nessuno dei due ne perdeva.

"Basta", disse uno del gruppo.

L'avversario di Kai si fermò immediatamente, gli fece un inchino – più profondo del precedente, notò Kai – e si ritirò.

Allora si fece avanti quello che aveva parlato. Kai ebbe l'inquietante idea che, dato che non era riuscito a battere il primo Ronin, adesso avrebbe dovuto combattere contro il secondo, e avanti così finché non gli sarebbero venute meno le forze. La sicurezza che aveva acquisito vacillò, lasciandolo saturo di incertezza.

"Sei stato addestrato da un Ronin".

Colto alla sprovvista, Kai ci mise qualche istante per articolare una risposta. "Il mio sire, Aram, ha imparato da un Ronin, sì. Poi ha insegnato a me".

Il Ronin annuì con un'espressione ammirata e divertita sul viso. "Aram. I Ronin se lo ricordano bene. Era disciplinato e diligente, un ottimo allievo. Gli fai onore".

Kai si inchinò, incerto su cosa sarebbe seguito a quello scambio di informazioni; dicendo il nome del sire aveva sentito dita invisibili stringersi intorno al cuore.

"È stata accertata la ragione della tua presenza. Puoi perseguire il tuo obiettivo". Davanti allo sguardo confuso di Kai, il Ronin spiegò: "Lord Te è un amico. I Ronin non interferiranno".

Il gruppo rivolse un inchino profondo a Kai e gli passò accanto, diretto all'uscita. Come una sola persona, si fermò anche di fronte a Uriele, con un altro inchino profondo. Lo stesso che si era rivolto a Kai si fece avanti e parlò a voce talmente bassa che persino l'udito sensibile del vampiro non riuscì a cogliere una parola. L'arcangelo rimase immobile, per un istante guardò il Ronin con stupore prima di tornare una maschera inespressiva, e inclinò la testa quando il gruppo uscì dall'edificio.

Per quanto morisse dalla voglia di saperlo, Kai intuì che non sarebbe stata una buona idea chiedere a Uriele cosa gli aveva detto il Ronin, ma fu contento di vedere i suoi occhi brillare di rispetto quando gli venne incontro in mezzo al corridoio: gli parve che l'arcangelo non lo considerasse più come il cocco di Lucifero o il galoppino di Te, ma come un guerriero, e si sentì pervadere dall'orgoglio. Che Uriele si tenesse pure i suoi segreti.

Si diressero all'ufficio e aprirono la porta. Gregory, assorto in una conversazione telefonica, alzò lo sguardo e si accigliò per essere stato interrotto.

"Chi diavolo siete e come avete fatto a entrare?"

abbaiò. "Starr? Dov'è quella scema?" si domandò gettando un'occhiata nell'atrio. "Pierre, ti richiamo", disse al telefono prima di riattaccare. Saltò su dalla sedia e superò i due intrusi per andare nell'atrio. "Starr", la chiamò di nuovo, anche se era ovvio che lei ci non fosse. "Stupida donna, dove sei andata?" borbottò sottovoce. Sbirciò fuori dalla porta. "E dove cazzo sono gli addetti alla mia sicurezza?"

Kai e Uriele intanto erano entrati nell'ufficio, restando lì in attesa che Gregory tornasse, cosa che lui fece quasi subito.

"Avrei dovuto sapere che quei Ronin erano troppo belli per essere veri. Imbattibili un cazzo", disse, marciando verso la propria scrivania e sedendosi.

Kai lo osservò: anche se di fatto era molto più vecchio, Gregory aveva l'aspetto di un uomo sano e vivace di circa cinquant'anni, dal fisico snello e con una folta capigliatura color sale e pepe.

Passata la sorpresa iniziale, lui li guardò con i suoi occhi marroni perspicaci. "Be', che volete? Chi vi manda? Gli Arabi? I Russi? Qualunque sia la cifra che vi danno, vi darò il triplo".

Accanto alla finestra, Uriele sbuffò.

"Mi manda colui che dovrebbe essere in cima ai tuoi pensieri", rispose Kai, mettendo con cura la spada sulla scrivania.

Gregory lo guardò, perso nelle proprie considerazioni, poi continuò come se non avesse sentito. "Be', diavolo, ovviamente hai sconfitto i miei uomini. Vuoi un lavoro? A quanto pare, ho bisogno di nuove guardie". Rise.

Kai mise le mani sulla scrivania e si chinò in avanti. "Lord Te è molto arrabbiato con te".

Al nome di Te, Gregory sgranò gli occhi e impallidì, capendo all'improvviso in che brutta situazione si trovava. "Dev'esserci un errore. Chiamiamolo al telefono. Sono sicuro che possiamo chiarirci". Fece per prendere la cornetta, ma Kai gli afferrò il polso, intrappolandolo sulla scrivania.

"No, non c'è nessun errore. Sei diventato avido con l'età. Non hai più versato i tributi che dovevi a Lord Te". Kai gli schiacciò il polso contro la scrivania; Gregory fece una smorfia di dolore. "Credevi davvero che non se ne sarebbe accorto? Illuso! Sono venuto a incassare i tributi in arretrato".

"Certo. Lasciami andare alla cassaforte. Puoi prendere tutto e portarglielo con le mie più sincere scuse".

Kai scosse lentamente la testa; un sorriso crudele gli distorceva il viso. "In cambio di ricchezza, potere e immortalità, hai promesso determinate cose. Hai firmato un contratto. Un contratto che hai rinnegato. Pensi davvero che sia sufficiente aprire la cassaforte per sistemare le cose? Tu più di tutti dovresti sapere che il tempo delle soluzioni così semplici è passato". Prese Gregory per il collo, avvicinandolo al proprio viso. "Sai qual è il pagamento che ci devi ora? Carne e, a mia discrezione, *sangue*". Si leccò le zanne, che intanto si erano allungate.

"Aspetta, aspetta! Non facciamo niente di avventato".

"Avventato? Intendi così?" Kai gli afferrò un avambraccio e lo strinse, rompendo le ossa.

Gregory urlò. "Ti prego, ti prego! Farò qualsiasi cosa, ma... Ma lasciami andare. Di' che non sei riuscito a trovarmi. Ti prego!"

"No". Kai lo scosse, e lui si accasciò. "Tutto qui?" Lo scosse di nuovo, e l'uomo penzolò come una bambola di pezza. "Dopo tutta questa fatica... Mi hai fatto anche combattere contro i Ronin". Lo scosse ancora. "E per cosa?" Lo lasciò andare: Gregory finì a terra e si rannicchiò ai suoi piedi con il braccio stretto al petto. "Piagnistei. Non meriti la considerazione di Lord Te, figurarsi la sua pietà".

La rabbia, bruciante e insidiosa, ribolliva in Kai sull'onda della sua insoddisfazione. Il vampiro era convinto che avrebbe dovuto fare di più per convincere Gregory, persino versare del sangue. Si era immaginato qualsiasi cosa, tranne che quel magnate dei suoi stivali gli prestasse il fianco così facilmente. Proprio allora notò una foto sulla scrivania, e gli venne un'idea. Per tutto il fastidio che Gregory gli aveva causato, Kai voleva, no, aveva bisogno del suo chilo di carne, ed ecco, aveva trovato il modo per averlo. "È tua moglie?"

Gregory alzò gli occhi pieni d'orrore.

"Anche lei ha beneficiato della generosità di Lord Te, vero?" proseguì Kai mentre l'uomo lanciava un grido terrorizzato. "Credo che me la porterò via come bonus", concluse senza disturbarsi a celare la sua allegria.

"No!" strillò Gregory con rinnovato vigore, ma Kai gli piazzò uno stivale sulla schiena, inchiodandolo al pavimento. "Non ti dirò niente di lei", disse il poveraccio dibattendosi. "Non mi importa cosa ne sarà di me, ma lei... lei lasciala stare".

Finalmente un po' di vita, un po' di spirito. Kai esaminò l'uomo intrappolato singhiozzante; stava riflettendo sul danno che avrebbe potuto infliggergli senza che gli fosse fatale, quando si rese conto che non erano soli. Alzando lo sguardo, vide una donna nel vano della porta, folgorata.

* * *

Al primo passo nell'ufficio, Roberta si fermò di botto. Al centro dell'ampio locale c'erano due sconosciuti. Quello vestito di nero aveva una carnagione scura, olivastra, lunghi capelli neri e tatuaggi sul viso che scendevano sul collo e sotto il colletto. L'altro aveva i capelli di un rosso brillante e sembrava uscito da una fiaba... ed erano un arco e una faretra, quelli che aveva a tracolla sulla schiena?

Ciò che la stupiva di più della scena non erano le stranezze dei due sconosciuti – il che faceva parte del gioco, da quelle parti – ma che il Tatuato avesse inchiodato lo Stronzo a terra con lo stivale. E che lo Stronzo fosse in lacrime.

Non sapeva cosa fare. Da qualche parte nella sua testa, una vocina le disse di scappare prima che i due si accorgessero di lei.

Troppo tardi. Il Tatuato smise di dedicarsi allo Stronzo e la guardò. L'altro fece lo stesso. Lei si sentì trafiggere dai loro occhi e iniziò a tremare.

"Sua moglie?" Il Tatuato si avvicinò di un passo. "Dov'è sua moglie?"

"Non dire niente a questo succhia-sangue figlio di puttana, fottuta vacca grassona!" Lo Stronzo si era alzato in ginocchio e le stava urlando dietro. "Non dirgli una cazzo di parola!"

Persino ridotto così, mi insulta.

"Non è il modo di parlare a una signora." Il Tatuato lo colpì alla tempia con uno schiaffo: lo Stronzo ricominciò a piangere e lei provò un formicolio di soddisfazione.

"Ti prego, non puoi prendere mia moglie. Fammi... Fammi chiamare Lord Te. Sono sicuro che troveremo una soluzione".

Lei contemplò affascinata il suo capo che implorava l'aguzzino: sembrava incerto se afferrargli una gamba oppure scansarlo per non farsi più toccare. Le faceva pena, il che la sorprese, dato che l'unico sentimento che aveva provato per lui dal giorno in cui si erano conosciuti era stato un intenso odio. Il Tatuato tirò fuori da una tasca del trench una fascia di metallo attaccata a una catena, prese lo Stronzo per i capelli e gli allacciò la fascia di metallo – un collare? – intorno al collo. *Ecco. Mi sono addormentata alla scrivania. È impossibile che una cosa tanto folle sia reale.*

"Ti è stata fatta una domanda." L'altro sconosciuto, il Tizio-Uscito-Da-Una-Fiaba, dissipò la sua illusione. "Faresti bene a rispondere".

Le stava venendo incontro. Finalmente decisa a muoversi, gli lanciò il vassoio con la cena dello Stronzo e si voltò per scappare. Ebbe un vago pensiero: strano non aver sentito il vassoio colpire lo sconosciuto o sbattere sul pavimento. Al che si rese conto che non si stava muovendo.

"Voltati".

Il corpo sembrava non appartenerle più; obbediva allo sconosciuto senza il suo consenso. Con uno sguardo assente, notò il vassoio deposto sul pavimento accanto alla porta, come se fosse stata lei a metterlo lì con cura. Lo sconosciuto l'aveva quasi raggiunta. Si rese conto troppo tardi che non avrebbe dovuto guardarlo negli occhi. Nello stesso istante in cui lo fece, la sua volontà di fare di tutto, tranne quello che voleva lui, si dissolse. C'era qualcosa in lui che soffocava ogni suo istinto di conservazione, che bruciava dentro di lei, rendendola più che disponibile a ridursi in cenere piuttosto che muovere un dito per salvarsi.

"Dacci un taglio, Uriele", disse una voce esasperata.

Uriele? Che bel nome. Vide il Tatuato superarlo, con lo Stronzo al guinzaglio.

"Vuoi le informazioni o no?" domandò Uriele al Tatuato, ma senza interrompere il contatto visivo con lei. Mentre i due parlavano, Roberta aveva la sensazione di galleggiare su bianche nuvole vaporose, ormai irrimediabilmente persa nella sua adorazione per lui.

"No, non se fai di lei un'idiota che sbava per te".

I suoi capelli sono così rossi. Rossi come il vero rosso.

"Ti importa sul serio?"

Il rosso che la natura e l'uomo si sono sforzati di catturare. Fuoco vivo! La verità di quel rosso sfuggirà sempre all'una e all'altro, ma io la vedo. La conosco. Quella conoscenza era fonte di ardore in lei; era qualcosa di speciale, solo per lei.

"Sì, mi importa sul serio, e dovrebbe importare anche a te".

* * *

Kai guardò l'espressione assente sul volto della donna e scosse la testa, disgustato. La tensione che di solito provava in presenza di Uriele si era sciolta, ma ora si sentì pervadere da un'ondata di delusione ricordando quanto fossero spietati gli angeli nel perseguire un obiettivo, al punto da non curarsi degli innocenti. La loro inutile crudeltà lo irritava.

"Prendi la mia mano, bambina". L'arcangelo porse una mano alla donna, che gli obbedì con un sorriso deliziato. "La moglie di quest'uomo si nasconde da me. Sai dov'è?" La dolcezza che trasudava dalla sua voce era nauseante.

"È molto probabile che sia a casa loro, sempre qui, nel complesso", rispose la donna, senza fiato.

"Brava ragazza", la lodò Uriele. "Ora vedi la casa con gli occhi della mente... Sì, così".

In un batter d'occhio furono trasportati nell'ingresso della casa padronale. Gregory gemette. La donna perse i sensi, e sarebbe caduta a terra, se Kai non l'avesse presa al volo.

Con uno sguardo omicida a Uriele, il vampiro depose il corpo inerte sul pavimento, poi si rivolse a Gregory: "Chiama tua moglie, subito. Se solo provi ad avvisarla, ti giuro che chiederò che tu sia affidato a me, e il tuo destino sarà dieci volte peggio del peggio che potrebbe farti Lord Te. Mi capisci?"

Gregory annuì tremante.

Vero, poteva anche trovarla da solo, ma era una cosa tediosa. Aveva passato più tempo su quell'incarico di quanto avesse pianificato, e non vedeva l'ora di portarlo a termine e di andarsene di lì.

"Catherine", cominciò Gregory, gracchiando appena.

Kai indurì lo sguardo. "Vuoi che ti strappi il

cuore? Poi Lord Te ti guarirà e quando sarai tornato in vita, te lo strapperò di nuovo." Gregory impallidì, i suoi occhi si rovesciarono indietro, quasi stesse per svenire, ma Kai gli diede un altro schiaffo. "Non osare. Chiamala ancora".

Gregory fece un respiro profondo. "Catherine!" la chiamò rivolto all'ampia scala che saliva con una curva a destra della porta d'ingresso. "Vieni giù, cara. Ho una cosa da farti vedere".

La donna uscì urlando da una porta al piano inferiore e scoccò una freccia con una balestra contro Kai. La freccia lo colpì con un tonfo; colto alla sprovvista, il vampiro fece un passo indietro. Lei intanto aveva già ricaricato e puntato l'arma contro Uriele, ma non ebbe la possibilità di sparare: con un balzo, Kai le fu accanto, la prese per la gola, la disarmò e gettò la balestra contro il muro più vicino, facendola a pezzi. Poi, con deliberata lentezza, si tirò fuori la freccia di legno dal petto e l'agitò, ancora insanguinata, davanti al viso. "L'unico risultato che hai ottenuto è stato farmi arrabbiare".

Lei sgranò gli occhi non appena lui strinse le dita intorno al suo collo, togliendole l'aria.

"No, ti prego! Ti prego, non ucciderla", implorò Gregory.

Kai allentò la presa e lo guardò. Uriele aveva un piede sul guinzaglio non lontano dall'attacco del collare, per cui Gregory era a terra bocconi. Gradualmente, l'arcangelo fece scivolare il piede vicino alla gola dell'uomo, che, scosso dai brividi, giacque sconfitto senza muoversi più.

Aveva sbagliato ad abbassare la guardia con Uriele, il che lo rendeva irascibile. Sorrise agli occhi pieni di panico della donna nella sua stretta, e con immenso piacere la soffocò lentamente. Quando fu morta, aprì la mano e la lasciò cadere. Gregory emise un lamento al tonfo del cadavere sul pavimento.

* * *

La segretaria di Gregory aprì gli occhi e si guardò intorno disorientata. Ben presto il disorientamento divenne panico. Passò in rassegna i presenti con frenesia finché non individuò Uriele: solo allora si calmò, lo raggiunse e si inginocchiò ai suoi piedi.

Kai li guardò. Lucifero gli aveva detto che l'arcangelo aveva il potere di soggiogare. Ce l'aveva anche lui; per qualche tempo l'aveva usato con l'intento di ottenere l'attenzione dell'essere umano di turno e impartirgli una lezione in modo che se ne ricordasse e gli obbedisse anche in seguito. Usato nel modo giusto e con moderazione, era un potere estremamente utile ed efficace.

Usato in modo improprio, come avevano fatto Lucifero e altri Caduti, produceva schiavi. L'intensa sensazione di benessere causata dall'incanto dava dipendenza. Quando l'incanto veniva sospeso, i soggetti cadevano preda di un'intensa depressione e dell'apatia. Lucifero gli aveva detto che trovava divertente essere adorato, ma con il tempo i soggiogati non erano più in grado di pensare da soli. Erano riluttanti ad allontanarsi da lui, persino per adempiere alle loro necessità basilari: doveva addirittura ordinare loro di mangiare, lavarsi e così via. Quando se ne andava, loro si struggevano in attesa che tornasse, e morivano se non tornava.

La segretaria di Gregory era stata al cospetto di Uriele e, cosa più importante, aveva sentito il suo potere mentre era sotto il suo incantesimo. Kai era preoccupato: forse era stata esposta abbastanza da riportare danni permanenti. Si sentiva in colpa. Di solito, faceva più attenzione. Non aveva previsto i Ronin, le specifiche delle magie di protezione, né la possibilità di coinvolgere degli innocenti. Sapeva fare di meglio, ma quella notte si era dimostrato distratto e superficiale. Doveva sistemare le cose.

Guardando ancora la donna, si rivolse a Uriele: "Cosa si può fare per lei?"

"Perché ti preoccupi tanto?"

"Mi preoccupo perché non ha fatto niente per meritarsi di finire così". Era come parlare con un bambino.

Kai si inginocchiò accanto alla donna: lei subito si allontanò, spostandosi verso Uriele, non appena Uriele si mosse di qualche passo. Kai la fermò prendendole delicatamente un braccio. Lei glielo lasciò fare, ma tenne il viso girato verso l'arcangelo. Gentilmente ma con fermezza, Kai le prese il mento e la fece voltare verso di lui. Lei girò la testa, ma continuò a sforzarsi di non perdere di vista l'oggetto della sua adorazione.

"Guardami", le ordinò il vampiro.

Gli occhi marroni si fissarono un momento nei suoi, per poi tornare subito su Uriele.

Kai abbassò la testa e fece un respiro per calmarsi. "Uriele, un po' d'aiuto, per favore?"

"Cosa vorresti che facessi?"

"Sul serio non capisci?" Kai guardò il viso inespressivo del compagno, scosse la testa e lo esonerò dal rispondere con un cenno della mano. "Lascia perdere. Puoi farla dormire?"

Uriele esitò. Gli comparve una piccola ruga sulla fronte, e Kai ebbe l'impressione che stesse per chiedergli perché; invece dopo un istante l'arcangelo lo accontentò.

Il vampiro raccolse il guinzaglio di Gregory. Era affamato, stanco, e non vedeva l'ora di tornare a casa. "Portaci alla Città, per favore".

Uriele annuì con la testa, e sparirono.

TRE

Lucifero era disteso su una poltrona rivolta alla porta e soffiava in aria fumo di tabacco aromatizzato al trifoglio. La sala privata del club di Te, I Caduti, al momento era vuota, ma si sarebbe presto riempita dei membri del Concilio dei Non-umani. Dato che Kai era ancora impegnato con il lavoro per conto di Te, Lucifero aveva del tempo da ammazzare. Gli era passato per la mente di recuperare lui l'umano, per riavere indietro subito l'amante, ma aveva dovuto soffocare l'impulso.

L'ultima cosa di cui aveva bisogno era che Kai lo accusasse di ritenerlo un debole. Ci erano già passati con i sigilli. Quella volta, Lucifero aveva fatto di testa sua, ma era stato necessario legare Kai. Ne era valsa la pena per stare tranquillo, poiché con i sigilli l'amante era protetto, poi però aveva dovuto soppor-

tare sguardi feriti e risposte a monosillabi per settimane. A ogni modo preferiva non causare di nuovo
quella reazione, se poteva evitarlo. Quindi avrebbe
aspettato tutto il tempo che serviva a Kai per portare
a termine il compito.

Intrufolarsi al poker mensile del Concilio era un
modo come un altro di passare il tempo. A essere sinceri, "intrufolarsi" non era il termine adatto, visto che
Te aveva messo in giro la voce che lui sarebbe passato,
dando così a tutti il tempo di prepararsi. Per quanto si
parlasse di aprire il Concilio all'intera comunità non-
umana, fra i suoi membri, al momento, c'erano solo i
capi dei clan di lupi mannari e dei clan di vampiri.
Lucifero dubitava che l'ammissione sarebbe stata
estesa ad altri. I lupi mannari e i vampiri riuscivano a
malapena ad andare d'accordo fra loro, raramente ar-
rivavano al consenso, per cui aggiungere i rappresen-
tanti delle altre razze, soprattutto dei Kazat,
significava che poi non sarebbero più riusciti a fare
assolutamente nulla.

Proprio allora, nella sala entrò Te. Il suo completo
del giorno era una *salwar kamiz*, con la camicia verde
foresta ricamata in rosso e oro e pantaloni ocra. Si diresse al tavolo in mezzo alla sala, guardò Lucifero e
agitò il grosso sacchetto che aveva in mano con un'e-
spressione gioiosamente compiaciuta sul viso.

"Hai portato le tue solite schifezze, vero?" Lucifero storse il naso e si ripromise di non vincere una
pentola piena del bottino di Te.

Lui ridacchiò con gli occhi argento brillanti di malizia. "Dobbiamo portare quello che ci piace di più. E poi, parli tu", disse agitando un grosso dito dalla pelle scura verso Lucifero.

Fu il suo turno di ridacchiare. Si alzò e andò a mettere sul tavolo un sacchetto pieno di bretzel a forma di fiammifero. "La parte migliore è il sale".

Te arricciò il naso. Odiava i bretzel quanto Lucifero odiava gli orsetti gommosi. Entrambi facevano il possibile per evitare di scontrarsi perché ciascuno non voleva il bottino dell'altro.

Dato che lo scopo del Concilio era di incoraggiare la cooperazione fra le specie e i clan, era stato deciso che giocare con i soldi sarebbe stato controproducente: i clan più ricchi avrebbero avuto più peso nelle partite, e le risultanti gelosie avrebbero inasprito le relazioni, già scricchiolanti di per sé. Era stata un'idea di Te, quella di giocare con i loro snack preferiti. In qualità di Moderatore dei Non-umani, partecipava agli incontri del Concilio per mantenere la pace e mediare quando era necessario.

Giocare a poker con i Non-umani era per Te un modo di ricompensarli per la loro partecipazione agli incontri del Concilio; le rare apparizioni di Lucifero, quando Kai era impegnato lontano da lui, servivano da ulteriore incentivo. Quelli intelligenti prendevano seriamente il fatto che Te li onorasse della sua presenza e sceglievano i loro "soldi" in base alle sue preferenze, come una specie di offerta, poiché avevano notato che lui tendeva a mandarli in bancarotta per alcuni premi.

Dal canto suo, Lucifero aveva in mente modi meno piacevoli con cui i Non-umani potevano ingraziarsi il suo favore. Tra l'altro, ingraziarsi il suo favore significava soltanto avere il prestigio di essere ammessi alla sua presenza. A lui non chiedevano mai niente; per quello, c'era Te. Intrattenerlo amabilmente durante una partita a poker, stando bene attenti a non farlo arrabbiare, era un'impresa di cui i capi potevano vantarsi tra loro e tra i membri dei loro clan. La reputazione e il prestigio erano molto valutati, tra i Non-umani.

Lucifero e Te si erano appena seduti, quando nella sala fecero il loro ingresso Lugan, il capo del clan di vampiri di Kai, gli Aria, e Gwendolyn, la matriarca del clan di lupi mannari Celesta. Kai e Lugan non erano imparentati da esseri umani – Kai era di discendenza persiana e Lugan africana – ma erano fratelli in quanto vampiri creati dallo stesso sire. Kai, essendo maggiore di Lugan di più di duecento anni, era tecnicamente il capo degli Aria; tuttavia, per la gioia di Lucifero – e dietro suo caloroso incoraggiamento – si era rifiutato di guidarli e si era volontariamente fatto da parte, lasciando che Lugan prendesse il comando. Ciascuno dei due incolpava l'altro della morte del sire, e con il passare dei secoli il loro odio era degenerato in un sentimento talmente tossico che non riuscivano a stare nella stessa stanza.

Quanto ai Celesta, in origine il loro clan raccoglieva tutti i lupi mannari, ma nel corso del tempo le figlie inquiete e insoddisfatte delle matriarche se n'erano andate, formando via via i propri clan. Le matriarche dei Celesta non avevano mai dimenticato quello che per loro era stato un tradimento e lavoravano senza sosta per assorbire o decimare gli altri clan.

Gwendolyn non faceva eccezione. Fisicamente era bellissima, con lunghi capelli rosso fiamma, tratti del viso delicati e pelle chiara accentuata dagli occhi verdi, ma la sua personalità fredda e crudele ne distorceva l'aspetto. Per quanto ne sapeva Lucifero, l'unica amica che aveva Gwendolyn era Alana, la matriarca del Clan Zenith, ma solo perché Alana, come sua madre prima di lei, era debole di mente e aveva lasciato che i Celesta sfumassero i contorni fra i due clan; a quel punto, erano separati solo di nome.

Lucifero dubitava che Alana si sarebbe fatta viva, quella sera: era terrorizzata da lui, il che era prudente, ma lui non l'aveva mai minacciata; sarebbe stata al sicuro, finché fosse rimasta al suo posto. Dubitava anche che Elizabeth, la matriarca dei Lumina, si sarebbe fatta viva. Il tentativo di restare neutrale era costato caro al suo clan, che si era quasi estinto in seguito ai continui attacchi di Gwendolyn; erano riusciti a sopravvivere solo alleandosi con il Clan Orione. Il Concilio stava lavorando a una risoluzione, ma per il momento Elizabeth non voleva altro che squarciare la gola di Gwendolyn, il che spogliava gli incontri del Concilio del loro presunto carattere di affari civili e diplomatici.

In compenso era presente Risha, la matriarca del Clan Orione. Entrò accompagnata da Jarvis, il capo del clan di vampiri Acqua. Appena dietro di loro, cupo e accigliato, avanzò furtivamente Mathias, il capo del Clan Arya, l'unico capo maschio di un clan di lupi mannari.

Se fosse andato tutto bene, Mathias avrebbe accusato velatamente Lucifero di barare e Risha avrebbe reagito come sempre, con rapida ed estrema violenza. Era bellissimo guardare quella femmina dai muscoli compatti, alta appena un metro e mezzo, inchiodare al suolo il grosso maschio alfa, alto un metro e ottanta, minacciando di sgozzarlo se non si fosse scusato. Risha governava con fascino e diplomazia, ma non era avversa all'uso aggressivo della forza, quando lo riteneva necessario.

Come i capi degli Arya prima di lui, Mathias era in vita a discrezione delle matriarche. Proprio come i suoi predecessori, prima o poi ne avrebbe insultata una al di là di ogni scusa accettabile, e quella si sarebbe sbarazzata di lui.

Anche se era instabile a livello di comando, il Clan Arya serviva bene al suo scopo di raccolta dei lupi mannari maschi che non riuscivano a vivere sotto il dominio matriarcale del loro clan di origine. I maschi che credevano in una struttura di potere patriarcale avevano tre scelte: unirsi agli Arya, unirsi agli idioti dei Canes Inferni o vivere come scarti sociali senza clan. Secondo Lucifero nessuna delle tre era ideale, poiché tutte e tre implicavano che il maschio non si sarebbe mai accoppiato con una femmina purosangue, dato che nessuna femmina purosangue si sarebbe mai sottoposta al dominio di un maschio. Dunque, a quei maschi non restava altro che accoppiarsi tra loro oppure con le donne della razza umana, e per quanto ne sapeva Lucifero, nessuno di loro era davvero felice del destino che si era scelto.

I suoi occhi seguirono i movimenti di Risha. Era vestita in modo semplice, con jeans, ballerine e una camicia bianca e larga senza maniche; aveva *mehndi* dorati che le brillavano sulle braccia color miele bruno. Quando gli si avvicinò, lui sorrise e scostò la sedia alla propria destra, il posto riservato a lei. Un sorriso si aprì sul viso rotondo di Risha, mentre lei ricambiava la cortesia con un profondo inchino.

Gwendolyn alzò gli occhi al cielo davanti a quella che riteneva un'inutile ostentazione di deferenza. Si sbagliava, ovviamente. Risha si inchinava a Lucifero perché nutriva per lui un rispetto sincero e profondo. Dal canto suo, Lucifero le era molto affezionato non solo per quello, ma anche perché Risha gli ricordava la madre, nei confronti della quale lui aveva avuto una grande stima. Piccola di statura come la figlia, Adelaide era stata intelligente, bellissima, diretta, giusta e letale. La sua morte l'aveva rattristato non poco.

Gwendolyn l'aveva fatta assassinare. Lui l'aveva capito, anche se gli era stato impossibile dimostrarlo, e si era vendicato. Gwendolyn aveva derubato Risha di sua madre quando Risha aveva appena cent'anni – ancora giovane, per una femmina e futura matriarca – oltre ad aver derubato il Clan Orione di una grande condottiera, quindi Lucifero aveva fatto in modo che non potesse avere altri figli; a far fuori la primogenita ci avevano già pensato Kai e Lugan per motivi loro. E così, mentre la linea di successione di Risha era garantita con Estelle, la figlia di Risha, Gwendolyn non avrebbe mai avuto una discendente cui passare il mantello del comando.

All'epoca Lucifero aveva preso in disparte Risha, per rassicurarla che la madre era stata vendicata, anche se non le aveva rivelato come. Adesso, dopo tutto il tempo che era passato, era sicuro che il come fosse evidente, e che Risha almeno lo sospettasse. Supponeva fosse per quello che le frecciatine di Gwendolyn la lasciavano indifferente.

L'assassinio di Adelaide gli aveva fatto capire di essere vulnerabile attraverso Kai, e aveva giurato che chi avesse voluto fargli del male non ci sarebbe mai riuscito per mezzo del suo amante. Quelli che erano cominciati come piccoli segni di affetto, per esempio il sigillo per proteggere Kai dal sole, erano diventati, dal punto di vista di Kai, espressioni di paranoia. Il

vampiro era stato irremovibile nel suo rifiuto del sigillo per impedire che la testa gli venisse staccata dal
corpo, accusando Lucifero di crederlo incapace di
badare a se stesso.

Come il suo sire prima di lui, Kai credeva che un
vampiro, se non era in grado di conservarsi la testa,
non meritava di tenersela. Lucifero ammetteva che il
suo amante era un guerriero formidabile, ma riteneva
anche che Kai non era invincibile, e sapeva che la
propria tranquillità dipendeva dalla sopravvivenza di
Kai. D'accordo, forse apponendo certi sigilli si era
spinto troppo in là, ma anche se fosse stato quello il
caso, Kai non l'avrebbe saputo, e il risultato finale era
lo stesso: Kai era protetto.

Una volta che Risha si fu accomodata, Lucifero
spostò gli occhi su Jarvis, l'incorreggibile cascamorto,
che andò a sedersi alla sua sinistra. A seconda della
fonte d'informazione, quando era ancora un uomo,
Jarvis era stato o un generale, o un intimo confidente
e consigliere di Gengis Khan. A Lucifero non era mai
importato abbastanza da scoprirlo. Di una cosa invece
era certo: a Jarvis piacevano molto la redingote e il
pizzo. L'abito di broccato di seta che indossava quella
sera era di ottima fattura ed esemplificava il gusto del
vampiro per le cose belle e di qualità.

Inclinando la testa con fare civettuolo, Jarvis
gettò all'indietro i capelli biondo platino, lunghi fino
alla vita, e abbassò gli occhi a mandorla in segnò di
umiltà, prima di passare una canna a Lucifero. "Dalla

mia scorta privata", disse arricciando le labbra in modo provocante ed enfatizzando ogni parola.

Per quanto Jarvis fosse abile a coltivare la cannabis, Lucifero non aveva dubbi che quello spinello sarebbe stato inefficace e insapore come tutti gli altri, ma annuì ringraziando e lo portò alle labbra al posto della sigaretta al trifoglio che stava fumando. Mentre l'accendeva con un gesto, notò con soddisfazione l'ardore che quel trucco da salotto fece scaturire nello sguardo di Jarvis. Gli piaceva flirtare con lui, e ribatteva colpo su colpo, come era evidente dalle pupille dilatate e dallo spudorato desiderio negli occhi fin troppo blu dell'antico vampiro.

Proprio allora una caramella volante colpì Jarvis dritto in testa, accompagnata dal risolino sfacciato di Risha. Jarvis riportò l'attenzione sulla sala. "Cagna", le disse, l'ardore scomparso dai suoi occhi, mentre un sorriso pungente gli incurvava le labbra. Rilanciò la caramella alla matriarca, poi aprì il proprio sacchetto e impilò il contenuto – brownie alla cannabis – sul tavolo, come mattoni in miniatura.

Lucifero la considerò un'offerta accettabile. Per quanto non avesse effetto su di lui, la cannabis dava una nota saporita ai brownie che non gli dispiaceva.

"Jarvis, devi proprio infastidire Lord Lucifero con la tua erba?" chiese Risha, accettando però lo spinello e facendo un tiro, quando Lucifero glielo passò.

"Meglio di quel pericolo per i denti che sembra piacerti tanto", rispose Jarvis.

Risha rise di gusto e capovolse un sacchetto di carta pieno di caramelle mou, alcune delle quali sfiorarono la mano di Lucifero, che fu tentato di rubarne una. Lei colse il suo sguardo e con un gesto esagerato raccolse le caramelle sparse in una pila davanti a sé, dopo avergli restituito lo spinello. "Oh, no, mio Signore, dovete guadagnarvele in modo onesto".

"Come se sapesse cosa significa", borbottò Mathias sottovoce.

Lucifero bloccò Risha prima che si lanciasse dall'altro lato del tavolo. *Troppo presto per gli spargimenti di sangue.* Con sorpresa di tutti però, Lugan diede un pugno a Mathias facendolo cadere dalla sedia. *Forse no, per gli spargimenti di sangue non è mai troppo presto.*

"Le mie scuse, Lord Lucifero. So che non ho il diritto di interferire", disse il vampiro dalla pelle scura e dalla corporatura esile. "Ma non sopporto di stare qui seduto un'altra sera a sentire gli insulti di questo moccioso".

Con un gesto Lucifero gli diede il permesso di procedere; allora Lugan prese Mathias per i capelli, avvicinando il viso del lupo mannaro al proprio al punto che i nasi quasi si toccavano. "Sembra che tu non voglia obbedire alla matriarca", disse il vampiro. "Suppongo che lei sia stata indulgente con te per deferenza alla tua razza. Io non ho questo tipo di freni". Mathias non distolse lo sguardo, il che gli fece onore. "Da questo momento", proseguì Lugan, "fino a quando andiamo via, se ritengo che qualcosa che dici sia un insulto a uno qualsiasi dei presenti, ti paralizzo dal collo in giù. Sono sicuro che la mia reputazione mi preceda".

Lucifero sapeva che la vera vocazione di Lugan era molto meno pura – e più sanguinaria – di quanto suggerisse il suo aspetto di ragioniere o maestro delle elementari. Dall'espressione che aveva sul viso, lo sapeva anche Mathias. Quando abbassò gli occhi, Lugan lo lasciò andare. Sedendosi di nuovo, Mathias tenne la testa bassa e iniziò a cincischiare con un sacchetto di Mary Jane.

"Oh, hai portato le caramelle mou al burro d'arachidi. Le mie preferite". Lugan sorrise, preparando la propria pila di cioccolatini ripieni di burro d'arachidi.

Tutti si erano accomodati, Te aveva mischiato le carte e stava per distribuire la prima mano, quando nella sala entrò una cagna di media taglia con un sacchetto di carta marrone, trotterellò da Lucifero, mise il sacchetto sul pavimento ai suoi piedi e si rotolò sulla schiena, abbaiando una sola volta.

"Octavia, è quello che penso?" Lucifero si chinò e solleticò la pancia dell'animale prima di raccogliere il sacchetto. Dentro, come aveva sospettato, c'erano due fagottini di carne giamaicani. Ne prese uno, lo spezzò, esponendo l'interno caldo e profumato, ne porse metà a una deliziata Risha, e dopo aver scambiato con lei uno sguardo cospiratorio, prese un morso dell'altra metà. Octavia, il capo del clan di vampiri Terra, abbaiò di nuovo.

"Certo che il tuo tributo viene accettato", le rispose, divorando di gusto ciò che aveva in mano. "Stai in salute e buona caccia." Poi prese il secondo fagottino. Quello no, non l'avrebbe condiviso.

Soddisfatta, Octavia uscì trotterellando, come sempre senza badare al resto dei presenti.

"Qualcuno si ricorda com'è nella sua forma umana?" chiese Jarvis.

"È grassa", rispose Gwendolyn, sistemando la sua pila di gelatine nere. Lei portava sempre le gelatine nere. E tutti pensavano che fosse talmente tirchia da portare sempre le stesse a ogni partita.

"Macché. È grassa quanto me". Risha finì di leccarsi le dita dopo aver mangiato la leccornia inaspettata e chinò la testa verso Gwendolyn.

"Appunto. È grassa", ripeté Gwendolyn.

Lucifero guardò Risha: dalla peluria di capelli irti sul cranio rasato e la testa chinata in quel modo, gli parve che lei stesse canalizzando Adelaide. Ma quell'attimo fu interrotto da Te, che sbatté le carte davanti a Mathias e gli disse di tagliare il mazzo.

"La partita", li istruì Te, riprendendo le carte, "è a cinque carte. Il jolly e il sei di cuori sono la matta".

Jarvis alzò gli occhi al cielo.

* * *

54

"Lo sai già che vuoi lasciare", disse Lucifero a Te. Nonostante il disgusto di ognuno per ciò che aveva messo sul piatto l'altro, erano rimasti in partita solo loro due. Lucifero aveva una coppia di sette e stava bluffando per vincere. Anche se Mathias lo pensava, e forse anche altri, lui non barava mai. Sarebbe stato facilissimo farlo, ma per vincere preferiva usare la sua abilità con le carte e certe volte l'intimidazione. Era molto più soddisfacente.

"Quello che voglio fare", disse Te aggiungendo una generosa manciata di orsetti gommosi alla montagna di snack in mezzo al tavolo, "non solo è vedere, ma anche rilanciare".

Dannazione. Avevano l'attenzione completa di tutti. Persino Gwendolyn sembrava interessata.

"Sei sicuro di voler continuare? È una coppia, ma non vale un granché", disse una voce dietro Lucifero.

Lui chiuse gli occhi e mise le carte a faccia in giù sul tavolo. "Lascio".

Te emise un grido di trionfo e sbatté le carte sul tavolo: una coppia di dieci. Poi allungò la mano e girò le carte di Lucifero a faccia in su. Non appena le vide perse del tutto la testa. Ridendo come un matto raggruppò la sua vincita in una pila accanto a sé. "Michele, bello vederti", disse fra le risate al nuovo arrivato. "Ti do le carte?" gli chiese quando riuscì a prendere fiato.

Nella stanza era calato il silenzio. I Non-umani presenti sapevano chi era l'arcangelo Michele, ma non avevano idea del perché fosse lì o se sarebbero sopravvissuti. Risultato: tutti fissavano il pavimento e fingevano di essere invisibili.

Te stava ancora ridacchiando. "Una coppia di sette. Hai fatto tutto questo per una coppia di sette". E ricominciò a ridere di gusto.

Lucifero sospirò. "Non la finirà mai. Giornata piatta, Michele? Sei venuto a spaventare i bambini?"

Te sbuffò e rise ancora di più.

Contrariamente a quanto sembrava, Lucifero era sorpreso. Non vedeva Michele, né gli altri, da secoli e in fondo era curioso di sapere perché aveva deciso di farsi vivo.

"Sono venuto perché dobbiamo parlare", disse Michele entrando nel campo visivo di Lucifero. Scoccò a Te, che ancora rideva, uno sguardo denigratorio, ma Te si prese l'insulto senza problemi.

Lucifero esaminò il fratello: pelle di un caldo tono olivastro, occhi viola, era uguale all'ultima volta che si erano visti. L'unica differenza era che adesso Michele indossava abiti militari moderni. Tutto in nero, dai capelli scuri e corti fino agli stivali, aveva un aspetto austero. Erano alti uguali, ma Michele era più muscoloso e, come tutti gli arcangeli, bello da mozzare il fiato.

"Mi fa piacere che il tuo guardaroba sia migliorato. Non apprezzo molto i tessuti moderni, ma ammetto che a te stanno bene".

Te, che era finalmente riuscito a ricomporsi, ricominciò a ridere.

Michele scoccò a entrambi un'occhiata infastidita. "Non sarei venuto, se non fosse importante".

Era il turno di Mathias di dare le carte, ma come tutti, tranne Te, non aveva nessuna intenzione di muoversi finché la cosa non fosse stata risolta.

"Va bene". Lucifero sospirò, prese una caramella dalla sua pila, si alzò e dopo aver recuperato il cappotto, la scartò e si diresse alla porta. "Procedete senza di me. Te, se non torno fra una mano, prendi tu la mia pila". Si ficcò la caramella in bocca e uscì con Michele.

* * *

Lucifero si sedette al bar e fece un cenno al barista. Te si era assicurato che tutto il personale sapesse che non solo doveva assecondare subito le sue richieste, ma anche che non doveva infastidirlo chiedendogli di pagare il conto. Il barista, per esempio, sapeva che quando Lucifero gli faceva un cenno, doveva portargli un bicchiere di Glenfarclas, a meno che Lucifero non gli dicesse altrimenti. E così fece anche quella volta: gli mise davanti il bicchiere con cura e si allontanò alla svelta. Lucifero non prestava attenzione alle storie che Te raccontava su di lui. Non gli importava. L'importante era che i dipendenti avessero paura di farlo arrabbiare, e ancora di più che la voce arrivasse al loro capo.

Beveva lo scotch solo perché gli piaceva il gusto; come l'erba, neanche i superalcolici lo inebriavano. Bevve un sorso e si accese un'altra sigaretta al trifoglio, ignorando Michele, che gli si sedette accanto.

"Ehi, tu, biondino, non si fuma, qui".

Lucifero si voltò a guardare la ragazza che aveva parlato. Era la tipica cliente di quel bar: giovane, sui venticinque anni, alla moda, superficiale. Ma non era una cliente abituale. I clienti abituali sapevano di non dovergli dare fastidio, anche se molti flirtavano con lui. Quella se ne stava dritta, con i suoi sandali costosi, le mani sui fianchi, a fissarlo malamente con occhi azzurri fiammeggianti. Lui ricambiò lo sguardo, fece un tiro e le soffiò il fumo in faccia.

"Che maleducato!" La ragazza agitò la mano per allontanare il fumo.

"Perché devi indisporre gli umani?" gli chiese Michele.

"Perché sono suscettibili e mi diverte farlo", rispose Lucifero con lo sguardo ancora puntato sulla ragazza. Due amiche le si avvicinarono, come per sostenerla, ma il personale ignorò le sue richieste di aiuto. Seccata, uscì dal locale. Lui era un po' deluso. Gli era sembrata il tipo da piantare una scenata. "Allora? Perché sei qui, Michele?"

"È qui dentro, agente! Fuma in luogo pubblico, sta infrangendo la legge".

Di nuovo, la ragazza.

Il poliziotto venne loro incontro; il cinturone tin-

tinnava a ogni suo passo. Sembrava infastidito per essere stato costretto a occuparsi di una questione così banale, ma era deciso a fare il suo dovere. Lucifero continuò a fumare.

Quando li raggiunse, Michele si alzò e gli mostrò un distintivo. Mentre il poliziotto guardava il distintivo, Lucifero sentì la gentile *spinta* di Michele. Il poliziotto si rilassò all'instante.

"Mi scuso per il mio sospettato, agente..."

"Singleton", finì l'uomo.

"Agente Singleton. Lui è una persona informata dei fatti in un caso a cui sto lavorando. Ho fatto uno strappo alle regole, ma non avrei dovuto. Adesso ce ne andiamo".

Lucifero sbuffò. "Non ho finito il mio scotch".

"Una persona informata dei fatti?" Il poliziotto era ancora rilassato, ma il suo sguardo si era acceso di interesse. "Le serve aiuto, signore?"

"Signore?" Lucifero sfotté Michele.

L'arcangelo gli scoccò un'occhiata di avvertimento. "No, grazie", disse poi all'agente. "Non è pericoloso. Crede solo di esserlo".

A quelle parole Lucifero fu tentato di fare la parte del soggetto bellicoso e iniziare una rissa. Dopotutto, lui e Michele non si scontravano da secoli e l'idea l'allettava non poco. Ma il fratello percepì il suo intento e scosse discretamente la testa. Allora Lucifero si scolò il bicchiere di scotch e si alzò. In effetti, iniziare un rissa davanti agli umani, finendo inevitabilmente per coinvolgerli, gli avrebbe portato ogni tipo di problema familiare. Meglio evitare. Fece un tiro dalla sigaretta, guardò Michele e soffiò il fumo. Poi si voltò e andò alla porta.

Michele lo seguì all'esterno.

"Cos'è quel distintivo? FBI?"

"Controspionaggio dell'Esercito. Funziona bene al Sud".

"Ne sono certo. Anche le stupide ali funzionavano bene. Ma a cosa servono le ali, se hai un distintivo?"

"Credo che solo Uriele odiasse le ali più di quanto le odiassi tu", disse Raffaele.

Lucifero si voltò, sorpreso.

Appoggiato alla parete dell'edificio, Raffaele gli sorrise. Era vestito come il tipico motociclista, con i copri-pantaloni di pelle sui jeans, il gilet di pelle e una t-shirt. Aveva la barba incolta; i capelli neri arruffati gli cadevano sugli occhi marroni cerchiati da rughe di divertimento.

Lucifero sorrise suo malgrado. Le parole di Raffaele avevano suscitato in lui un'ondata di nostalgico cameratismo.

C'era anche Gabriele. Raffaele gli diede un colpetto con il gomito: l'altro fece una smorfia e si allontanò, temendo che il fratello in veste di motociclista gli sporcasse l'abito grigio immacolato. Aveva i capelli lunghi color ruggine e gli occhi ambrati; come per gli altri arcangeli, lo sguardo magnetico e l'incredibile bellezza lasciavano trapelare le sue origini ultra-terrene.

L'ultima volta che quei tre erano andati a trovarlo, avevano messo in piedi ciò che si poteva chiamare solo un'interferenza. Non era finita bene. Lucifero sperò che avessero abbastanza sale in zucca da non provare di nuovo a fare qualcosa di altrettanto ridicolo. Si accese un'altra sigaretta al trifoglio e attraversò la strada, diretto al Waterfront Park.

"Siamo qui perché abbiamo un problema", disse Michele camminando al suo fianco.

"Abbiamo? Da quando faccio parte di *noi*?"

"Da sempre", rispose Raffaele alle sue spalle. I marciapiedi in quella parte della città permettevano a malapena a due persone di camminare affiancate, per cui Raffaele e Gabriele dovevano stare indietro. "È stata una tua scelta non agire al riguardo".

"Uh-uh. Allora, qual è il problema?" Lucifero si fermò all'angolo, in attesa che passasse una macchina prima di attraversare.

"Sarebbe meglio che lo vedessi con i tuoi occhi", disse Gabriele.

Attraversata la strada, davanti al parco, Lucifero si voltò verso i fratelli. Sembravano sinceri; ma essendo angeli sulla retta via, la sincerità era un loro tratto distintivo. "Sarà meglio per voi che ne valga la pena".

"È così, vedrai", disse Michele.

"Fate strada".

* * *

"Dunque è questo è il vostro problema", disse Lucifero.

Erano tutti e quattro invisibili in una stanza d'ospedale con un solo paziente. Un'infermiera gli misurò la temperatura.

C'erano pochissime cose che lo facevano veramente arrabbiare; tra di esse, le interferenze di quei tre con le faccende umane. "A che gioco state giocando?" Sentì nascere in sé la voglia di una sfuriata talmente feroce che non avrebbero osato infastidirlo per cent'anni. "Mi trascinate qui con tanta urgenza, e per cosa? Siete matti? Pensate che mi importi di loro? Lasciateli soffrire. Lasciateli morire".

Michele gli si avvicinò. "Smettila di fare il martire e chiudi il becco".

Senza dare a Lucifero il tempo di reagire, Raffaele scoccò uno sguardo esasperato a Michele e si mise tra i due. "Ti prego, ascoltaci". Gli mise una mano su una spalla per calmarlo. "Non è quello che pensi. Non saresti qui, se non fosse assolutamente importante".

Lucifero distolse gli occhi dallo sguardo di sfida di Michele e si prese un istante per valutare Raffaele. Michele era il guerriero, Gabriele lo studioso e Raffaele il cuore. Di tutti e tre, Raffaele era il più genuino. Metteva a nudo il cuore con umiltà e sincerità al punto che, per quanto lo considerasse uno sciocco,

Lucifero non poteva fargliene una colpa. Fu solo quello a convincerlo a restare.

L'infermiera aveva finito di scrivere sulla cartella clinica; raggiunse silenziosamente la porta, si fermò un momento per abbassare le luci e uscì. L'uomo nel letto era grosso e aveva un aspetto sano; di fatto però, era in coma.

"È in salute, proprio come sembra", spiegò Raffaele. "La causa del coma è innaturale".

Michele si avvicinò al letto e si chinò sull'uomo. "Gli umani non hanno trovato un pattern di malattia, e dubito che lo faranno, dato che non si tratta di un contagio". Guardò Lucifero. "Cosa vedi?"

"Un umano in un letto d'ospedale e un arcangelo che deve arrivare al punto". Lucifero incrociò le braccia e fece poco e niente per tenere a bada l'irritazione.

"Se guardassi non solo con gli occhi, vedresti questo". Michele mise una mano nel petto dell'uomo e tirò fuori una sostanza nera, lucida, più densa dell'acqua, più viscosa dell'olio. Non appena la raccolse, la sostanza iniziò a ribollire e a sfrigolare sulla sua mano come acido sul metallo. E in effetti bruciò ed erose la pelle, almeno in superficie. Sibilando per il dolore, Michele lasciò ricadere la sostanza, che scomparve all'istante, riassorbita dal corpo dell'uomo. La mano era ancora rossa e scorticata; iniziò a guarire solo quando Gabriele gliela prese ed esercitò su di essa il proprio potere sacro.

Scioccato e incuriosito, Lucifero ci mise qualche istante per riprendersi. "Cos'era?" chiese poi a Raffaele.

"Non ne abbiamo idea. Non riusciamo nemmeno a capire come o perché gli umani si infettano".

"C'è di più", disse Michele. "I sigilli si stanno rompendo".

Il fastidio di Lucifero tornò decuplicato. "Allora manda i tuoi lacchè a sistemarli. Come fa a essere un mio problema?"

"Dannazione..."

Lucifero ghignò quando colse lo sguardo di avvertimento di Raffaele a Michele, che si fermò a metà frase e si sforzò visibilmente di darsi una calmata.

"Quei sigilli non sono nostri", riprese poi l'arcangelo guerriero. "Sono stati eretti eoni prima dei nostri. E si stanno rompendo dall'altra parte. Non possiamo chiuderli perché quel... *viscidume*, in mancanza di un termine migliore, ne fuoriesce". Michele allungò la mano verso Lucifero. La pelle era rosa e lucida, per niente guarita come avrebbe già dovuto essere. "Non possiamo avvicinarci abbastanza alle infiltrazioni per chiuderle, perché quella roba ci attacca".

"Aspetta. Vuoi dire che è viva?" chiese Lucifero tra lo sconvolto e il disgustato.

"Non ne siamo certi", intervenne Gabriele. Come al solito era rimasto il silenzio ad assistere al battibecco dei fratelli, decidendosi a parlare solo in un secondo momento. "Apparentemente non lo è, ma sappiamo che ha sferrato degli attacchi. Non abbiamo elementi sufficienti per stabilire se è viva, o se ha un'intelligenza".

Lucifero incrociò le braccia e si avvicinò al letto, scavando nella sua memoria. "Sì, ricordo di essermi imbattuto in uno di quegli antichi sigilli". Si accigliò, scuotendo la testa. "Avevo chiesto informazioni a Lui, ma Lui mi aveva sviato". Alzò le spalle. "Poi me ne sono completamente dimenticato quando Lui vi ha creati".

"Aspetta, nostro Padre sapeva di quei sigilli, ma non li ha creati?" chiese Gabriele.

"Mettiti in pari con il resto della classe".

"Ma questa è la Sua creazione. Non ha senso", disse Michele.

"No. Io, voi, gli animali e gli umani siamo la Sua creazione. Il resto c'era già". Lucifero scrollò le spalle.

"No", disse Michele. "Lui ha creato il Cielo e la Terra..."

Lucifero alzò una mano per fermare la litania; non gli andava di sentirla. "Se preferisci la storia revisionista, sono fatti tuoi". Gli occhi color lavanda di Michele erano tempestosi: l'arcangelo moriva dalla voglia di ribattere, ma Lucifero lo sviò di nuovo. "Perché siete venuti da me? Il Vecchio era troppo impegnato?" Si accorse che Gabriele e Raffaele evitavano di proposito il suo sguardo. Una fredda consapevolezza lo pervase; si voltò verso Michele. "Vi ha mandati Lui".

"Le cose sono cambiate". Michele parlò a voce bassa. Un'emozione gli adombrò il viso, troppo rapida perché Lucifero riuscisse a decifrarla. L'angelo caduto si soffermò ancora un attimo a studiare il viso dell'arcangelo, che però aveva già ripreso la sua solita espressione neutrale.

C'era qualcosa che non gli stavano dicendo. Il Vecchio aveva forse ordinato una tregua tra angeli e demoni? *Interessante.* Non che lui avesse intenzione di fare un accordo del genere. Amava la vita che faceva e non sarebbe sceso a compromessi, indipendentemente da ciò che avrebbe decretato o preteso Lui.

Riportò l'attenzione all'umano nel letto. Prendendosi il tempo di guardare davvero di che si trattava, ne fu affascinato e ripugnato al contempo. Lì, dove avrebbe dovuto esserci l'anima, c'era invece una massa nera rotante. Cos'era successo all'anima? Era stata sostituita o divorata?

Mosso dalla curiosità, infilò la mano nel petto dell'uomo, afferrò una manciata di quella roba e la tirò fuori. C'era un lieve odore di marciume umido, che però non sapeva di fresco e pulito come quello nelle foreste, ma di fetido e infetto come quello di una ferita trascurata. La sostanza ribollì come aveva fatto prima, ma su di lui ebbe poco effetto: una buona porzione si dissolse nel nulla, mentre il resto si ritirò dalla sua mano usando lo slancio della gravità per rientrare nel corpo sul letto. Troppo preso dalla sostanza, Lucifero non notò il sollievo sui volti dei suoi fratelli.

"Sembra che avrete un bel po' da fare", disse loro mentre si raddrizzava e si spolverava le mani integre.

"Non dirai sul serio. È una minaccia per tutti noi". Michele gli si avvicinò con la mascella serrata, pronto a dare battaglia.

Lucifero sbuffò. "Può essere una minaccia per voi. Come hai visto, non lo è per me".

"Ve l'avevo detto, che sarebbe stato egoista", disse Michele a Raffaele e Gabriele.

"*Egoista?* È questa la parola che usiamo adesso?" Lucifero lasciò esplodere la sua rabbia. "Mi chiami egoista, ma chi desiderava piegare il mio destino ai propri desideri, per poi cacciarmi quando mi sono rifiutato di obbedire?"

Inchiodò ciascuno di loro con il peso del suo sguardo; solo Michele incontrò i suoi occhi e lo fissò con lo stesso ardore.

"Vi ho condotti a una vittoria dopo l'altra contro l'Oscurità. Poi faccio una cosa, e mi punite. Mi rifiuto di inchinarmi alle scimmie nude e puzzolenti, e voi fate in modo che tutto il Paradiso mi disprezzi". Gradualmente aveva abbassato la voce. Non avrebbe mai voluto manifestare il suo dolore per essere stato escluso, ma la possibilità che si era appena presentata di pareggiare i conti gli aveva sciolto la lingua, e non si sarebbe fermato finché non avesse vomitato tutto. "Scelgo una cosa per me, e all'improvviso tutti credono che sia stato cacciato dal Paradiso, che sia caduto in disgrazia per aver sfidato il Signore Dio". I suoi occhi passarono da un fratello all'altro, e notò con soddisfazione che persino Michele distoglieva lo sguardo con vergogna. "Sono egoista, ma siete stati voi a tradire me".

"Pensavamo..."

"E chi è rimasto seduto e non ha fatto niente per fermarvi?" continuò, rifiutandosi di lasciarsi zittire. "Mi avete voltato le spalle. Il Vecchio mi ha voltato le spalle. Se è una minaccia così grande per voi, fate in modo che sia Lui a occuparsene. Per quel che mi riguarda, sono affari vostri". E scomparve.

"Accidenti", Raffaele sospirò. "Con il senno di poi, me lo sarei dovuto aspettare, ma avevo sperato che..."

"Che il suo senso di superiorità avesse la meglio sui suoi sentimenti per noi?" chiese Gabriele. Il fratello annuì. "Il suo comportamento non mi sorprende", proseguì Gabriele, "anche se ammetto che non mi ero mai reso conto di quanto ci fosse rimasto male. Non ci aiuterà mai di sua spontanea volontà".

"Non capisce". Michele guardò gli altri. "Quando lo farà, cambierà idea". Sparì anche lui.

"Racimola sempre più punti quanto a determinazione, ma è alla pari con Lucifero quanto a testardaggine". Gabriele sorrise al tentativo di Raffaele di fare dello spirito, poi scomparvero entrambi.

Rimasto da solo nella stanza, l'uomo nel letto cominciò a ridere.

QUATTRO

STANDO ALLE LEGGENDE DEI NON-UMANI, migliaia, forse milioni di anni prima che gli umani abitassero il pianeta, la Città era forte e vibrante di vita. La caduta della Città si ebbe durante l'Epurazione, quando gli angeli vennero e massacrarono gli antenati. Si era sempre sospettato, ma non era mai stato dimostrato, che lo scopo dell'estinzione forzata fosse ripulire la terra dai Non-umani per fare spazio agli umani.

Nel tentativo di salvare la civiltà non-umana dallo sterminio totale, la Città, insieme ad altri quattro insediamenti, era stata sepolta intenzionalmente, nascosta sottoterra. Il modo in cui era accaduto variava a seconda delle storie. Una versione parlava di dieci maghi potenti che avevano salmodiato per quaranta giorni e quaranta notti per radunare abbastanza potere da riuscire nell'impresa. In un'altra versione, i dieci maghi avevano radunato il potere con continui sacrifici di sangue. Nella versione preferita di Kai, enormi draghi neri, pari agli angeli per potere e ferocia, si erano alzati in volo per proteggere i maghi, finendo con il sacrificarsi tutti, tranne uno, nel tempo necessario per mettere al sicuro la Città.

Durante l'Epurazione, solo le specie più pericolose per gli umani erano state prese di mira finché non si erano estinte. Le altre specie erano venute meno naturalmente, via via che la razza umana era cresciuta prendendosi terra e risorse, o erano state sconfitte in seguito, quando gli umani si erano dimostrati più potenti. Dei cinque antichi insediamenti, era rimasta solo la Città, i cui abitanti avevano deciso che era meglio sopravvivere, piuttosto che combattere un nemico imbattibile. Altri tre erano andati in rovina a causa di lotte interne, di condottieri inadeguati e della mancanza di risorse. Il quarto era diventato un teatro per la guerra santa, che gli angeli non avevano tollerato.

Uriele depositò il gruppo all'ingresso. Le pareti curve dell'anticamera, scolpite con immagini di creature di un altro mondo, riempivano sempre Kai di meraviglia. Ogni abitante della Città sapeva che da qualche parte su quelle pareti c'erano i propri antenati. Ibridi fino all'ultimo, i Non-umani dovevano la loro esistenza agli esperimenti sia naturali, sia magici. Come tanti, Kai non aveva idea di quali creature fossero i suoi antenati; quel sapere era andato perduto da tempo immemore.

L'anticamera era deserta, tranne che per le guardie Pietra Nera, alte più di tre metri, che si trovavano ai due lati dell'ingresso e a intervalli lungo le pareti. Pur essendo ancora l'ingresso principale, ormai la sua funzione era solo rappresentativa. I viaggiatori in entrata e in uscita dalla Città usavano i portali a essi dedicati nei rispettivi "quartieri" o pagavano i maghi per avere il privilegio di essere trasportati.

Kai rimpianse di non essere stato più specifico quando aveva chiesto a Uriele di portarli da Te. Dato lo status del prigioniero, Uriele li aveva depositati lì, in modo che Kai facesse un ingresso spettacolare. Il vampiro guardava l'ampio varco che conduceva alla piazza del mercato, sperando di vedere Te. Non vedeva l'ora che arrivasse e gli togliesse dai piedi Gregory.

Ma Te non si vedeva. Quindi avrebbe dovuto trascinare lui il prigioniero in bella vista lungo la strada principale. Certo, sfilare con un prigioniero così importante avrebbe aumentato il suo prestigio, ma in quel momento non gli importava. Si sentiva impaziente e irritabile. Voleva solo farla finita per poter tornare a casa.

Neanche a farlo apposta, data la sua pazienza agli sgoccioli, l'ultimo individuo che Kai voleva vedere gli stava proprio venendo incontro. Stephan – pronunciato *Stef-ahn* – era l'unico essere sul pianeta che Kai desiderava uccidere a vista, ripetutamente, fino alla fine dei tempi. Era un leccapiedi smorfioso che cercava in continuazione di danneggiare il suo rapporto con Lucifero e con Te.

Ufficialmente, Stephan era l'assistente personale di Te, ma aspirava ad altro, quindi si degnava di lavorare solo quando riteneva il lavoro importante. Allora, se ne andava in giro con un'insopportabile aria di autorità, assicurandosi che tutti sapessero che c'era lui al comando. Se fosse dipeso da Kai – e da molti altri, Kai ne era certo – Stephan sarebbe morto da tempo.

A tenerlo tra i vivi era l'incomprensibile affetto di Te nei suoi confronti. Secondo Te, Stephan aveva il dono di "forgiare l'ordine dal caos", o qualcosa di ugualmente assurdo.

Kai sapeva che era una farsa. Stephan era stato uno gigolò in uno dei bordelli che frequentava Te, aveva riconosciuto in Te un modo per uscirne ed era riuscito ad attaccarsi a lui. Adesso che erano amanti, Te lo assecondava in modo ridicolo. Se Te non fosse stato chi era, Kai avrebbe temuto che Stephan si stesse approfittando di lui.

Si voltò per parlarne con Uriele, ma rimase infastidito nel constatare che non c'era più. "Codardo", borbottò, sperando che l'arcangelo lo sentisse. Il che probabilmente avvenne, perché una sensazione di divertimento sfiorò la sua coscienza. Kai non pensava che si sarebbe mai abituato allo strano senso dell'umorismo di Uriele.

Assicurandosi che la donna fosse ancora priva di sensi, e che Gregory fosse ancora impaurito ai suoi piedi, Kai recitò mentalmente il suo solito mantra – *Non ucciderlo* – mentre la creatura slanciata si avvicinava.

Stephan arrivò impettito con il naso per aria e un sorriso sul volto. Un Eineu con una tunica color lavanda lo seguiva a qualche passo di distanza. "Sei tornato. Iniziavamo a chiederci perché ci volesse tanto".

"*Steven*". Kai fece apposta a pronunciare il nome all'inglese per dare fastidio all'altro vampiro, che lo sovrastava di vari centimetri, e trattenne un sorriso quando quello assorbì l'insulto senza fiatare. Di fatto si vedeva, che avrebbe voluto ribattere ma temeva di farlo.

Stephan si schiarì la gola e riguadagnò il contegno guardando gli umani a terra. Aveva una qualità eterea, più degli angeli che conosceva Kai, e una struttura ossea delicata che Kai associava al femminile. Portava i capelli biondo platino molto corti, il che ne metteva in risalto gli occhi cerulei sul viso ovale. Alto e sottile, sottolineava la femminilità del proprio aspetto con il trucco e con variopinte tuniche fluttuanti. Per Kai era difficile dire che fosse attraente, anche se oggettivamente era bellissimo, data la sua natura purosangue. Il motivo era semplice: la sua personalità ripugnante superava di gran lunga la sua bellezza esteriore.

"Perché la nostra proprietà è vestita e irrispettosa?" sbottò Stephan con la sua solita arroganza. "E questa chi è?" Con un piedino diede un colpetto alla donna svenuta, poi scosse la testa con aria melodrammatica. "Se non ti conoscessi, giurerei che sei un novizio nel recupero degli umani".

Stronzo pomposo. Certo che conosceva le regole riguardo i prigionieri umani, ma stufo com'era, l'ultima cosa cui poteva pensare era il protocollo corretto. Invece di ammetterlo, sfidò l'altro vampiro ad aggravare la questione: "Non è a te che devo rispondere".

Stephan si raddrizzò in tutta la sua altezza, torreggiando su Kai. "Forse no, ma la tua è una condotta altamente inusuale, per non dire superficiale, così noialtri dobbiamo sgobbare al posto tuo". Sbuffò in modo teatrale. "Non importa", disse poi, e indicò la donna. "La farò portare in una cella di detenzione da uno Scarabeo e..."

Kai l'afferrò per il bavero e lo scosse forte. "Non farai niente del genere", gli disse viso a viso sottovoce. Il suo corpo era teso per la violenza trattenuta. "In nessuna circostanza le verrà fatto del male. È un'ospite sotto la mia protezione. Se non viene trattata con cortesia e con il più grande rispetto, strapperò la

74

pelle dal tuo inutile corpo, ti crocifiggerò e pianterò la croce al sole di mezzogiorno. Ci-Siamo-Capiti?"

Impreparato a una reazione tanto feroce, Stephan si afflosciò e abbassò gli occhi. "Certo. Ma..."

"Ma?"

"Ma un'umana qui come *ospite*?", osò contraddirlo, pur continuando a evitare il contatto visivo. "Non si è mai sentito".

"Credi davvero di essere nella posizione di fare domande?" Gli occhi di Kai promettevano dolore, se Stephan avesse insistito ancora.

"Certo... Certo che no. Perdona la mia incomprensione". La sua arrendevolezza convinse Kai a lasciarlo andare. Facendo un salutare passo indietro, Stephan si rassettò la tunica e fece un cenno a una guardia. "Porta la donna in una suite per gli ospiti d'onore". Guardò nervosamente Kai assottigliare gli occhi quando la guardia urtò la donna nel tentativo di sollevarla. "Piano", la redarguì Stephan con la voce spezzata. "Piano, o ti stacco le braccia, e prima che abbiano il tempo di ricrescere, la tua nidiata ti avrà già divorato".

La guardia riuscì a sollevarla delicatamente e si avviò verso i quartieri degli ospiti.

"John, se si dovesse svegliare", disse Kai all'Eineu, "fa' in modo che abbia tutto quello che le serve".

La creatura si inchinò e corse dietro alla guardia.

Da quando aveva rimesso piede nella Città, Kai aveva la sensazione di allontanarsi sempre più da se stesso, anziché riavvicinarsi. A peggiorare le cose, era arrivato Stephan. La sua presenza lo irritava, lo induceva a mettersi sulla difensiva. Di fatto si era pentito non appena aveva aperto bocca, riguardo la donna. La sua intenzione originale era di consultarsi con Te prima d fare qualsiasi cosa. Si sentiva in dovere di comportarsi correttamente con lei. Ciò che avrebbe dovuto fare, invece di portarla nella Città, era lasciarla dove stava, nell'ufficio di Gregory, e poi tornare da lei con Te. Come mai non l'aveva capito al momento giusto andava oltre la sua comprensione. Sicché adesso la prima *ospite* umana che ci fosse mai stata nella Città era sotto la sua protezione. Perfetto. Quando si sarebbe sparsa la voce – e sarebbe successo, grazie a Stephan – Kai avrebbe avuto un'infinità di problemi, per non parlare del danno alla sua già non-stellare reputazione. Ma chi se ne importava.

La sua rabbia verso se stesso gli indurì la voce, quando parlò all'uomo a terra. "Spogliati". Vide che Stephan stava per dire qualcosa al prigioniero, ma lo zittì con un'occhiataccia. Anche se faceva del suo meglio, Gregory era lento per via del braccio rotto. Kai estrasse un coltello da un fodero nel trench, tagliò e gli strappò via il resto dei vestiti. Dopo averlo denudato, riprese il guinzaglio e tirò per avere la sua completa attenzione. "Ora cammini dietro di me. Con gli occhi bassi. Senza parlare. Annuisci se hai capito".

Gregory annuì docilmente. Allora Kai fece cenno a Stephan di precederlo. Per fortuna il vampiro effemminato non disse niente, si voltò in un tripudio di colori e superò gli immensi pilastri.

Entrarono in una caverna ovale che occupava un'area grande all'incirca come quattro spaziosi hangar per aerei. La piazza del mercato ricordava a Kai la storia biblica di Giona ingoiato dalla balena: conficcati nella roccia, dieci cristalli iridescenti di quarzo bianco si arcuavano dal pavimento al soffitto, simili alle costole di una balena. Alla base di ognuno di quei pilastri c'erano le ossa di un mago deceduto da tempo immemore. I cristalli erano la manifestazione fisica di un antico potere che ardeva ancora dopo secoli e secoli, fornendo luce, calore ed elettricità.

Molti Non-umani dicevano di vedere i corpi dei draghi pietrificati nel soffitto, ma per quanto volesse crederci, Kai non riusciva a distinguerli, ed era incline a pensare che si trattasse più di una fantasia o di un gioco di luci che di un fatto reale.

La Città era la sede principale dei Non-umani che non riuscivano a spacciarsi per umani. Negli spazi tra i cristalli erano stati ricavati luoghi per abitare e per lavorare. Nel corso dei secoli ne erano stati intagliati altri nella roccia adiacente, formando una sorta di alveare con chilometri di gallerie. Al centro della caverna ovale c'era la piazza del mercato, dove si vendeva di tutto, dai vestiti al cibo ai servizi personali, in chioschi simili a tende, su tavoli o su tumuli di terra, a seconda delle preferenze, della ricchezza e della predisposizione di ogni commerciante.

Due strade principali si incrociavano nella piazza, dividendola in quattro sezioni. L'intersezione centrale esibiva i podi dei banditori d'asta, usati esclusivamente dai goblin. Le strade erano affiancate da colonne, e su ogni colonna c'era una guardia Pietra Nera.

I Pietre Nera erano una razza di insetti così chiamata perché, per cacciare, si mimetizzavano con il suolo, assumendo l'aspetto di pietre nere ovali giganti, e restavano immobili finché l'ignara preda non si avvicinava quel tanto da poterla catturare. Anche loro avevano un vero nome, ma lo tenevano segreto, come voleva una consuetudine diffusa tra le razze non-umane, per motivi religiosi o per la semplice scelta di non rivelarlo. In ogni caso, a loro non importava come li chiamavano gli altri. Pietra Nera era il nome universalmente accettato, anche se Scarabeo era usato di tanto in tanto in modo denigratorio.

L'area della piazza adiacente all'ingresso della Città precipitò nel silenzio, non appena i presenti videro Gregory. Quel silenzio si diffuse serpeggiando come un'onda mentre la piccola processione percorreva la strada principale. Kai teneva gli occhi fissi sulla media distanza in cerca di Te, ignorando l'andatura fastidiosa di Stephan, qualche passo più avanti. Voleva farla finita il più in fretta possibile.

Il suo sguardo acuto non tardò a individuare il demone nella folla grazie al *dashiki* che indossava: una sgargiante fiammata di rosso, blu e oro. Nel suo ruolo ufficiale, Te aveva l'aspetto solenne della prima volta che l'aveva visto.

Si erano incontrati verso la metà del 1600, quando Kai e Lucifero si erano intrufolati in una piccola cerimonia di umani che intendevano evocare e rendere schiavo un demone. Per gli umani era andato tutto liscio, finché il demone appena evocato non era andato direttamente da Lucifero, si era inginocchiato ai suoi piedi e gli aveva dichiarato la propria lealtà e fedeltà, che erano state accettate con grazia.

Quella volta, Kai aveva acconsentito ad accompagnare Lucifero pensando che sarebbe stata tutta una farsa; invece era rimasto sorpreso, quando gli umani erano davvero riusciti a evocare qualcuno. La sua reazione però non era stata niente, rispetto alla loro: gli umani erano completamente terrorizzati. Kai non era sicuro di cosa li avesse spaventati di più: rendersi conto di avere Lucifero tra loro, oppure aver evocato un demone che non erano capaci di controllare. Lucifero non aveva fatto una piega. Era rimasto composto al punto che Kai l'aveva accusato di essere complice del demone, un'accusa che però aveva dovuto ritirare subito, perché a quella sì, Lucifero aveva reagito con forza. Da quella volta, se sospettava, Kai preferiva tenere i suoi sospetti per sé.

Sotto lo sguardo divertito di Lucifero, il demone enorme, nudo e luccicante aveva usato la paura della morte generata dalla superstizione – o dal fervore religioso, a seconda della prospettiva – e l'avidità dei partecipanti al rituale, per legarli tutti a sé. Aveva promesso loro la ricchezza e l'immortalità, in cambio di una sostanziale percentuale dei loro profitti, e giurato di dare il tormento eterno a chi l'avesse imbrogliato o gli avesse disobbedito. E così era nata la leggenda del "vendere l'anima al Diavolo".

Poi Te era entrato a far parte della loro famiglia, oltre che diventare il complice occasionale delle loro avventure. Anni dopo, era venuto a stare nella Città come Moderatore dei Non-umani, compiendo la profezia del dio drago morente, Uru.

Un guaito e uno strappo al guinzaglio riportarono Kai al presente. Si voltò, pronto a sgridare Gregory perché era inciampato, ma desistette quando vide l'uomo a terra con un taglio fresco sul sedere nudo, e un Kazat compiaciuto che leccava un coltello insanguinato.

"Come osi toccare la proprietà di Lord Te...", strillò Stephan, facendosi prendere dalla rabbia. "Guardie!"

Simultaneamente, tre guardie Pietra Nera piombarono giù dalle loro postazioni in cima alle colonne. I Non-umani vicini al Kazat colpevole si allontanarono il più possibile, creando un vuoto intorno a lui. Le aggressioni agli schiavi che stavano per essere messi all'asta erano di routine, facevano parte dei modi in cui i Non-umani in lotta fra loro si sabotavano reciprocamente, poiché gli schiavi feriti valevano un prezzo inferiore. Data la sua relazione con

Lucifero, Kai era visto come un impostore, uno che non si era guadagnato il suo prestigio, ma che l'aveva ricevuto senza meritarselo. E anche se aveva più di novecento anni – nella società non-umana, maggiore era l'età, maggiore era il prestigio – gli veniva costantemente mancato di rispetto, soprattutto dai Kazat. Si sarebbe dovuto aspettare una cosa del genere, avrebbe dovuto evitarla. Era un altro fallimento da aggiungere alla crescente lista di stronzate fatte quella sera.

Essendo lui il detentore del prigioniero, spettava a lui esaminarne e curarne la ferita, se gli fosse importato. La ferita era profonda, il muscolo era squarciato: senza intervento, Gregory probabilmente sarebbe rimasto zoppo; anche al momento non poteva camminare. Kai imprecò ad alta voce. Doveva mettere i Kazat al loro posto.

"Prendeteli e portateli voi", ordinò Stephan alle guardie, indicando sia Gregory, sia il Kazat, e la processione ricominciò.

* * *

Fermo ad aspettarli al podio principale, Te aveva visto tutta la scena. I Kazat erano sempre più sfacciati nel mancare di rispetto a Kai. E non erano solo un problema di Kai. Erano pericolosi: Te aveva per le mani continue lamentele che li riguardavano. La loro partecipazione a quella stupida guerra, dopo che Uru se n'era andato, li aveva resi coraggiosi, e la sua comparsa, per quanto profetizzata, non li aveva placati un granché. Avrebbe dovuto decimarli allora, come avvertimento. Nell'interesse della Città, prima o poi avrebbe dovuto fare qualcosa. Ma tutti i Non-umani lottavano contro l'estinzione, e a lui non piaceva l'idea di accelerare l'inevitabile, nemmeno per quelli che erano così fastidiosi.

Fermandosi a poca distanza da lui, Stephan e Kai si inchinarono in modo formale, come di costume. Stephan cercò di mostrarsi più devoto di Kai baciandogli l'orlo dei calzoni viola. Te gli concesse un sorriso indulgente, essendo abituato e generalmente divertito dal suo comportamento. Kai manteneva l'autocontrollo nei confronti di Stephan solo per rispetto nei confronti di Te; Te lo sapeva e per quello apprezzava ancor più l'amicizia dell'amante di Lucifero. Si fece un appunto mentale per ricordarsi di dirglielo.

Passati i convenevoli, decise di fare una scenata: dapprima si mostrò confuso, poi infuriato nell'esaminare Gregory. "Dovrei farti decapitare per questo danno alla mia proprietà", tuonò con calcolata furia contro il Kazat prigioniero. "Potete anche mancare di rispetto a Lord Kai", continuò rivolgendosi ad altri membri della stessa specie raggruppati lì vicino, "ma quando le vostre azioni contro di lui finiscono per danneggiare me, sarete colpiti da una mia punizione. È chiaro?"

Il Kazat di rango più elevato nel gruppo si avvicinò al prigioniero, gli tolse le armi, le insegne della tribù e i trofei, poi fece un passo indietro e si inchinò profondamente a Te. "Le nostre più sentite scuse, Lord Te. Ora questo Kazat è un Non-nato. Possa il sangue dei vostri nemici inzuppare il terreno ai vostri piedi". Anche il resto del gruppo si inchinò; poi il portavoce emise un brontolio, ben presto imitato dagli altri Kazat nella piazza, sia vicini, sia lontani. A quel suono si unirono le urla della folla, creando una gran cacofonia.

"Silenzio!" La voce di Te riverberò in ogni dove, acquietando immediatamente gli animi. "Oggi qui non ci sarà nessuno spargimento di sangue", dichiarò alla folla, che espresse il proprio disappunto. "La morte è un'indulgenza, una liberazione dalla sofferenza. Credete che debba mostrare pietà?"

"No", gridò la folla, rallegrandosi all'idea.

Te si rivolse al Kazat prigioniero. "In quanto Non-nato, non hai più valore per la tua razza, ma la tua vita ne ha per me. Per aver danneggiato la mia proprietà e diminuito il suo valore, ora sei mio schiavo. Sono sicuro che otterrò un buon prezzo per te".

La folla esultò entusiasta e gridò il proprio consenso. Alcuni dei compratori intorno al podio principale iniziarono a strillare prezzi in una furiosa competizione al rialzo, prima che l'asta formale cominciasse. Il banditore goblin approfittò della frenesia, accettò le offerte e caldeggiò prezzi ancora più alti, mentre il Kazat veniva condotto sul palco.

Era una punizione appropriata. I Kazat erano tutt'altro che un affare come schiavi, per via del loro orgoglio. Quella vendita però era solo una questione di prestigio. Per il vincitore dell'asta, il bottino e il prezzo finale non sarebbero stati niente, rispetto al prestigio di aver acquistato uno schiavo da Lord Te e di aver contribuito ad aggiungere disonore al disonore: non solo il Kazat era stato ripudiato dalla propria razza, ma era anche stato ridotto in schiavitù. Te sapeva che gli altri Kazat avrebbero preso la cosa sul serio, e ne era felice. Si voltò verso Stephan e gli indicò Gregory, afflosciato tra gli arti di una guardia Pietra Nera. "Portalo in una cella di detenzione. Chiama un guaritore e fallo marchiare. Poi preparami una lista delle offerte dei compratori".

Stephan chinò la testa e delegò prontamente.

Con tutta l'eccitazione per il Kazat che permeava l'asta del giorno, si poteva benissimo far curare Gregory e metterlo all'asta in un altro momento. Te guardò allontanarsi la guardia con l'umano malconcio, poi si voltò verso Kai e circondò le sue spalle con un braccio. "Hai l'aria di uno che ha bisogno di un bicchierino. Vieni".

Pur cogliendo l'occhiata ostile che gli scoccò Stephan, per via del gesto di Te, Kai resistette all'impulso di mostrarsi compiaciuto per lo smacco al vampiro effemminato.

Te lo condusse in un pub tranquillo. I pochi Non-umani presenti erano sparpagliati a gruppetti. Somigliava ai pub umani. C'erano un bancone con gli sgabelli e le spine a un'estremità, un enorme camino a ridosso di una parete e tavoli con le sedie disseminati nella grande sala senza un ordine vero e proprio. Era un pub intagliato nella roccia: tre pareti erano di pietra, mentre la quarta – quella rivolta verso l'esterno – era di terra modellata e vetro. La grande differenza rispetto ai pub in superficie era che gli umani presenti erano schiavi o cibo.

Si sedettero a un tavolo accanto al camino.

"Ti va di parlarne?" chiese Te.

"Non adesso", rispose Kai, fingendo noncuranza. "Bevo un bicchierino e vado a casa". Sperava proprio che il demone non insistesse.

"Uh-uh". Te sollevò un sopracciglio.

Il vampiro pensò che le sue speranze erano vane, che l'altro volesse il resoconto completo, anche se lui, per quella sera, non voleva più parlarne. Ma si sbagliava.

"Sono passati Michele e gli altri. Luc è andato con loro".

Fu il suo turno di sollevare un sopracciglio. "Perché? Sai dove sono andati?"

Te scosse la testa. "No, ma ho pensato di informarti, così sai perché non c'è, se quando arrivi a casa non è ancora tornato".

Kai rise. "Ricordi l'ultima volta?"

Te si unì alla risata. "Già, era furibondo. Una cosa si può ben dire del nostro caro Lucifero: quando impreca, è un vero creativo".

Il barista, un Lisatu a forma di pera con il doppio mento, urlò e gesticolò con aria agitata alla volta di Te. Kai non si era mai disturbato a imparare la lingua dei Lisatu. Li considerava troppo in basso nella gerarchia dei Non-umani per degnarli della sua attenzione. Erano una razza malaticcia e puzzolente; assomigliavano a elefanti deformi a due zampe. Ognuno di loro aveva tante piaghe che gli ricoprivano l'ampio corpo. Una discreta quantità delle razze non-umane della Città aveva scelto di specializzarsi in un'attività; tra di esse, i Lisatu erano imbattibili per tutto ciò che riguardava i pub.

Te rispose al barista in quella lingua gutturale corredata di gesti delle mani. "Scusami, Kai. Devo occuparmi di questa faccenda. Devo ascoltare un'altra lamentela sulla scarsità di alcolici Corolon".

"I satiri?" chiese Kai con un risolino.

"Ovvio che sono i satiri. Sono sempre i satiri. Comunque questo posto è ben fornito, se hai fame".

In effetti sì, Kai era affamato, ma vedendo la grossa lesione sul viso del barista, l'appetito gli passò. Inoltre, lì avevano solo sangue umano. Perché accontentarsi di quello, quando poteva avere di meglio? "Forse dopo, anche se gradirei adesso quel bicchierino per cui siamo venuti".

"Certo, amico mio". Te tornò a parlare e a gesticolare con il barista, annuendo quando questi rispondeva. "Vista la scarsità, bisogna prenderli in superficie. Devo farli mandare giù. Torno subito".

Kai lo vide sparire con sollievo, poi si rilassò al tavolo e fissò il fuoco nel camino. Prima o poi avrebbe dovuto dirgli del pasticcio con il recupero, e della donna, ma preferiva più poi che prima.

Il cameriere – o la cameriera? – Lisatu arrivò con una bottiglia e un bicchiere. Kai era piuttosto sicuro che fosse un figlio o una figlia del barista. L'età l'aveva immaginata per via della mancanza di lesioni facciali; per quel che riguardava il sesso, non ne aveva idea. Il Lisatu mise il bicchiere sul tavolo e fece per prendere la bottiglia dal vassoio, ma Kai fu più veloce. "Questa andrà bene". Si versò da bere e lasciò la bottiglia sul tavolo.

Il Lisatu aprì bocca per dire qualcosa, ma non appena vide chi si stava avvicinando, si affrettò ad allontanarsi.

Kai sorseggiò il liquido senza distogliere lo sguardo dal camino. Dall'odore nell'aria, capì che era stato un gruppo di giovani Kazat ad aver spaventato l'inserviente.

La razza dei Kazat era l'archetipo della forza cui aspiravano tutte le altre razze non-umane. L'adulto raggiungeva in media anche due metri di altezza, il suo corpo massiccio variava nel colore dal grigio al verde scuro, con placche che gli proteggevano la schiena e il torso formando una specie di armatura.

Ogni volta che ci pensava, Kai si chiedeva se i creatori del cartone animato delle Tartarughe Ninja si erano imbattuti in un Kazat ed erano sopravvissuti all'incubo per trarne enormi profitti, dato che la somiglianza tra i Kazat e le Tartarughe Ninja era incredibile – fatta eccezione per il carapace, la simpatia e l'amore per la pizza delle seconde.

I Kazat mantenevano il loro potere con la forza fisica e allontanando come Non-nato chi minacciava la stabilità della maggioranza. I dissidenti venivano fatti a pezzi senza remore, tutto per la gloria e la conservazione dello status quo.

Né maschi, né femmine, si riproducevano ciclicamente; gli individui diventavano maschi o femmine al bisogno. Essendo le nascite molto sporadiche, i cuccioli venivano tenuti in grande considerazione, erano come doni degli dei. Poco dopo la nascita, venivano sequestrati per decenni e sottoposti a un addestramento rituale che enfatizzava i valori centrali della razza: dominazione, forza fisica e superiorità razziale.

Il gruppo che gli si stava avvicinando aveva la tipica aria spavalda dei cuccioli che uscivano per la prima volta senza i guardiani. Se era quello il caso, si trattava della loro ultima prova prima dell'età adulta: il comportamento in pubblico. Kai ebbe la sensazione che stessero per fallire.

"Guardate, è il vampiro da compagnia di Lucifero", disse un Kazat in mezzo al gruppo. Nella sala si levò un coro di risatine. Se fosse stato adulto, il Kazat avrebbe avuto trofei di uccisioni e della cattura di schiavi, oltre ai ninnoli appesi a casaccio sugli indumenti che rivestivano il suo corpo verde scuro. "Allora, è vero?"

"Che cosa è vero?" Kai continuò a godersi il suo bicchiere con gli occhi fissi sul fuoco.

"Che Lucifero ti tiene stretto al guinzaglio e che non ti cibi più di umani perché sei addomesticato". Il sorriso del cucciolo si allargò in modo sinistro sul viso da rettile. La sala rieccheggiò di risate.

Finalmente, Kai si girò. Guardò chi gli aveva parlato con un sorriso e lo invitò ad avvicinarsi con un cenno, come se avesse un segreto da condividere. Poi, appena il Kazat fu abbastanza vicino, lo afferrò con una mano, e con l'altra gli strappò la testa e la gettò nel fuoco.

Il caldo bagliore delle fiamme riverberava sulle sue mani, mentre lui se le ripuliva con calma sugli abiti della carcassa. Quando ebbe finito, l'allontanò con un calcio. "Sarò felice di rispondere ad altre domande", disse poi, appoggiandosi allo schienale della sedia. Gli occhi neri percorsero la sala; il labbro superiore si stirò in un sogghigno, mostrando le zanne allungate.

Nessuno rideva, adesso. Più di un cliente ricordò di avere affari urgenti da sbrigare altrove. Kai li sentì andarsene velocemente, e ciò gli scaldò il cuore. Era necessario che avessero paura di lui. Rivolse ai Kazat un sorriso malizioso, una muta sfida a farsi avanti.

Nessuno lo fece. Irradiavano paura. Erano rinsaviti all'istante, vedendo che fine aveva fatto il loro compare. Ora si ricordavano bene con chi avevano a che fare. Un paio di loro trovava il pavimento molto interessante. Alla fine, uno alzò le mani in un gesto conciliante. "V-vi p-prego di perdonarci, S-signore. Il v-vino è forte qui".

Kai non era impressionato, e di certo non si sentiva molto clemente.

Proprio allora Te rimpiombò nella sala. Pochi secondi, e si accorse del cadavere e dello sguardo assassino di Kai. Incrociando le braccia, scoccò un'occhiata ai cuccioli terrorizzati, che si erano stretti l'uno all'altro. "Be'?"

Kai si risistemò sulla sedia, finì il bicchiere, se ne versò un altro e si godette la scena. I tratti del suo viso non si erano rilassati, il che significava conseguenze letali per chiunque fosse stato tanto sciocco da avvicinarsi, ovviamente fatta eccezione per Te.

Balbettando, i Kazat informarono il demone dell'accaduto.

"Insultare un vampiro più vecchio e forte di voi?" sbottò Te alla fine. "Stupidi. Siete fortunati che non vi abbia uccisi tutti. Ora, andatevene. E non fatevi più vedere". Poi si rivolse a Kai. "Aspettami nel mio ufficio. Sarò lì appena avrò finito con questo". Indicò il cadavere sul pavimento.

Il vampiro annuì, finì il bicchiere, si alzò e lasciò la stanza.

* * *

L'ufficio di Te era nel livello più alto della Città. La stanza sembrava tirata fuori dalla roccia circostante o incassata al suo interno, a seconda dell'inclinazione e del punto da cui la si guardava dall'esterno. L'arredamento era splendido. La parete opposta alla porta d'ingresso era fatta di vetro. A sinistra della porta c'era l'enorme scrivania di Te, di fronte alla quale c'erano due poltrone. Sulla parete dietro la scrivania c'era un enorme arazzo raffigurante Uru che osservava la Città. A destra della porta c'era una zona salotto con un divano, altre poltrone e un angolo bar. Due librerie incorniciavano un caminetto, entrambe stipate di libri e di quelli che Te chiamava "i detriti galleggianti dei secoli". Lo spazio rimanente sulle pareti e sul pavimento era pieno di dipinti e sculture di artisti umani e non-umani.

Quando entrò nel suo ufficio, Te trovò Kai alla parete di vetro, che guardava il mercato. "Non credo che ci saranno conseguenze", gli disse andando a sedersi alla scrivania.

A Kai non poteva importare di meno. Aveva ancora le pupille dilatate e le zanne allungate, a riprova che era pronto a uccidere ancora e ansioso di farlo. Voleva versare altro sangue.

"È questo che dicono, adesso? *Il vampiro da compagnia di Lucifero. Il vampiro addomesticato di Luci-*

fero. Lo usano mai, il mio nome?" Guardava ancora fuori dalla vetrata.

"Dicono? Di che stai parlando? A chi ti riferisci?"

Kai si voltò. "Sai esattamente di cosa sto parlando, quindi rispondi alla mia domanda". Non gli piaceva sbottare con lui, ma Te era evasivo.

Il demone sospirò. "C'è chi dice che Lucifero ti ha proibito di nutrirti di sangue umano o di uccidere gli umani". Kai strinse la mascelle. "E chi dice che a Lucifero non importa un bel niente di cosa fai", si affrettò ad aggiungere.

Il vampiro si voltò di nuovo verso la vetrata. "Tu cosa dici?"

"Io dico l'ultima, perché conosco la verità. Che succede, amico mio? Non ti ho mai visto così suscettibile".

Kai ignorò la domanda. "Credo sia ora che io tenga un'Assemblea". Il suo volto finalmente riacquisì i tratti umani.

"Cosa?"

Kai lo guardò. "Mi hai sentito. Voglio tenere un'Assemblea".

"Ma tu odi la politica. Non ti ha mai interessato da quando ti conosco". Girò intorno alla scrivania e si sedette sul bordo. "Che succede? Perché questo improvviso desiderio? È per i Kazat di prima? Erano solo dei cuccioli. Perché sei così infastidito?"

Kai ignorò ancora le sue domande. "È un mio diritto. Ho lasciato che mi mancassero di rispetto troppo a lungo".

Il demone sospirò. "Ok, ok. Gli ultimi giorni sono stati stressanti per te. Va' a riposare".

Kai comprese che lo stava congedando. "Vado, sì. Ma dico sul serio, Te".

"Riposati. Ne parliamo domani".

Kai annuì, gli augurò la buona notte e se ne andò.

* * *

Dopo aver lasciato Te, Kai si diresse a un portale che l'avrebbe portato a casa. Accedere al portale d'uscita del Clan Aria non era di difficile; il problema, semmai, era superare gli altri Non-umani per strada. Probabilmente le voci su ciò che era successo al pub si erano già diffuse. Non vedeva altro che derisione negli occhi di chi incrociava. Con il senno di poi, non c'era da sorprendersi che un Kazat avesse avuto l'audacia di parlargli in quel modo, soprattutto dopo l'attacco a Gregory al mercato. Ai Kazat piaceva testare i limiti altrui e creare problemi; era una caratteristica della loro razza. Di solito però, prendevano di mira i Non-umani noti per essere più deboli di loro. Dunque, era ovvio che non lo ritenessero una minaccia, e quello non gli andava giù.

Non aveva voluto ammettere con Te che le parole di scherno del Kazat l'avevano infastidito tanto, perché in parte era vero. Stando con Lucifero, si era davvero rammollito?

In teoria, avrebbe dovuto avere il desiderio di nutrirsi di ogni umano che incontrava. E in effetti era così: quando era fra gli umani e sentiva l'odore del loro sangue, lo trovava ancora allettante. Ma era una sensazione inconsistente. Secoli prima, quando l'aveva assaggiato, si era reso conto che il sangue di Lucifero era tutto quello che voleva o di cui aveva bisogno. Certo, aveva dovuto imparare a tollerare il sangue potente, il che era stato esasperante ma sopportabile, ma ormai il sangue di Lucifero era tutto il suo mondo. E allora perché il fatto di non volersi nutrire degli umani gli dava tanto fastidio?

Poi c'era la questione delle uccisioni. Di solito, se uccideva – ormai lo faceva di rado – era un assassinio su richiesta di Te o di Lucifero. *Su richiesta, o con il loro permesso?* Quella notte era stata la prima volta dopo tantissimo tempo che aveva ucciso senza un mandante, ed era stato bello.

Temeva di aver perso, o di star perdendo, una parte essenziale di sé. Era un assassino per natura, ma pur avendo imparato a mantenere il pieno controllo dei suoi istinti più infimi, sentiva che a frenarlo non era solo quello. C'era dell'altro.

La cosa peggiore era che non aveva nessuno a cui chiedere. Il suo sire era morto. Vero, c'erano altri vampiri altrettanto anziani, ma non osava mostrare loro la sua debolezza facendo domande.

Con ogni probabilità, la sua era una reazione esagerata. Eppure non riusciva ad allontanare la fastidiosa sensazione che ci fosse qualcosa di sbagliato in sé. Confuso, arrabbiato e stanco, non vedeva l'ora che tornasse Lucifero. Desiderava perdersi nella sensazione di averlo accanto. Desiderava smetterla di pensare almeno per un po'.

Il bello di usare i portali dedicati nella Città era che erano già fatti. Si doveva solo usare la chiave adatta – di solito, una goccia di sangue – insieme a un incantesimo, per ritrovarsi nella destinazione desiderata, che era un altro portale dedicato in superficie. Dopo aver messo la chiave – che sarebbe stata consumata dall'incantesimo – nell'apposita ciotola, pronunciò le parole, e sentì il mondo intorno a sé spostarsi e risistemarsi con uno scossone. Colto dalle vertigini, rimase per qualche istante nell'identico cerchio attivato in un'alcova di casa loro. Una volta che si fu ripreso, uscì dall'alcova e si spogliò immediatamente, liberandosi delle preoccupazioni insieme ai vestiti.

L'abitazione che chiamavano casa in quel periodo era Casa Ashley, una bellissima magione in stile Regina Anna che si affacciava sul fiume Ashley, a Charleston, nella Carolina del Sud. Avevano visitato la città portuale la prima volta nel 1860, attirati dalla promessa di una guerra. Per anni vi erano rimasti senza trovare un accordo su dove sistemarsi. Lucifero voleva vivere in un posto isolato sul fiume Ashley, Kai e Te davanti al fiume Cooper, la zona più squallida della città.

Un terremoto inaspettato nel 1886 aveva risolto la questione. Cogliendo la palla al balzo, Lucifero aveva smaterializzato la magione in stile Regina Anna e l'aveva rimaterializzata nella sua attuale posizione lungo il fiume. Gli umani avevano creduto che fosse crollata insieme agli altri edifici nella posizione originale. I Non-umani della zona avevano insinuato che Lucifero avesse causato il terremoto per coprire il furto della casa. Lucifero si era divertito all'idea che lo credessero disposto ad arrivare a tanto solo per procurarsi una casa. Kai sapeva che Lucifero provava un piacere oscuro per la maggior parte delle azioni funeste di cui veniva accusato, anche se non erano vere.

No, Lucifero non sarebbe mai arrivato a scatenare un terremoto per avere quella casa, ma aveva fatto il possibile per proteggerla, come con tutte le loro case. Un incantesimo illusorio era stato posto sull'edificio e sul terreno circostante per evitare che gli umani – i vicini di casa, i ficcanaso, gli esattori delle tasse, i postini e gente del genere – percorressero il vialetto e bussassero alla porta.

Kai salì scalzo la scala di quercia lucida. La passatoia rossa con un motivo orientale, che lui considerava elaborata ma che Lucifero adorava, gli grattava le piante dei piedi in modo fastidioso, motivo per cui lui non era un grande fan della lana. Kai scherzava sempre dicendo di vivere in un museo. Quella casa, come tutte le altre case predilette da Lucifero, conteneva un'enorme quantità di oggetti di antiquariato e di altre stranezze. Dal lampadario di cristallo, alle finestre di vetro Tiffany sopra le porte, al set da pranzo Luigi-qualcosa, se balzava all'occhio del suo compagno, quell'oggetto finiva in casa loro.

Sorrise. La prima volta che aveva usato la parola "compagno" per definire la propria relazione con Lucifero era stata anche l'ultima. Tanto valeva l'avesse chiamato "nemico". Per motivi che Kai tuttora non comprendeva, Lucifero si era sentito insultato, arrabbiandosi moltissimo. E il vampiro, non solo non aveva mai più usato quel termine, ma si era persino addestrato a non pensarlo. Ciononostante, a volte l'addestramento veniva meno, soprattutto quando si sentiva spossato; allora assecondava il desiderio di pensare a Lucifero per come lo sentiva nel cuore.

Nel bagno principale, superò la vasca con i piedini, in cui preferiva lavarsi di solito, diretto invece alla doccia oversize. Aprì il rubinetto dell'acqua calda. Gli piaceva sentire l'acqua corrente calda sulla pelle.

Rimase sotto i getti multipli e si costrinse a non pensare a niente. Si lavò con calma, godendosi la sensazione di insaponarsi il corpo. Quando fu pulito, chiuse l'acqua, si asciugò e andò a letto. Con Lucifero ancora presente nei suoi pensieri, si addormentò in fretta.

CINQUE

Lucifero era seduto sotto il portico di Casa Ashley sulla sua sedia a dondolo preferita a guardare il fiume. Ancora infuriato perché gli avevano dato dell'egoista, aveva deciso di lasciar dormire Kai, invece di svegliarlo con il proprio desiderio del suo corpo e della sua compagnia.

Sapeva di essere egoista. Il suo stile di vita lo provava con infinita chiarezza. Era capace di controllare i suoi desideri, ma perché avrebbe dovuto farlo? Roba da mortali! Solo ai mortali importavano sul serio le opinioni altrui. Ma allora perché le chiacchiere bigotte della sua famiglia lo infastidivano tanto?

L'audacia dei suoi fratelli non smetteva mai di stupirlo, soprattutto quella di Michele. Era sicuro che dietro ci fosse il Vecchio. Probabilmente era tutta una sua idea, un piano per farli riconciliare davanti a una "crisi". Come se fosse facile per Lucifero mettere da parte migliaia di anni di inimicizia. In verità, era sceso a patti da molto tempo con quello che era successo, ma non era incline a lasciarli pensare che potesse perdonarli e dimenticare tutto senza la dovuta ricompensa. Se volevano il suo perdono, avrebbero dovuto guadagnarselo, e non sarebbe costato poco.

Fece un respiro profondo: l'aria antelucana lo calmò. Quel portico era uno dei suoi posti preferiti per sedersi e godersi il panorama, malgrado i residenti e i turisti. Aveva posizionato la casa in modo che venisse raggiunta dalla brezza sul fiume e pensava di frequente ai periodi più tranquilli, quando non c'era il boulevard con il suo flusso di gente a passeggio, sportivi e turisti.

Era esageratamente legato a quella casa. A due piani e con il tetto a falde, con il portico che la circondava, la veranda al piano superiore e il giardino interno, era degna di essere inserita in un registro immobiliare storico. Lucifero ne custodiva gelosamente la segreta perfezione. Grazie all'incantesimo di illusione che vi aveva apposto, la casa appariva banale, o meglio, assolutamente degna delle altre due residenze da milioni di dollari che l'affiancavano, ma non abbastanza interessante da risaltare in alcun modo, tranne forse per l'evidente amore del proprietario per i gatti. Chi avesse cercato di dare un'occhiata da vicino, o avesse attraversato il confine della proprietà, si sarebbe ricordato all'improvviso di doversi precipitare a un appuntamento o di dover sbrigare affari urgenti altrove, e sarebbe corso a portare a termine l'obbligo. Più tardi, scoprendo il proprio errore, non sarebbe riuscito a ricordarsi cosa l'aveva causato.

La gatta nera della sera precedente gli balzò in grembo e iniziò immediatamente a fare le fusa quando lui le accarezzò il pelo morbido. A occhi chiusi, godendosi le vibrazioni della gatta e la sensazione della brezza mattutina che gli sfiorava il viso, sentì gli ultimi brandelli di rabbia allontanarsi. In quello stato di calma, ammise che la situazione era affascinante. Riflettendoci, suppose che la melma avesse soppiantato completamente l'anima, una prospettiva spaventosa. Era curioso di sapere come si era intrufolata nell'umano e da dove era venuta, ma non così curioso da cedere dalla sua posizione. Non era un suo problema.

Quando Michele apparve al cancello, Lucifero fu felice di aver apposto protezioni che impedivano ai membri indesiderati della sua famiglia di avvicinarsi. Altrimenti, invece di essere bloccato a opportuna distanza alla sua sinistra, al di là dell'ampio prato, Michele sarebbe già stato lì con lui sotto il portico, a rovinargli il buon umore che aveva appena recuperato. Avrebbe dovuto saperlo, che il suo fastidioso e pedante fratello non avrebbe lasciato perdere. Se una questione implicava ciò che lui percepiva come un dovere suo, e di tutti gli altri, Michele diventava inarrestabile, si rifiutava di cedere finché non otteneva quello che voleva. Stavolta non intendeva accettare il non-coinvolgimento di Lucifero. Perché mai avrebbe dovuto comportarsi diversamente dal solito?

"Sai, ho sempre amato il mare. Ha la singolare qualità di purificare l'anima dal dispiacere", disse Lucifero, sapendo che Michele poteva sentirlo, nonostante l'angolazione e la distanza.

"Non sei al mare".

"E tu, fratello mio, sei tedioso e prevedibile".

Silenzio. L'arcangelo però era ancora lì. "Non mi ero reso conto che ci odiassi così tanto", ribatté dopo un po'.

Lucifero fu sorpreso di sentire un accenno di dolore nella sua voce. Sospirò, schiacciando un'improvvisa ondata di senso di colpa. "Trovo difficile credere che ti importi davvero", rispose con sincerità. Non voleva più fingere.

Di nuovo, Michele si prese un attimo prima di rispondere. "In quel momento sembrava la cosa giusta da fare".

Lucifero si alzò tenendo la gatta in braccio, e continuando ad accarezzarla raggiunse l'ingresso ad arco del portico, scese la scala di pietra e percorse il sentiero ricurvo verso il cancello. Una volta lì, non fece niente per invitare Michele a entrare, ma lo guardò dall'inferriata alta fino alla vita. "Dici che fare di me il nemico sembrava la cosa giusta da fare". Guardò la gatta e la grattò con particolare attenzione sotto il mento: deliziata, lei alzò la testa per ricevere meglio i grattini, e le sue fusa aumentarono di volume. "Come funzionava, di preciso?"

"Le cose ci sono sfuggite di mano".

Continuando a coccolare la gatta, Lucifero non disse niente; si limitò a inclinare la testa di lato mentre scrutava l'arcangelo, che era visibilmente a disagio.

"Era un'idea. Una di tante, in realtà. Solo che poi si è diffusa. Prima che ce ne accorgessimo, era fuori controllo. Per quel che vale, mi dispiace".

Lucifero non se l'aspettava, una confessione onesta, men che meno delle scuse. Ora non gli importava più, se dietro l'improvvisa riapparizione dei fratelli ci fosse davvero il Vecchio. Una sensazione di pace gli riscaldò il petto e le lacrime gli bruciarono gli occhi. Era sorpreso dal fatto che ci fosse voluto così poco per placargli l'anima. Baciò la gatta sulla testa e si chinò per metterla giù. Quando si raddrizzò, rivolse a Michele un caldo sorriso gioioso. "Però ha funzionato a meraviglia per me, non credi?" Rise incrociando le braccia e appoggiandosi al cancello.

"Se lo dici tu", disse Michele perplesso.

Lucifero intuì che lo stava assecondando. "Certo che sì, e tu sei geloso". Il suo sorriso si allargò; con un gesto mise a tacere sul nascere le proteste del fratello. "Come fai a non esserlo? Io faccio quello che mi pare, vivo come voglio". La sua voce si abbassò in modo cospiratorio. "E in alcune cerchie, il mio potere rivaleggia con quello del Vecchio in persona". Ridacchiò, scuotendo la testa.

"Devi proprio chiamarlo così?"

Gli altri c'erano abituati, ma Michele si scandalizzava sempre, quando lui usava quell'appellativo. Premette la punta del piede sul terreno vicino al cancello. "Quando me ne sono andato e ho cambiato nome, ha smesso di essere mio padre", disse sottovoce. "Lo chiamo come mi pare".

Michele prese fiato per ribattere, ma per fortuna diede retta all'occhiata di avvertimento di Lucifero e tacque.

Era tutta un'altra questione, e lui si rifiutava di parlarne. Ancora appoggiato al cancello, si raddrizzò appena e guardò un punto lontano. "Vi ho odiati per molto tempo", ammise, lasciandosi andare all'impulso di dire la verità. "Ho odiato il Vecchio anche di più, perché ve l'ha fatta passare liscia. Poi un giorno mi sono reso conto che avevo tutto quello che volevo. Non dovevo degradarmi, né compromettermi per essere temuto e rispettato". Guardò Michele. "Mi sono reso conto che i miei cari fratelli mi avevano servito gli umani su un piatto d'argento. Ecco perché non posso odiarvi". A quel punto la sua voce divenne malinconica. "Semmai, mi dispiace per voi. Andate in giro a fare quello che vuole il Vecchio, portate il giogo della responsabilità, quando invece potreste essere liberi".

Avvertendo l'obiezione del fratello in arrivo,

cambiò argomento. "Vero, ho il fan club di idioti da gestire". Indicò il complesso dei Canes Inferni sull'altra sponda del fiume e fece spallucce. "Ma sanno essere divertenti, per cui non posso lamentarmi". Si allontanò dal cancello e tolse polvere immaginaria dalla giacca immacolata color crema. "Anche se mi ha fatto piacere chiarire le cose", disse, ammettendo a se stesso che in fondo rimpiangeva l'affinità del passato con i fratelli, "se sei venuto per qualcosa di più, per cercare di convincermi ad aiutarvi, te ne andrai deluso".

"Non sai tutto. Lascia che ti spieghi, ti prego".

Lucifero lo studiò. La maschera stoica di Michele era caduta. C'era urgenza nei suoi occhi, ma anche... paura? Di cosa poteva aver paura Michele? Era preoccupato, sì, si vedeva... Possibile che avesse davvero paura? Incuriosito, Lucifero decise di ascoltarlo. "Va bene. Spiega".

"Ci hai chiesto perché non abbiamo parlato a nostro Padre della minaccia. Non Gliene abbiamo parlato", fece una pausa, prima di continuare con riluttanza, "perché non l'abbiamo più visto". Lucifero stava per interromperlo, ma Michele non glielo consentì. "Aspetta, fammi finire". Fece un respiro profondo. "Ti ho anche detto che le cose sono cambiate, a casa. Sono cambiate in peggio".

Lucifero non riuscì a nascondere il disappunto. "Ma quanto siete viziati!" disse sprezzante. "Possibile che quando il Vecchio si prende una vacanza, ve ne andate in giro come conigli spaventati?"

"Smettila di interrompermi. Non è sparito solo nostro Padre. Anche il Giardino è sparito. Idem l'Armata Celeste. Niente è più come dovrebbe essere, e non sappiamo perché".

Stupito, Lucifero rimase in silenzio. Il fratello aveva gli occhi sgranati; stava cercando di riguadagnare il contegno. Ciò che gli aveva appena detto era inconcepibile. O forse era uno scherzo? Scrutò Michele e si rese conto che era spaventato, anzi no, terrorizzato, proprio per quello. Ma non aveva senso. Un brivido l'attraversò. Se era vero... Il suo primo istinto fu di andare a controllare di persona, ma non era una mossa saggia. Gli servivano più informazioni.

Aprì il cancello e uscì. Invitare Michele a entrare significava dover togliere o alterare le protezioni, ma al momento non se la sentiva. "Facciamo quattro passi". Lo prese a braccetto e lo guidò lungo la strada verso i White Point Garden.

Quando arrivarono, Lucifero andò a sedersi su una panchina sotto la sua quercia preferita, vicino a un monumento di guerra. "Siediti", lo invitò, dando un colpetto allo spazio sulla panchina accanto a sé. Non appena l'altro si fu accomodato, si distese mettendogli la testa in grembo.

"Ma che fai?"

Lucifero accolse con soddisfazione la sua espressione sconcertata. "Se non fosse stato per te, adesso avrei tra le braccia un bellissimo vampiro. Il minimo che tu possa fare è consolarmi o prendere il suo posto". Michele rimase in silenzio, chiaramente a disagio. Lucifero annuì. "Come pensavo. Ora, arriva al punto". Chiuse gli occhi e si sistemò. Sapeva che Michele stava riflettendo se spingerlo via o meno. Sapeva anche che non l'avrebbe fatto, perché avevano entrambi bisogno di conforto fisico. Era rimasto turbato nel vederlo tanto impaurito; inoltre sapeva che il fratello non era abituato a provare paura, figurarsi a mostrarla. Ritrovarsi così era imbarazzante per Michele, ma era più facile per entrambi confortarsi a vicenda in quel modo indiretto, piuttosto che scambiarsi direttamente un abbraccio fraterno.

L'arcangelo sciolse il nastro di velluto color crema con cui Lucifero teneva legati i capelli e iniziò a massaggiargli il cuoio capelluto.

Quasi facendo le fusa per l'effetto calmante delle sue dita, Lucifero si dispose a raccogliere più informazioni. "Da quanto tempo è sparito tutto?"

Michele ci mise un po' a rispondergli; quando lo fece, non c'era più tensione nella sua voce. "Nessuno lo sa con certezza". Rifletté in silenzio. "Quando sei tornato a casa l'ultima volta?"

"Qualche migliaio d'anni fa, almeno. Non da quando... lo sai", rispose Lucifero sottovoce.

A Michele mancò il respiro. Nessuno dei due voleva pensarci. L'arcangelo sospirò. "Era quello che temevo. Azrael crede che sia successo almeno tremila anni fa, se non di più". Sospirò ancora. "È stato lui il primo a farmelo notare".

"A farti notare cosa, di preciso?"

"I cambiamenti. Stando ad Azrael, inizialmente erano piccoli, si notavano appena, ma quando sono diventati più evidenti, noi eravamo stregati e non ce ne siamo accorti". Le sue dita si fermarono tra i capelli di Lucifero. "Per noi era tutto normale. Azrael era l'unico non stregato, ma non sappiamo perché".

Lucifero si alzò a sedere e lo guardò. Sembrava tutto troppo fantasioso per essere vero. "Com'è possibile?"

Preso dall'agitazione, Michele si alzò e iniziò a camminare avanti e indietro. "Nemmeno io lo capisco." Si passò una mano tra i capelli. "Tutto era cambiato, ma non ci siamo mai resi conto che qualcosa non tornava. È come quando entri in una stanza e trovi tutto come ti aspetti che sia. Anche se hanno spostato i mobili non te ne accorgi, perché credi che sia stato sempre così". Rivolse uno sguardo torturato al fratello. "Nostro Padre era sparito e *noi non ce ne siamo mai accorti*".

Lucifero non riusciva a immaginarlo.

Michele vide l'incredulità nei suoi occhi. "Lo so, è difficile da credere. Ma è così."

Ignorando per un attimo la questione del come fosse stato possibile, Lucifero fece la domanda più pressante. "Poi cos'è successo? Come lo avete scoperto?"

Michele tornò a sedersi sulla panchina. "Come ti dicevo, Azrael se n'era accorto. Non sappiamo come o perché, ma lui se n'era accorto. Sapeva che il frutto dell'Albero della Conoscenza avrebbe permesso anche a noi di vedere. Ci ha messo un bel po' a convincermi, ma alla fine l'ho mangiato e ho visto con i miei occhi cos'è successo alla nostra amata casa".

Rimasero in silenzio per un po', ognuno perso nei propri pensieri.

Sembrava troppo fantasioso per essere vero. Sembrava solo uno scherzo elaborato. Già, un fantastico scherzo che a Lucifero sarebbe indubbiamente riuscito, ma agli altri? Michele non aveva il senso dell'umorismo, men che meno Azrael. In effetti, nessuno dei suoi fratelli era capace di una farsa del genere. Quindi non restava che Lui... A che gioco stava giocando il Vecchio, e perché? Per il momento accantonò la domanda in favore dell'altro problema che Michele aveva portato alla sua attenzione. "Credi sia tutto collegato alla melma nera?"

"No... Sì... Forse? Sinceramente, non lo so". Ormai incapace di restare fermo, Michele si alzò e ricominciò a camminare avanti e indietro. "Se le cose sono collegate, dobbiamo ancora scoprire come".

Sentendo anche lui il bisogno di muoversi, Lucifero si alzò, girò intorno alla panchina e si avvicinò alla quercia che si ergeva dietro. Uno dei suoi grossi rami paralleli al terreno gli arrivava all'altezza del petto. Amava le querce. Fiere e vibranti di vita, dominavano il suolo circostante. Toccò la corteccia e prese a seguirne i pattern geometrici con le dita mentre pensava.

Non c'era altra decisione possibile. Doveva andare a vedere.

Si voltò verso Michele: il dolore sul viso del fratello gli impedì di parlare. Michele se ne accorse e si affrettò a cambiare espressione. Lucifero però era certo di aver interpretato correttamente l'alternarsi di emozioni dell'arcangelo: c'era dell'altro. Lo vedeva dalla postura rigida del suo corpo. Sentì crescere in sé la rabbia. Perché Michele era così avaro nel fornire informazioni? Lucifero si era convinto ad aiutarli. Che altro voleva l'arcangelo? Proprio allora gli sovvenne che in fondo era l'altro ad avergli fatto cambiare idea. Imprecando fra sé, ricacciò in un angolo della mente la consapevolezza di essersi lasciato manipolare dal dolore del fratello e reindirizzò all'esterno la rabbia che aveva verso se stesso. "Che cosa non mi stai dicendo?" sbottò furioso.

Michele non rispose e continuò a rifiutarsi di guardarlo negli occhi.

"Se vuoi il mio aiuto, adesso parli, o me ne vado". L'ultima cosa di cui aveva bisogno era che il fratello fosse irritante e testardo come sempre. Sentì un familiare formicolio nella testa. Sorpreso e sospettoso, accettò l'uso della telepatia da parte di Michele e aprì la mente quanto bastava per lasciarlo entrare.

È solo una supposizione, ma nient'altro ha senso.

Lucifero incrociò le braccia per impedirsi di afferrarlo e di scuoterlo finché non sputava anche l'ultima goccia di informazione.

E se nostro Padre fosse... morto?

L'ultima parola gli era sfuggita, ma la comprese dall'angoscia che quel pensiero generò nel fratello: il dolore era chiaro e manifesto sul suo viso e nelle lacrime agli occhi. Sbuffò. "Non dirai sul serio". Quasi si mise a ridere. "È ridicolo". Allontanò il pensiero con un gesto.

Davvero? Come fai a esserne sicuro? Riesci a sentire nostro Padre? Ci riesci? Lo senti adesso?

Lucifero lo guardò. Si era chiuso al Padre e a tutti loro molto tempo prima. All'inizio la connessione, il senso di appartenenza, gli erano mancati. Poi si era abituato alla sensazione di vuoto, al buco che la Sua assenza aveva creato in lui. Con il tempo aveva addestrato la mente a ignorarlo.

Ora però, quasi per ripicca verso Michele, per dimostrargli che era ancora in grado di farlo, si aprì completamente. Subito fu assalito dalla gioia e dal dolore dei tanto disprezzati umani sul pianeta, dalle voci dei suoi fratelli... e dal tipico ronzio del Vecchio. Richiuse la mente, guardò Michele, si voltò e si allontanò.

Era caduto nel loro tranello. Una forte sensazione di imbarazzo gli strinse il petto e la gola fino a soffocarlo; fu talmente soverchiante da non permettergli nemmeno di scoppiare di rabbia per essere stato preso in giro. Non riuscì a fare altro che chinare la testa e andarsene. Ci aveva creduto. Aveva creduto a tutto.

Era a metà strada, ancora nel parco, quando Michele lo raggiunse di corsa. "Luc, aspetta".

Lucifero lo investì con parole rabbiose, con le mani strette a pugno e digrignando i denti. "Non chiamarmi così. Tu non puoi chiamarmi così. Cosa credevi che sarebbe successo? Credevi che avendo te, che avendo Lui di nuovo in testa, le cose sarebbero cambiate?" In effetti, erano cambiate. La solitudine gli aveva attanagliato le viscere. Si voltò e ricominciò a camminare. "Vattene, Michele. Congratulazioni, la tua performance era magnifica, e il tuo trucchetto ha funzionato. Adesso..." Tacque di botto. Fissò il frutto che l'arcangelo reggeva davanti ai suoi occhi.

"Non credevo che l'incantesimo avesse effetto su di te", disse Michele in tono di scusa. "Riprovaci. Per favore".

Gli venne l'acquolina in bocca, proprio come ai vecchi tempi. Il suo primo impulso fu di allontanare la mano di Michele e ricominciare a camminare. Ma anche se era turbato e imbarazzato, una parte di lui era sollevata, era felice di sapere che niente di tutto ciò che aveva appena pensato era vero. Ricordò l'espressione di disperata angoscia sul viso di Michele e, per la prima volta in vita sua, anche lui ebbe paura.

L'arcangelo gli prese la mano e con delicatezza mise il frutto sul palmo. "Fratello, dissipa l'illusione e vedi", disse nella loro lingua.

Riluttante ma rassegnato a farlo, Lucifero chiuse gli occhi e diede un morso al frutto. Gli effetti furono immediati: laddove prima udiva i suoi fratelli e percepiva il Vecchio, ora non c'era nulla.

"Non senti niente, vero?" chiese Michele con gentilezza.

Lucifero barcollò. Aprirsi per trovare solo un vuoto era come attraversare una soglia per scoprire che, dall'altra parte, mancava il terreno. Le vertigini lo indussero a chiudere gli occhi, il che non fece che amplificare il senso di perdita. Il peso dell'isolamento crebbe a dismisura, talmente intenso da soffocarlo.

Spalancò gli occhi e guardò Michele a bocca aperta. Faticava a dare un nome alle sue emozioni. Camminò con passo incerto e le braccia tese in avanti fino all'albero più vicino, in cerca di sostegno. Si aggrappò al tronco, usò la presenza dell'albero per radicarsi, lo sentì vibrare di vita e lasciò che quella sensazione lo permeasse. I suoi occhi si allagarono e traboccarono di lacrime. Per la prima volta nella sua lunghissima vita si ritrovò a non sapere cosa fare.

Michele lo raggiunse e gli mise una mano su una spalla.

Avrebbe dovuto vergognarsi a farsi vedere così, sconvolto e tremante; invece si voltò e si aggrappò al fratello, perché era l'unica cosa vera e duratura che gli era rimasta. La sua anima negava che quello che gli avevano mostrato i sensi fosse possibile. Non poté fare altro che stringere il fratello, respirare e lasciar scorrere le lacrime.

Quando l'intensità delle emozioni venne meno, appoggiò la fronte contro quella di Michele. "Non so cosa sta succedendo, ma mi rifiuto di credere che Lui sia morto, perché non lo è". Vide che l'arcangelo non era convinto. "So quali sono le prove, e non ci credo. So solo che Lui non è morto".

Il viso di Michele si accartocciò. Di nuovo, Lucifero fu sopraffatto dalle emozioni e pianse. Si abbracciarono disperati, consolandosi a vicenda e dando sfogo al dolore e alla paura.

"Non è morto. Lo so e lo dimostrerò", sussurrò a Michele, che riuscì solo a singhiozzare più forte di prima.

"Lord Lucifero, sei difficile da trovare. Vedo che con te c'è Lord Michele. Bene. Ora, Lord Michele, ti prego di consegnarci la spada. Poi voi due verrete con noi".

La voce femminile sorprese entrambi. Nessuno dei due sapeva quanto tempo avevano passato aggrappati l'uno all'altro. Abbastanza perché le loro lacrime si asciugassero, ma non abbastanza da non aver più bisogno di conforto. Si separarono girandosi verso la voce ignota.

Lei, o meglio loro, non somigliavano a niente che

Lucifero avesse mai visto. Erano cinque guerriere identiche, con la pelle d'onice cui facevano da complemento, con un effetto stupefacente, lunghe trecce bianco-argentate. Anche i loro occhi sembravano di un bianco argentato, ma poteva essere uno scherzo della luce. Avevano abiti da battaglia; ognuna aveva una spada per fianco e lame di fattura sconosciuta ma dall'aspetto letale, fissate con cinghie in vari punti del corpo. Chiunque fossero, non solo erano bellissime, ma anche molto pericolose.

Lucifero fece un passo avanti e si rivolse al gruppo; la sua maschera altezzosa era tornata al suo posto. "Primo: a quanto pare voi ci conoscete, ma noi non abbiamo idea di chi siate. Vi ricordo che le regole della società civile stabiliscono che bisogna fare le presentazioni. Secondo: non vi accompagneremo da nessuna parte, né lui vi cederà al spada, per cui fareste meglio a dimenticare la vostra inutile pretesa, come abbiamo già fatto noi". Era felice di essere tornato su un terreno familiare. Non sapeva chi erano, ma poteva contare a occhi chiusi sulle proprie abilità in battaglia e su quelle di Michele, se si fosse arrivati allo scontro. E lui ci sperava. La violenza, in quel preciso istante, sarebbe stata estremamente terapeutica.

"Siamo Onyda. Guerriere dei Nammu", rispose quella che lui suppose essere il capo. Chinò la testa in un cenno di saluto. "È uno sgarro di vostro Padre, se non ci conoscete".

"Cosa sai di nostro Padre?" chiese Michele. Aveva sguainato la spada ed era già pronto a usarla.

"Tutto verrà spiegato quando ci consegnerai la spada e verrete con noi". Le cinque rimasero immobili, in attesa.

Esaminandole con più attenzione, Lucifero si rese conto che non erano identiche. Gli pareva che fossero di specie diverse. La condottiera aveva una brutta cicatrice profonda che le sezionava a metà il lato sinistro del viso; per il resto, sembrava umana. Un'altra aveva gli occhi da gatta e le orecchie a punta. Erano la pelle, i capelli e gli occhi – notò che il colore non era uno scherzo della luce – che le facevano sembrare identiche. Nonostante le differenze e la cicatrice, erano belle da mozzare il fiato. Erano alte, indossavano vestiti grigi identici, funzionali ma seducenti, di modello sconosciuto. Intuì che gli abiti coprivano corpi ben fatti, slanciati e muscolosi. Oziosamente si ritrovò a pensare a quelle gambe potenti avvolte intorno alla propria vita, a quei bei capelli da strattonare e...

Concentrati, gli sbottò nella testa Michele. *Non sai pensare ad altro?*

Si era dimenticato di essere ancora aperto, e si ricordò del perché non era una buona idea restarlo. *Primo: fuori dalla mia testa. Secondo: se tu non fossi morto dalla vita in giù, non faresti domande stupide.* Sentì mentalmente Michele che alzava gli occhi al cielo. *Le hai mai viste prima? È la macchinazione di uno dei Caduti?*

Pensavo che mi volessi fuori dalla tua testa. Michele inviò un'onda di divertimento in risposta allo sbuffo mentale infastidito di Lucifero. *No, non le ho mai viste, né ne ho mai sentito parlare. Se fossero il prodotto di uno dei Caduti, lo saprei.*

L'intero scambio tra i due durò pochi secondi. "Non mi interessa chi siete o chi rappresentate", rispose poi Lucifero all'Onyda, raccogliendo la sfida. "Qualunque sia l'autorità che credete di avere, non intendo riconoscerla. Se vorrete spiegarvi, vi ascolterò. Altrimenti, vi suggerisco di andarvene".

"Ci era stato detto che avreste potuto creare difficoltà. Se non vi arrendete, sarete presi con la forza". Una volta che la condottiera ebbe finito di parlare, le Onyda sguainarono le spade e li attaccarono in massa, separandoli abilmente.

Colto di sorpresa dalla loro bravura, Lucifero si riprese in fretta. Le aveva sottovalutate, credendo che non rappresentassero la benché minima minaccia, ma adesso era ovvio che erano guerriere esperte, al punto che faticava a non farsi toccare dalle loro lame. Erano tre contro di lui e due contro Michele.

Lui non era il tipo da usare le armi; preferiva squarciare e dissanguare gli avversari a mani nude – trovava un'immensa soddisfazione nel farlo – ma adesso quella sua abitudine lo metteva in svantaggio. Ogni Onyda usava contemporaneamente due spade, il che significava che lui doveva schivare fendenti di continuo. Non riusciva ad avvicinarsi abbastanza da afferrare le avversarie, né da disarmarle. Non sapeva com'era possibile, ma erano in grado di anticipare ogni sua mossa. Vanificavano ogni sua finta. Se si teletrasportava, lo facevano anche loro, ricomparendo e attaccando dove ricompariva lui. Si equivalevano: nessuna delle due fazioni riusciva ad andare in vantaggio. Un'occhiata a Michele gli disse che nel caso del fratello era tutta un'altra storia.

Le due Onyda che combattevano l'arcangelo stavano usando tattiche completamente diverse da quelle usate dalle tre contro di lui. Quelle due erano implacabili nei loro assalti. Sia loro, sia Michele avevano molte ferite da taglio. L'arcangelo aveva più potenza e più capacità di andare vicino al bersaglio, ma le Onyda erano più veloci e più agili. Con una sola spada contro le loro quattro, Michele passava più tempo a difendersi che ad attaccare. Stava perdendo terreno.

Lucifero si rese conto che le tre Onyda contro di lui lottavano con neanche la metà del vigore delle altre due, che invece si erano gettate in un combattimento a morte. In altre parole, le tre dovevano distrarlo, mentre le due abbattevano il fratello.

No, non credeva fossero in grado di uccidere né lui, né Michele, ma non poteva esserne certo. Di potere ne avevano, eccome. E sulle loro lame, fatte di un materiale ignoto, erano incise rune che non gli erano familiari.

Il mondo di ieri non era lo stesso del mondo di oggi. Non era più sicuro che ciò che aveva sempre creduto vero lo fosse ancora. Non gli piaceva, ma battere in ritirata era il piano migliore.

Raccolse il suo potere e lo liberò in un'esplosione verso le Onyda, che furono scaraventate indietro, ma non molto lontano. Ne raccolse di più, con l'intento di scatenare un'esplosione più forte, ma ci ripensò. L'intero parco era un memoriale di guerra: c'erano armi ovunque. Ricordò le palle di cannone impilate e saldate insieme lungo il perimetro. Una palla di cannone sarebbe stata efficace, ma perché non usarle tutte e sessantacinque? Con il suo potere le sollevò in cinque pile separate e le scagliò simultaneamente contro le Onyda.

Colte di sorpresa, le due guerriere impegnate contro il fratello furono centrate in pieno, mentre delle tre che stavano affrontando lui, due schivarono il colpo e una tagliò di netto a metà la massa che si vide piombare addosso.

Il diversivo fu più che sufficiente: Lucifero afferrò Michele, e si dileguarono.

SEI

"Ricordami".

Gli sfuggì un singhiozzo strozzato. Gradualmente il mondo sparì davanti ai suoi occhi. Crollò in ginocchio, con l'eco di quella richiesta ancora in mente.

"Ricordami".

Un Kai turbato percorreva i vicoli meno trafficati della Città, diretto all'ufficio di Te. Aveva preso la strada lunga per non incontrare nessuno. Gli unici Non-umani in cui si stava imbattendo, almeno per il momento, erano Eineu – la razza dei servi gentili – che si affrettavano a levarsi di mezzo non appena lo vedevano; il che gli andava benissimo, considerato il suo attuale stato d'animo.

Non sognava spesso il sire, ma quando lo faceva, restava irrequieto. Per di più, svegliarsi in un letto vuoto non era stato d'aiuto. In genere, quando si svegliava Lucifero era lì, impaziente di mettergli le mani addosso. Quel mattino invece, quando aveva aperto gli occhi, era stato salutato dallo sguardo minaccioso e dal ringhio gutturale dell'ultima gatta adottata da Lucifero. I gatti per Lucifero erano "angeli terreni" e, con l'approvazione forzata di Kai, ne avevano sempre qualcuno. Sembrava però che quel particolare "angelo" non conoscesse ancora le regole di casa, dato che lo seguì da una stanza all'altra inarcando la schiena e soffiando. Kai sapeva di essere protetto, ma gli rodeva comunque il fatto di sentirsi cacciato dalla propria casa da un gatto. La lista dei suoi fastidi continuava a crescere di minuto in minuto.

Era teso. Il sesso, o il sangue, o entrambi, gli sarebbero stati di grande aiuto per alleviare la tensione nel corpo e per dissipare le nubi nella mente. I bordelli erano sempre aperti per lui, ma lì avrebbe potuto soddisfare solo uno di quei desideri; inoltre, il pensiero di andarci non l'allettava un granché.

Per quanto si vantasse di non esserlo, in realtà Lucifero era molto possessivo. Kai era rimasto scioccato quando l'aveva scoperto, e all'inizio il loro accordo l'aveva messo a disagio. La sola idea che Lucifero volesse i diritti esclusivi sul suo corpo era stata soffocante. Certo, Kai era stato con il sire per più di duecento anni prima di incontrare Lucifero, ma nel mentre, sia Kai, sia il sire avevano avuto altri partner. Era un fatto naturale: la voglia di sesso accendeva la voglia di sangue e viceversa.

Tuttavia, con il crescere del suo rapporto con Lucifero, Kai si era reso conto che, pur sembrando restrittivo, quel dettame in realtà non lo era. Avere Lucifero nella sua vita era un fatto onnicomprensivo; non c'era più spazio per gli altri: Kai era più che soddisfatto. Tranne ora. Ora voleva il suo amante, e gli dava un gran fastidio non averlo trovato a casa.

Quando entrò nella piccola anticamera dell'ufficio di Te, ebbe due sorprese. La prima era che il generalmente assente Stephan era seduto alla sua scrivania; la seconda, che l'ufficio era chiuso. Essendo per natura molto gioviale e accogliente, Te di rado chiudeva la porta, la quale esisteva per lo più giusto per completare la stanza. Kai scoccò un'occhiata di avvertimento a Stephan perché tenesse la bocca chiusa e bussò piano.

Stava per voltarsi e andarsene, quando Te aprì la porta. L'abito del giorno era giallo canarino, ma il colore allegro era in netto contrasto con la sua espressione cupa. "Entra". Lo invitò a sedersi su una delle poltrone davanti alla scrivania.

Kai si sedette e lo guardò. Il demone sollevò un dito, come per dirgli di aspettare un attimo, poi fece un gesto complicato nell'aria: avvertendo il formicolio della magia intorno a sé, il vampiro gli rivolse un'occhiata confusa.

"Stephan è stato particolarmente ficcanaso, oggi".

Ridacchiando per lo sventato tentativo di origliare dell'antipatico, Kai si accomodò meglio sulla poltrona. Era impaziente di sentire cosa passava per la testa di Te.

"Abbiamo un problema". Il demone girò intorno alla scrivania e si sedette.

"Chi devo uccidere?"

"Appunto. È questo il problema". Gli occhi argento di Te si concentrarono sulla scrivania un attimo, prima di fissarsi su di lui. "Il cucciolo che hai ucciso ieri notte..."

"Lasciami indovinare", lo interruppe Kai. "I Kazat non sono disposti a lasciar perdere. Lo stronzetto però mi ha insultato. Era un mio diritto ucciderlo".

Te annuì. "Lo so. Tecnicamente non hai infranto nessuna legge non-umana. Ma..."

"Vogliono comunque vendetta", lo interruppe di nuovo Kai.

L'altro si appoggiò allo schienale della sedia. "Sai anche tu cosa provano per i loro cuccioli".

"Già. E il fatto che l'assassino sia proprio il *cocco di Lucifero* peggiora le cose, vero?" Te stava per obiettare, ma Kai proseguì. "Bene. Sistemeremo la cosa in Assemblea".

"Pensavo che dopo esserti calmato avresti cambiato idea. Dici sul serio? Vuoi davvero andare fino in fondo?"

"Sì". Kai si alzò, andò alla parete di vetro e guardò fuori. "Non mi rispettano, Te". Si voltò a guardarlo. "Peggio, non mi *temono*. Persino i cuccioli osano insultarmi". Bisognava dare prova di forza. Lui era un sire legittimo: tenere un'Assemblea era il modo più diretto per ricordarlo a tutti. Te capiva di certo. Allora perché lo osteggiava?

"Non pensi che il tuo disprezzo per la politica ti abbia messo in condizioni di svantaggio?" gli chiese il demone, dopo aver soppesato con cura le parole.

"No".

"Be', io sì. In più, hai passato gli ultimi settecento anni a girovagare con Lucifero. Non sai niente di politica".

"Mi stai dicendo che sono debole".

"No. Ti sto dicendo che sei inesperto e troppo beta per entrare in politica. E lo dico solo per il tuo bene".

Kai arretrò come se avesse ricevuto un pugno. Il demone si alzò, lo raggiunse e gli mise una mano sulla spalla per confortarlo, ma il vampiro si irrigidì: a sentirsi dare del maschio beta, ci era rimasto male.

"Non volevo insultarti", disse Te con voce gentile. "Mi preoccupo per te, tutto qui".

Kai si sforzò di sostenere il suo sguardo. "Sono beta rispetto a te e a Luc. Ma non per Lugan o per il resto del mio clan. E di certo non per i Kazat".

"Ti porgo le mie scuse". Gli strinse la spalla; Kai si rilassò. Poi incrociò le braccia e lo studiò. "Ricorda che sei il legittimo capo del clan. Se decidi di tenere un'Assemblea, Lugan penserà che è una mossa per riprenderti il potere, e tecnicamente avrebbe ragione. Sei pronto ad affrontare le conseguenze?"

Kai scosse la testa, scoraggiato. "Non voglio guidare il clan. Voglio solo affermare la mia posizione di sire". Il suo piano andava al di là di quanto fosse disposto a fare. Lui intendeva usare l'Assemblea solo per farsi rispettare. Punto. Non aveva idea che le cose fossero tanto complicate. Te aveva ragione. Di politica non capiva un bel niente.

"Quello che vuoi tu è irrilevante rispetto alle conseguenze che ci sarebbero".

Kai si voltò di nuovo verso la vetrata. No, non voleva scontrarsi con Lugan. Non voleva ritrovarsi a dover uccidere suo fratello per qualcosa che non desiderava.

Te si mise al suo fianco a guardare la Città. "Indire un'Assemblea, anche se poi la tieni qui, nella Città, sarebbe una sfida all'autorità di Lugan. Ma c'è un'alternativa: hai mai sentito parlare della Rappresentazione?"

Kai scosse la testa.

"Oggi non viene usata quasi mai, ma ci sono dei precedenti. Era molto popolare all'epoca di Uru. L'Assemblea è un affare privato del clan. La Rappresentazione invece, per quanto segua lo schema di base dell'Assemblea, in pratica è uno spettacolo pubblico. È stata pensata per risolvere le dispute tra gli individui, tra le specie e a volte tra i clan, in alternativa alla guerra. Le Rappresentazioni sono state sospese quando era diventato evidente che i Kazat le usavano per sbilanciare gli equilibri di potere a loro vantaggio. Date le circostanze, posso decretare che tu e i Kazat risolviate le vostre controversie in una Rappresentazione. Lo sanno tutti che non corre buon sangue fra te e i Kazat, quindi non dovrebbero esserci fraintendimenti sul motivo della Rappresentazione, anche perché sarà un evento indipendente dal Clan Aria. La guida di Lugan dovrebbe restare indubbia. Ma ti avviso: non lo chiamo 'spettacolo' con leggerezza. Sarà aperto a tutti i residenti, e il decoro dell'Assemblea probabilmente verrà abbandonato in favore di un entusiasmo chiassoso e senza freni".

"Quando avrò sconfitto il campione dei Kazat, ne sarà valsa la pena".

Te sorrise. "Devono essere messi al loro posto: dai al pubblico lo spettacolo che si aspetta. Posso organizzarla per dopodomani, a meno che tu non preferisca farla prima".

Kai annuì. "Dopodomani va bene. Grazie". Si rilassò. Sistemata una questione, passò all'altra, che iniziava a pesargli davvero. "Hai visto Luc?"

Te sollevò le sopracciglia e si voltò. "Pensavo fosse a casa con te. Vuoi dire che non è ancora tornato?"

Kai raggiunse la poltrona da cui si era alzato e vi sprofondò. "No", borbottò. "Cos'è che lo tiene via così tanto?"

Te gli si avvicinò e rimase in piedi al suo fianco. Allungò una mano, gli prese delicatamente il mento e gli sollevò la testa per guardarlo bene in viso. "Non hai un bell'aspetto. Quand'è stata l'ultima volta che ti sei nutrito?"

Kai cercò di allontanarsi. "Non importa. Non ti agitare". Quando Te non si fece indietro, sospirò. "Un paio di giorni", mentì. "È che stanotte ho sognato il mio sire, e con Luc che non c'è... Non so. Forse sono solo inquieto per il sogno".

Te conosceva la storia. Il sire di Kai era scomparso all'improvviso. Kai era rimasto a piangere per ore su una desolata strada scozzese in attesa del sorgere del sole, per lasciarsi morire. E sarebbe morto, se Lucifero non l'avesse trovato e convinto a vivere un altro giorno, e poi un altro, e poi un altro ancora. Erano insieme da allora.

Mise il polso davanti alla bocca di Kai. "Bevi".

Kai cercò di tirarsi indietro, ma l'altro non glielo permise. Il sangue era sangue, vero, ma se non voleva sangue umano, ancor meno voleva quello di demone.

Te percepì la sua riluttanza e insisté. "Smettila. Sono solo sciocchezze. Luc potrebbe metterci del tempo a tornare. Lascia che mi occupi io di te".

Alla fine, Kai acconsentì. Chiuse gli occhi e morse con gentilezza il polso che gli veniva offerto: immediatamente il potere del sangue di Te lo investì, fu una scarica che gli attraversò il corpo infiammandogli le terminazioni nervose. Si accorse appena di Te che gli accarezzava i capelli, mentre il mondo intorno sbiadiva in un'ondata di piacere.

Quando percepì che il vampiro era sazio, Te allontanò il polso e tornò alla vetrata.

"Tu... sei...", faticò a dire Kai, sentendosi molle come un budino. Era sotto shock per quello che aveva appena scoperto.

"Uno dei Caduti? Sì. Vuoi dire che davvero non lo sapevi?"

"Non ne ero sicuro". Gli sembrava di galleggiare per effetto del sangue angelico. Era una sensazione gloriosa. "Perché non mi hai mai detto niente?"

"Non è mai venuto fuori. E poi mi sono reinventato, no?" La sua risata calorosa riverberò nella stanza.

Kai si accigliò; il suo cervello non riusciva ancora a connettere bene. Quando finalmente si riprese, guardò l'altro. "Sei tu quello della profezia?"

Il sogghigno di Te divenne cospiratorio. "È facile fare una profezia su se stessi, non trovi?"

Kai spalancò gli occhi e si alzò. "Eri Uru?"

"Geniale, vero?"

Il fatto che Lucifero fosse il suo amante, e che lui avesse avuto a che fare più volte con gli arcangeli, avrebbe dovuto alleggerire l'impatto causato da quella rivelazione, ma non fu così. Provò la stessa emozione che aveva provato ogni volta che Lucifero aveva distrutto una sua illusione. Già, perché la disillusione faceva sempre male, a prescindere dalla fonte. L'ammissione di Te spiegava molte cose – le piccole contraddizioni, la lealtà di Te verso Lucifero – ma ribaltava anche tutte le credenze di Kai sulla Città: non era vero niente. "Sono onorato che tu me l'abbia detto, ma..."

Te sembrò capire. "Mi dispiace. Non l'avrei fatto, se tu non fossi stato fiacco: avevi bisogno di nutrirti. Immagino sia una gran delusione per te. Ma non è cambiato niente. Ero il dio drago. Mi sono preso una... pausa. Poi sono tornato come predetto, stavolta nella mia forma reale. Questo è tutto".

"Così disse l'ex dio drago". L'amarezza che provava Kai trapelò dalla sua voce; non riuscì a evitarlo. I suoi occhi andarono all'arazzo dietro la scrivania di Te. Ogni Non-umano si sentiva in debito verso Uru, perché senza il dio drago, i Non-umani non sarebbero più esistiti. C'erano storie antiche, ricche di coraggio e di sacrificio. Tutte bugie. Non c'era mai stato un "dio drago". Kai rideva sempre della falsità delle credenze umane, ma adesso non riusciva proprio a ridere della falsità delle proprie.

"Non torneremo più sull'argomento, a meno che tu voglia riparlarne". Gli occhi argento di Te brillavano di amore e di malizia. "Allora, ti senti meglio?"

Kai rise. L'allegria dell'angelo aveva dissipato il suo umore tetro. "Molto meglio, ma sono sicuro che lo sai già".

"Bene. Dobbiamo parlare del recupero di Gregory".

"Lo so. C'è stato un imprevisto dopo l'altro. In effetti..." Kai stava raggiungendo Te, ma quello che vide dalla vetrata gli fece perdere il filo. "Questa devi vederla". Gli indicò la scena all'esterno.

Te si voltò e fischiò, sorpreso. "Be', non me lo sarei mai aspettato".

Uriele avanzava lentamente lungo la strada. La folla sapeva chi era e si faceva da parte, guardandolo avvicinarsi con un misto di meraviglia e di paura. Ogni Non-umano imparava sin dalla nascita a riconoscere gli angeli, poiché ne andava della sua vita: se i Non-umani si dimenticavano di stare al proprio posto al loro cospetto, gli angeli potevano facilmente cancellarli dall'esistenza.

Incuriositi, Kai e Te osservarono il passaggio della figura regale abbigliata fuori moda, davanti alla quale c'era chi istintivamente faceva qualche passo indietro e chi addirittura si inginocchiava. La sua presenza nella Città non aveva precedenti.

L'arcangelo si fermò al centro della caverna e guardò in alto verso Te. Anche se erano a una bella distanza, Kai ebbe la sensazione che non facesse differenza, e presto gli fu dimostrato che aveva ragione.

"Benvenuto nella Città, arcangelo Uriele. La mia casa, e tutto ciò che si trova al suo interno, è a tua disposizione". Parlò con un tono di voce normale, ma la sua magia lo amplificò, in modo che tutti gli abitanti della Città potessero sentire.

Uriele fece un lieve cenno di assenso con la testa.

"Onori la Città con la tua presenza. Ti prego,

vieni a farmi visita nel mio ufficio. John ti accompagnerà".

Un Eineu con la tunica gialla corse ad accogliere Uriele, si inchinò più volte e lo invitò a seguirlo tra la folla, verso l'uscita che portava alla scala per salire all'ufficio di Te.

"Mi chiedo cosa ci sia sotto", disse Kai.

"Anch'io. Non vedo Uriele da secoli. Ci vediamo dopo per un bicchierino. Ti farò sapere, e tu mi dirai del recupero di Gregory". Cinse le spalle di Kai con un braccio e lo accompagnò alla porta. Nell'anticamera, si rivolse a Stephan. "Sto convocando una Rappresentazione fra Kai e un campione dei Kazat a loro scelta". Una pila di documenti apparve sulla scrivania. "Lì c'è tutto quello che ti serve. Inizia immediatamente i preparativi".

Te strinse Kai in un mezzo abbraccio prima di lasciarlo andare. Kai lo salutò con un sorriso, poi sogghignò alla vista di Stephan che punzecchiava con cautela la pila di documenti, neanche fosse una fetida pila di stracci. Immaginò che in quella bionda testa bacata ci fosse poca differenza. *Che assurdità*, pensò prima di uscire dall'anticamera.

La caverna era animata dalle supposizioni. Kai era curioso come tutti gli altri. Passeggiò per la piazza del mercato ascoltando i pettegolezzi e rimuginando sull'arrivo di Uriele. Perché si era presentato così platealmente? Di cosa dovevano parlare lui e Te?

SETTE

Lucifero saltò da una dimensione all'altra trascinandosi dietro Michele. Per gli inseguitori era praticamente impossibile rintracciare chi eseguisse quella modalità di fuga con la necessaria sobrietà. E lui per fortuna aveva imparato a farlo bene nel corso dei secoli, per sfuggire al controllo e alle interferenze della sua famiglia.

Aveva calcolato che le Onyda non fossero in grado di seguirli oltre il primo spostamento, ma siccome non era certo delle loro abilità, aveva deciso di attraversare altre quattro dimensioni, prima di sentirsi al sicuro, e poi altre cinque, per stare del tutto tranquillo. All'ultima fermata, controllò le ferite di Michele, notando con sollievo che erano in via di guarigione.

Stava per dire qualcosa, ma l'espressione sul viso

di Michele lo indusse a tacere. Era stupore? Quando però Michele si accorse che Lucifero lo stava guardando, lo stupore fu rapidamente sostituito dalla disapprovazione.

Interessante.

Michele si acciglio ancora di più.

Lucifero rise. "Persino quando ti salvo la vita, non approvi. Sei proprio un bel tipo, fratello mio".

"C'è una ragione se viaggi dimensionali sono proibiti".

Erano proibiti perché le dimensioni erano teoriche finché non venivano visitate; una volta visitate, diventavano reali. Erano proibiti perché era l'unico modo in cui loro potevano creare la Vita. Lucifero aveva una mezza idea di insistere sul fatto che Michele sarebbe morto, se non fossero scappati in quel modo, ma si rese conto che sarebbe stato inutile, vista la mascella rigida e gli occhi assottigliati del fratello. Per Michele, lui aveva solo infranto le regole; lo scopo non importava. Scosse la testa. "Andiamo dagli altri. Fai tu".

L'arcangelo distolse gli occhi. "Non so come".

Ovviamente. Per imparare a fare i viaggi dimensionali, bisognava *farli*. "Va bene. Faccio io. Andiamo all'Originario; quando arriviamo lì, prendi il controllo tu".

Michele strinse le mascelle, ma non disse niente, limitandosi ad annuire.

* * *

Con grande sorpresa di Lucifero, finirono in un'ampia caverna di un sistema di caverne da qualche parte in Cina. La caverna si trovava a gran profondità; l'accesso era stato sigillato e munito di protezioni per evitare che gli umani lo scoprissero accidentalmente, o che il rifugio venisse colonizzato dai Non-umani. Raffaele, Gabriele, Azrael e circa cinquanta-sessanta angeli di rango inferiore di varie case, erano sovrastati dall'ampio spazio che un tempo non avrebbe contenuto una sola frazione dell'intera Armata Celeste.

Non appena videro Lucifero, gli angeli inferiori estrassero le armi.

"Riposo", ordinò Michele.

"Vi prego, non agitatevi per me", disse Lucifero, superandolo ed entrando nella sala.

"Perché il traditore è qui?" chiese un angelo a Michele, senza staccare gli occhi da Lucifero.

"Abbiamo bisogno di lui".

"Le voci sulla mia natura di traditore sono esagerate". Lucifero si tolse di dosso con un gesto della mano la polvere lasciata da una sporgenza di roccia, poi si sedette.

Michele gli scoccò un'occhiata torva prima di rivolgersi agli angeli inferiori. "Vi basti sapere che sta dalla nostra parte".

L'angelo che aveva parlato si inchinò, ma mantenne gli occhi su Lucifero.

"Grazie di esserti unito a noi". Raffaele si avvicinò con un sorriso sollevato.

Improvvisamente a disagio, Lucifero lasciò vagare lo sguardo nella caverna – ovunque, pur di allontanarsi dalla speranza che brillava negli occhi del fratello.

"Abbiamo avuto un incidente". Con la telepatia Michele mostrò agli angeli la lotta con le Onyda e la fuga.

Dato che non aveva bisogno di riviverle, Lucifero prestò poca attenzione, preferendo concentrarsi sulle protezioni lungo il perimetro della caverna, che brillavano di luci colorate incandescenti entro lo spettro ultravioletto. Lasciò il suo trespolo e percorse la sala per esaminarle da vicino.

Raffaele fischiò. "Onyda? Non ho mai visto niente del genere, né ho mai sentito di questi Nammu".

Seguì una serie di supposizioni sulla loro identità e origine, mentre Lucifero continuava a girare per la sala, rivolgendo tutta la sua attenzione alle intricate protezioni.

Michele andò da lui. "C'è qualche problema? Tutte le tue case sulla Terra sono munite di protezioni contro di noi. Non avrai da ridire sulle nostre, spero".

"Mi sorprende solo che siate tanto esperti. È un

lavoro preciso. Attenti, eh. Qualcuno potrebbe dubitare della vostra lealtà".

Gli occhi viola di Michele si fecero duri, ma Lucifero sogghignò: era così facile far perdere le staffe all'arcangelo guerriero. I due si avvicinarono ancora, ritrovandosi quasi viso a viso.

"Come ben sai, c'è una ragione per cui proteggo le mie case da voi", disse Lucifero a voce bassa. "I tentati assassinii da parte di lacchè zelanti hanno la tendenza a diventare noiosi".

"Non passerò il resto della mia vita a scusarmi con te", rispose Michele, abbassando il tono di voce al pari del fratello.

"Be', dovresti. Strisciare ti si addice". Fece un passo indietro e si voltò per esaminare il gruppo. Era arrivato il momento di prendere il comando. Se Michele aveva un problema con quello... Be', era nel suo interesse non avercelo. "Tutto qui? Siete rimasti solo voi?"

"Sì, solo noi", rispose Michele.

"Dov'è Uriele?"

"Uriele non l'ha presa bene", lo informò Raffaele. "Non si tiene molto in contatto. Possiamo contare su di lui quando è necessario, ma..." Alzò le spalle.

Data la natura di Uriele, la cosa non lo sorprendeva. Uriele era un tipo da azione, non da star seduto a parlare di azione. "E i pantheon dei Caduti? Loro sanno cosa sta succedendo? Hanno intenzione di aiutarci?" *Caduti* era una denominazione impropria usata per convenienza dagli angeli. La usavano perché era più facile, non perché era accurata.

"Dato che Azrael è considerato neutrale, gli abbiamo chiesto di avvicinare lui i nostri fratelli Caduti", disse Michele.

Buona scelta: la morte non aveva secondi fini. La casa di Azrael serviva tutti gli umani, indipendentemente da chi venerassero. Vestito di grigio e tetro come una tomba, Azrael si fece avanti; la sua voce risuonò nella caverna facendo vibrare la pietra. "Degli Hindu, Vishnu, Krishna e Kali sono gli unici rimasti. Si nascondono, come noi, ma hanno promesso di aiutarci. Gli ultimi Loa sono convinti che nostro Padre non solo li stia mettendo alla prova, ma li stia anche sottoponendo al Giudizio. Non ci aiuteranno. Le Fate e i Sidhe hanno lasciato questo mondo secoli fa. Gli Aztechi si rifiutano di parlarmi, per cui non sono riuscito a capire come sono messi. I Greci, i Norreni e gli Egizi a quanto pare sono stati distrutti, anche se non ne ho la conferma. Gli altri, o sono stati distrutti, o sono fuggiti, o sono così ben nascosti che non sono riuscito a trovarli. Continuerò a cercare".

"E i Non-umani?" chiese Lucifero.

"Speravamo che parlassi tu con Te", rispose Raffaele. "Dovrebbe essere più ricettivo, nei tuoi confronti".

Lucifero annuì. "Azrael, è imperativo che tu trovi gli altri e ne convinci il più possibile a unirsi a noi".

"Certo". L'arcangelo si inchinò e scomparve.

Anche se era la situazione peggiore che avessero mai affrontato, Lucifero si stava divertendo. Guidare i suoi fratelli in battaglia, ai tempi dell'Epurazione, era stato esilarante e non vedeva l'ora di rifarlo. Guardò Michele: gli fece piacere constatare che sembrava felice di farsi da parte. Una disputa per il comando avrebbe solo creato confusione e sarebbe stata sconveniente.

Lasciò vagare lo sguardo lungo il perimetro della caverna, inesorabilmente attratto dai difetti nelle protezioni che aveva notato prima. Per quanto fossero le migliori che i suoi fratelli potessero allestire, c'erano delle falle, perché loro non erano abituati a nascondersi. Quel rifugio non era sicuro quanto avrebbe potuto e dovuto essere. L'avrebbe fatto notare, prima, se Michele non si fosse avvicinato con aria imbufalita.

Non che Lucifero si fosse comportato meglio: la sua risposta immediata era stata prenderlo in giro, piuttosto che spiegargli le cose. Prima o poi avrebbero dovuto smettere di trattarsi come nemici. L'inimicizia tra loro era solo un'abitudine. Non era reale, non più; ma come tutte le abitudini, era facile ricaderci senza pensarci.

Il problema delle protezioni si poteva risolvere facilmente; sapeva però che Michele avrebbe osteggiato l'idea, anche se era l'unico modo che conosceva Lucifero per tenerli davvero al sicuro durante la pianificazione e le successive operazioni. "Ci serve un posto più sicuro".

"So quello che stai per dire, fratello, e la risposta è no".

"Questo posto non è sicuro. Continuo a vedere falle nelle protezioni. È solo una questione di tempo prima che vengano infrante".

"Allora sistemale. L'altra soluzione è fuori questione".

"Michele, smettila di darmi contro e pensa. Hai sentito Azrael. Se lui non riesce a trovare gli altri, le Onyda non riusciranno a trovare *noi*".

Dalle loro espressioni, Lucifero capì che anche Raffaele e Gabriele avevano afferrato cosa intendeva dire.

"Vuoi nasconderti in un'altra dimensione", disse Raffaele.

"È proibito", disse Gabriele.

"Ma ha ragione, sarebbe impossibile trovarci", ribatté Raffaele.

"Non accetterò di infrangere la legge".

Lucifero incrociò le braccia, abbassò la testa e si mise a contare. Quando arrivò a dieci, era ancora arrabbiato. A quindici, era rassegnato. "E va bene", disse, alzando la testa. "Restate pure qui. Troverò un posto per noi." Poi si rivolse agli angeli inferiori. "Chiunque voglia sopravvivere abbastanza a lungo per fare un piano e contrattaccare, può unirsi a me".

Se Michele e Gabriele erano disposti a morire, piuttosto che infrangere la legge per sopravvivere e combattere, che così fosse. Raggiunse la falla più vicina con l'intenzione di chiuderla. Se quei due volevano restare, lui avrebbe fatto il possibile per proteggerli, anche se sapeva che era una causa persa.

Parlando di cause perse, da quando aveva incontrato le Onyda non si era ancora fermato un attimo per fare il punto della situazione, lasciando invece che le informazioni si raccogliessero nella sua coscienza senza riordinarle. Ora, mentre rinforzava le protezioni, vide la realtà con cristallina chiarezza per la prima volta.

Delle Onyda non sapevano niente: da dove venivano, i loro punti forti, i loro punti deboli, qual era la loro base. Quella non era una guerra: al massimo, un assedio; quelli che dovevano difendersi erano loro, e facevano fatica a conservare il poco che avevano. Nella schermaglia di prima, cinque Onyda avevano quasi sconfitto due dei loro combattenti più forti.

Smise di fare ciò che stava facendo e guardò angeli e arcangeli – Raffaele cercava di convincere Michele e Gabriele che ritirarsi in un'altra dimensione era l'opzione migliore – e seppe che, se le Onyda erano anche solo la metà di loro, avrebbero perso.

"Vorrei accompagnarti, se non ti dispiace", disse un angelo, facendo irruzione nei suoi pensieri. Era quello che l'aveva sfidato prima.

"Come ti chiami?"

"Kadrael".

Percepì un formicolio che lo mise a disagio. "Dimmi, Kadrael, perché non ti conosco?"

Vicini abbastanza da sentire la domanda, i fratelli smisero di discutere.

"È della Casa di Uriele", disse Michele.

"No, è della mia", disse Raffaele.

Tutti gli occhi si voltarono verso Kadrael, che sorrise... finché il suo viso non si sciolse. Lo stesso accadde alle fattezze degli angeli intorno a lui. Pochi istanti dopo, al posto di Kadrael c'era un essere maschile sconosciuto. Al suo fianco, un essere femminile sconosciuto. Intorno ai due, almeno venti Onyda. C'era qualcosa di stranamente familiare, nella coppia, ma Lucifero non ebbe il tempo di pensare al perché.

"Ritirata" gridò, spostandosi per coprire la fuga degli angeli inferiori. Capendo il suo piano, gli arcangeli fecero lo stesso.

"Ritirata! Ora!" Michele rinforzò l'ordine di Lucifero.

"Impossibile", disse il maschio, a voce abbastanza alta da farsi sentire da tutti.

Dei mormorii si diffusero tra gli angeli, quando divenne evidente che nessuno era in grado di smaterializzarsi.

"Voi dovete essere i leggendari Nammu, di cui non ho sentito parlare molto", disse Lucifero.

"Io sono Anu", disse il maschio. "E lei è Ki". Indicò la sua compagna. "Siamo leggende solo per gli ignoranti". Il suo sorriso si allargò; si avvicinò di qualche passo.

Aveva la sensazione che gli mancasse solo una

manciata di pezzi per completare il puzzle e riconoscerli. Li scrutò: Anu e Ki sembravano gemelli. Se non per il genere, apparivano identici. Generici e banali, i loro visi erano perfettamente simmetrici, e Lucifero suppose che, sotto le ampie tuniche bianche lunghe fino alla caviglia che indossavano, fossero altrettanto generici, altrettanto irrilevanti. Suppose anche che fosse la qualità universale una-faccia-va-bene-per-tutti delle loro sembianze e quella pelle grigia che...

Fu folgorato da uno shock quando l'ultimo pezzo del puzzle andò al suo posto. Gli ci volle un grandissimo sforzo per mantenere il contegno. Aveva già visto in passato quei lineamenti indefiniti e quella pelle grigia, di un grigio dinamico che era la somma cromatica dei colori della pelle che si alternavano in un ciclo continuo. Uno sguardo ai suoi fratelli gli fece capire che anche loro si erano ricordati e si sforzavano di mostrarsi calmi. La sua intera visione del mondo si era capovolta con la comparsa di quei due. Peccato che non sarebbe stata una riunione di famiglia felice.

"Pensavo foste più alti", disse, tornando sul territorio familiare dell'altezzosa spavalderia.

Anu ridacchiò. "Quanto sei maleducato". Sembrava scandalosamente deliziato, come un adulto davanti a un poppante che ha pronunciato la prima parolaccia. Quando parlò di nuovo, fu con il tipo di condiscendenza che il superiore mostra verso chi ritiene eternamente stupido. "Vostro Padre ha trascurato la vostra educazione".

L'insulto al Padre gli bruciò. Aveva una gran voglia di squarciare quel viso perfettamente insignificante. "Ah, davvero? Allora saresti così gentile da illuminarmi? Da illuminare tutti noi?" Indicò gli angeli e arcangeli.

"Non ti rivolgeresti a noi così, se sapessi esattamente con chi stai parlando. Solo per questo, ti è concesso un temporaneo perdono per la tua mancanza di rispetto", disse Ki.

Lucifero invece aveva la sensazione di sapere benissimo a chi si stava rivolgendo, e non cambiava niente. Meglio affrontare la morte con un ghigno di disprezzo sulle labbra, piuttosto che farsi piccolo per la paura. Tornò al trespolo di prima e si sedette; la sua mancanza di rispetto trapelava chiaramente dal linguaggio del corpo. Tirò fuori una sigaretta al trifoglio, l'accese e fece qualche tiro. Mentre fumava, la tensione nella sala aumentò. Fece un bel sorriso alle Onyda, che gli scoccarono sguardi omicidi. "Sono sicuro che, se sapessi a chi mi sto rivolgendo, sarei grato del perdono. Al momento, però... mi è del tutto indifferente".

"Ah, è così?"

L'espressione apoplettica di Anu disse a Lucifero che, forse, si era spinto troppo in là. In segreto si preparò alla violenza, ma fu preso alla sprovvista quando una luce forte, accecante, invase la caverna. La sua testa fu all'improvviso troppo piccola, troppo stretta. Urlando e stringendosela tra le mani, cadde dalla roccia, terrorizzato all'idea che gli occhi gli schizzassero fuori dalle orbite e il cranio gli scoppiasse come un frutto troppo maturo.

Passò del tempo – non seppe dire quanto, se pochi secondi o molte ore – prima che fosse in grado di riaprire gli occhi. Quando lo fece, giaceva sul pavimento con il volto bagnato di lacrime. Si tirò su a sedere e si guardò intorno: gli angeli di rango inferiore erano scomparsi.

La paura minacciò di sopraffarlo, ci volle più volontà di quella che credeva di avere per ricacciarla indietro. Quando ci riuscì, vide che Michele, Raffaele e Gabriele erano ancora lì. Negli occhi di Michele vide rispecchiato il proprio panico, prima che il fratello riuscisse a riguadagnare il controllo. Era chiaro: con un'azione più rapida del pensiero, i Nammu li avevano privati delle loro capacità e avevano ucciso gli angeli di rango inferiore. Sentiva in sé il rimorso rivaleggiare con la furia.

"Questa piccola dimostrazione ti ha impressionato?" chiese Ki. "Gli angeli inferiori", lo disse come se fossero stati insetti da schiacciare, "sono stati distrutti da una misera frazione del nostro potere. Ti consiglio di pensarci bene, prima di parlare di nuovo".

I quattro fratelli si scambiarono degli sguardi. Lucifero colse la tristezza degli arcangeli, ma anche il loro senso di impotenza, e fu proprio quello a farlo arrabbiare di più. Usando la propria dignità come ancora, si asciugò il viso e si alzò in piedi. Anche gli altri si alzarono. Gabriele gli scoccò un'occhiata di avvertimento; se non fosse stato così umiliato, l'avrebbe ignorata.

"Ci onorate con la vostra pietà", esordì Gabriele, chinando la testa. Si vedeva, che non si era ancora ripreso del tutto.

Lucifero odiò la pacata reverenza nella sua voce.

"Una così adorabile ossequiosità è adatta al vostro rango. Siamo compiaciuti", disse Ki, raggiante. Andò da Gabriele, gli sistemò i lunghi capelli color ruggine sulle spalle, gli sollevò il mento e gli asciugò le lacrime. "Questo posto non è poi così barbarico, dopotutto". Scoccò un'occhiataccia a Lucifero.

"Non siamo degni della vostra presenza, ma ne siamo onorati al pari della presenza di nostro Padre", continuò Gabriele, abbassando di nuovo la testa.

Ki continuò ad accarezzarlo come se fosse il suo animaletto preferito. "Un'osservazione astuta. Hai notato la somiglianza e ti chiedi perché". Guardò Lucifero con aperto disprezzo. "Ringrazia pure tuo fratello perché continui a esistere e per il dono delle nostre presentazioni".

Lucifero si costrinse a distogliere lo sguardo: o faceva così, o avrebbe detto qualcosa di inappropriato.

"Siamo una razza di Creatori-Dei di mondi che sono ben al di là della portata della vostra immaginazione e della vostra comprensione", disse Anu, guardando ogni arcangelo con teatrale intensità.

Lucifero aveva una gran voglia di infastidirlo, di levargli quella patina di arroganza dal viso. Sarebbe stato più facile affrontarli, dopo averli privati della loro maschera di civiltà. Preferiva provare terrore piuttosto che disprezzo.

La voce di Anu si alzò autoritaria. "Ognuno di Noi agisce in coppia con una controparte complementare, maschile o femminile. Il nostro scopo è l'ordine. Tale ordine è esemplificato dalle nostre creazioni: ogni creazione è uno specchio della nostra divina perfezione. Gli abitanti di ogni mondo in ogni universo vivono vite prestabilite alla perfezione in varie classi di produttività; ogni individuo resta saldamente ancorato alla conoscenza del proprio posto nello schema delle cose. La Perfezione dell'Ordine: è così che Noi viviamo, è così che deve essere". Fece una pausa e li guardò uno per uno, come per accertarsi che avessero capito. Quando si ritenne soddisfatto, riprese la lezione.

"Tra di Noi, tuttavia, c'è una fazione. Questo gruppo – erroneamente, badate bene – crede che il caos noto come libero arbitrio possa in qualche modo arricchirci, che Noi possiamo imparare dalle scelte e dalle esperienze delle nostre creazioni. Tutte sciocchezze, ovviamente – come se Noi, i creatori di indicibili mondi, avessimo delle mancanze. Con il nostro amore più che perfetto nei loro confronti, abbiamo cercato di dissuadere i membri della fazione dal percorrere quel sentiero estremamente distruttivo, di far loro capire che non sarebbe venuto niente di buono da quel modo di pensare alla rovescia. Sfortunatamente è stato tutto inutile. Alla fine abbiamo dovuto accettare l'inevitabile, ovvero che loro si erano allontanati dalla rettitudine dell'Ordine". Visibilmente angosciato, si interruppe. Ki si allontanò da Gabriele per abbracciarlo.

Suo malgrado, Lucifero era affascinato. Perché il Vecchio non ne gliene aveva mai parlato? Era ovvio che Lui fosse un membro della fazione. Se loro quattro l'avessero saputo, avrebbero potuto prepararsi. Avrebbero potuto costruire delle difese; invece così, ignorando ogni cosa, erano stati colti di sorpresa. Che quello stupido si dannasse! Ora sarebbero morti tutti, solo perché Lui doveva mantenere i Suoi segreti. Il che non sorprendeva affatto Lucifero; semmai non faceva che aumentare il suo risentimento verso il Padre.

Nel frattempo Ki parlava sottovoce ad Anu, che alla fine si sciolse dal suo abbraccio per riprendere la spiegazione. "Siamo costantemente impegnati a eradicare questi eretici e a distruggere le loro creazioni. Gli universi sono vasti, ci sono molti luoghi in cui nascondersi, ma siamo vigili. Il caos non deve continuare". Si fermò a metà di un passo e fece un respiro profondo. "Dunque, eccoci qui. Abbiamo cercato il vostro eretico Padre e la sua compagna per molto tempo. Sono stati furbi. Questo sistema solare non solo era isolato, ma era stato creato da altri eretici moltissimo tempo prima. Era già stato trovato e distrutto, e i suoi Creatori erano stati imprigionati".

I suoi occhi brillavano di un'espressione febbrile, del tutto fuori posto su quel viso che pareva fatto apposta per restare neutrale o sorridere solo ogni tanto. "È stato geniale, incredibilmente geniale da parte loro, usare un sistema isolato e morto, ma è stata anche la loro rovina. Essendo rimasto a lungo in balia dell'Oscurità, il sistema aveva bisogno di un'istantanea e massiccia infusione di Luce per poter ospitare nuove creazioni, altrimenti non sarebbero sopravvissute. È stata quell'istantanea e massiccia infusione di Luce a condurci da voi come un faro." Andò da Lucifero e si fermò a pochi centimetri dal suo naso.

Lucifero irrigidì le ginocchia per non indietreggiare; quando ricambiò lo sguardo di Anu, fece in modo che dal proprio viso non trapelasse nessuna emozione.

"Non vi chiedete cos'è stata quell'istantanea e massiccia infusione di Luce?"

Lucifero non fece una piega.

Anu sogghignò e si allontanò da lui. "Be', ve lo dico io, cos'è stata. È stato l'impensabile. È stato l'empio sacrificio di vostra Madre, che si è fusa con il pianeta affinché il pianeta potesse sostenere la vita. Il crimine più efferato di vostro Padre è stato persuaderla a sacrificarsi per la Sua creazione". Anu sputò le ultime parole con voce tesa per la forte emozione. Voleva vendetta, e Lucifero seppe che, una volta finita la storia, se la sarebbe presa con loro.

"A dire il vero", intervenne Ki, "il Suo crimine più efferato è stato creare degli esseri, voi inclusi, con quella blasfemia che è il libero arbitrio". Dal tono di voce, era stufa di dover sempre correggere il compagno su quel punto. "È stato ingiusto, è stato un disservizio nei vostri confronti, crearvi con la libertà di fare le vostre scelte, pur essendo pienamente consapevole che quest'imperfezione insita in voi avrebbe fatto sì che le vostre vite fossero caotiche, piene di dolore e improduttive. Tutte le vostre vite sono un vergognoso spreco. Mi si spezza il cuore, davvero". Sembrava effettivamente dispiaciuta. "Per i Suoi crimini, vostro Padre si merita la nostra punizione peggiore: la prigionia all'Inferno".

Di sicuro stava mentendo: non esisteva un posto del genere. Erano girate voci tra alcuni dei Caduti su un posto fuori dalla portata del Vecchio, ma Lucifero non ci aveva mai creduto. Ma perché Ki mentiva? Perché non ammetteva che il Padre fosse morto?

Adesso però non aveva il tempo di scervellarsi su quello. Gli era venuto in mente un piano. Un piano disperato, e pure abbastanza stupido da fallire, ma gli sembrava che la storia dei Nammu fosse quasi finita; dopodiché, non avrebbero avuto più tempo. Poche ore prima, aveva detto agli arcangeli che dovevano cavarsela da soli; e ora eccolo lì, a fare di tutto per salvarli. Era quasi divertente.

Ho un'idea. Fidatevi di me e non fate resistenza. Ignorò le loro espressioni di curiosità. *Ho bisogno di tempo. Teneteli impegnati.* Poi, lentamente e delicatamente, richiamò il proprio potere.

"Siamo ignoranti e imploriamo la vostra considerazione", disse Gabriele ai Nammu. "C'è una sostanza nera che ci è ignota. È opera vostra?"

"Sì", disse Anu.

"No", disse Ki al contempo.

"Sì e no, in effetti", spiegò infine Anu, dopo aver scambiato un'occhiata con Ki. "La 'sostanza nera', come l'hai chiamata tu, è l'Essull, l'essenza degli Antichi, gli esseri di Oscurità che Noi bandiamo quando espandiamo gli universi. Senza dubbio vostro Padre ha creato i Suoi sigilli. Vi ha mai detto il loro vero scopo? I sigilli si applicano nei punti deboli per sostenere l'integrità della nostra creazione. I Suoi ora si stanno rompendo perché Noi li abbiamo indeboliti, per facilitare la distruzione di questo abominio. Stiamo restituendo la Sua creazione all'Oscurità, al posto cui appartiene". Anu e Ki si scambiarono uno sguardo di piena soddisfazione.

Gabriele alzò le mani in segno di pia obbedienza. "I miei fratelli e io vi ringraziamo per la vostra misericordiosa indulgenza".

I Nemmu sorrisero. "Siamo esseri caritatevoli, dopotutto". Ki chinò la testa verso il compagno. "Abbiamo visto che avete fatto di tutto per svelare il mistero. Eravamo sorpresi, francamente. È raro scoprire il trucco". Ridacchiarono in sincrono. "Spiegarvelo era il minimo che potessimo fare, prima di uccidervi".

Lucifero inviò un *grazie* silenzioso a Gabriele. Sarebbero stati tutti già morti, se avessero dovuto contare su uno a caso... Tornò a concentrarsi. Sì, era possibile riuscirci. L'aveva già fatto una volta a se stesso e a Kai, solo che allora aveva avuto tutto il tempo necessario per farlo nel modo giusto. Si disse che sarebbero morti comunque, quindi tanto valeva provare. Se ci fosse riuscito, avrebbe salvato i suoi fratelli; se avesse fallito, almeno non si sarebbe sentito responsabile della loro morte. Era una magra consolazione.

Continua a far perdere tempo.

"Come avrete già dedotto grazie alla vostra infinita conoscenza, abbiamo molte domande. Chiediamo ancora la vostra indulgenza".

"Ma certo", disse Ki, lusingata dai modi rispettosi di Gabriele. "Comprendiamo che non avete fretta di morire, e accogliamo la possibilità di educarvi".

Possibile che i Nammu fossero tanto allegri, in vista dell'imminente esecuzione sua e dei suoi fratelli?

"Le Onyda, chi sono?" chiese Gabriele, indicando le guerriere ancora silenziosamente riunite nella caverna.

Anu si illuminò di orgoglio. "Equivalgono a voi". Rivolse il suo sorriso estatico alle più vicine. "Le reclutiamo in tutti i mondi di tutte le galassie; alcune arrivano da altri universi. Razze diverse, ma standard uniforme. Non sono magnifiche?"

"Sì, assolutamente magnifiche e degne di servire vostra Grazia", concordò Gabriele. "Ma..." esitò, e Anu lo esortò a proseguire con un cenno. "Se i vostri mondi sono creati con ordine, perché avete bisogno di loro?"

Era arrivato il momento. Gabriele aveva finito le domande.

"Speravo che me l'avresti chiesto", rispose Anu, felice. "Sono le nostre intermediarie con gli abitanti dei mondi, un promemoria visibile della nostra gloria. Sono le sacerdotesse dei nostri templi. Tramite loro, Noi siamo accessibili alla popolazione".

Rilassatevi e fidatevi di me.

Lucifero rilasciò il potere con una massiccia esplosione: la caverna fu di nuovo inondata da una luce bianca accecante. Fu investito anche lui, ma rimase in piedi, in precario equilibrio. Quando alzò la testa, i suoi fratelli erano spariti: una risatina gli solleticò il corpo esausto e crebbe fino a diventare una risata di pancia. Non sapeva se gli arcangeli fossero al sicuro o se li avesse distrutti, ma aveva derubato i Nammu di un piacere che già pregustavano, e quello bastò alla sua anima perché si mettesse a cantare di soddisfazione.

"Che cos'hai fatto?" tuonarono in sincrono i Nammu. L'aria vibrò, scossa dalla loro rabbia.

"Vi ho negato la vostra vendetta", rispose, sentendosi prosciugato e con la testa leggera. Aveva usato più potere di quanto ne avesse mai usato in vita sua. Pur malfermo sulle gambe, rimase dritto, con l'intenzione di morire come dovrebbe fare ogni guerriero: in piedi.

I Nammu riconobbero la postura e scossero la testa. "Pensi che ti daremo la morte come ricompensa? No. Ora siamo Noi a negare qualcosa a te. L'Essull che ti aspetta all'Inferno bramerà darti quel premio, anche se forse lì non ti sentirai altrettanto fortunato".

Il loro potere lo colpì con forza. Per la terza volta, una luce bianca accecante riempì la caverna. Lucifero si sentì muovere velocemente e guadagnare velocità. Poi non sentì più niente, fu avvolto dal buio e perse conoscenza.

OTTO

STEPHAN SEDEVA su una sedia accanto al letto dell'ospite di Kai, sconcertato. Chi era quella donna, e perché Kai l'aveva minacciato riguardo la sua incolumità? Fece una smorfia al ricordo dell'aggressione. Si era subito dato per vinto; di fatto, gli ci era voluta un bel po' di volontà per non sottometterglisi del tutto. Era stato imbarazzante. Kai gliel'avrebbe pagata cara. Per quello, e per molto altro ancora.

Se solo avesse potuto assaggiare una goccia del sangue della donna, avrebbe saputo tutto. Ma non poteva rischiare che Kai lo scoprisse: non era ferita, quando era arrivata. Diede una spinta al letto. Lei continuò a dormire.

Perché non si sveglia? Se fosse stata sveglia, si sarebbe fatto dire tutto quello che voleva sapere. Gli

153

bastava guardarla negli occhi. Diede una spinta più forte al letto. Macché, non si svegliava.

L'Eineu che lui aveva cacciato fuori dalla stanza quando era arrivato fece capolino dalla porta. O per lo meno, Stephan pensò che fosse lo stesso di prima: quegli stronzi erano tutti uguali.

"Padrone non deve disturbare Signorina", sibilò la creatura senza guardarlo. "Signorina deve riposare. John deve fare guardia a Signorina".

"Cosa stai insinuando?" Gli occhi di Stephan si assottigliarono.

La creatura agitata si affrettò a inchinarsi. "John non vuole offendere, Padrone. John ha dovere di fare guardia a Signorina". Fece un altro inchino convulso.

"Mi costringi a ripetermi, *John*". L'inflessione della sua voce fece trasalire l'Eineu. "Non mi piace ripetermi. Vattene. Ora. Se mi infastidisci di nuovo, ti sbuccio come un chicco d'uva. Sono stato chiaro?"

Se fosse stato capace, alla vista della rapida uscita della creatura terrorizzata, Stephan avrebbe fatto le fusa per la soddisfazione. Una cosa gli rovinò il piacere: gli Eineu prendevano sul serio quello che percepivano come il loro dovere. Non aveva dubbi che quel John sarebbe andato subito a spifferare tutto a Te. Meglio andarsene subito di lì.

Si alzò, scrutando la donna per l'ennesima volta. Che cos'era? Era vecchia – fra i trenta e i quarant'anni, probabilmente – e troppo grassa per essere attraente. Non poteva essere un trofeo. Non aveva senso. Attraversò la stanza, ma alla porta si voltò di nuovo a guardarla. Non poté farne a meno. Era troppo curioso. Be', gliel'avrebbe detto Te. Con il tempo e la giusta dose di incoraggiamento, il demone gli avrebbe detto tutto quello che voleva sapere. Ritenendosi soddisfatto, uscì dalla stanza e si chiuse piano la porta alle spalle.

Mostrò le zanne a un Eineu di passaggio e sogghignò vedendolo levarsi di mezzo in tutta fretta. Si sentiva particolarmente allegro, quel giorno, perché l'ostacolo che era Kai sarebbe stato presto rimosso. Aspettava quel momento da tempo.

In origine, il problema che l'aveva vessato in continuazione non era stato come uccidere Kai, ma come ucciderlo e farla franca. A un certo punto però, si era reso conto che uccidere Kai non era necessario. Si era letteralmente preso a schiaffi, quando si era accorto di aver dimenticato l'ovvio.

Bastava che Kai perdesse il proprio fascino, perché Lucifero e Te non lo volessero più tra i piedi. La soluzione al problema di Stephan era insita nello stesso Kai. Tutti i clan di vampiri avevano vantaggi e svantaggi che, per quanto non venissero messi in mostra, non erano esattamente dei segreti. Il Clan Aria aveva quello che tutti consideravano lo svantaggio peggiore: non si rigeneravano. Guarivano, certo, ma qualsiasi pezzo del loro corpo, da un lembo di pelle a un arto, se veniva staccato, non ricresceva più. Il meglio era che, grazie alla sua età, Kai sarebbe sopravvissuto a ogni ferita.

Una volta trovata la soluzione, il nuovo problema era diventato come far mutilare Kai. Stephan aveva la sensazione di essere rimasto bloccato su quello per anni.

La Rappresentazione era l'occasione che stava aspettando: il campione dei Kazat, convenientemente pompato di steroidi, avrebbe fatto a pezzi Kai. Nessuno sarebbe mai riuscito a risalire a lui per incolparlo della sua sconfitta.

La genialità e la semplicità del piano lo elettrizzavano. Gli steroidi andavano di moda quando lui era stato trasformato in vampiro; altrimenti, era certo che non ci avrebbe mai pensato. Diede per scontato che, visto che rendevano gli umani più forti e aggressivi, avrebbero avuto lo stesso effetto su un Kazat.

I Kazat erano per natura combattenti forti, selvaggi... e stupidi come capre, secondo lui. Quello che mancava loro in velocità e agilità era bilanciato dal fatto che erano estremamente difficili da uccidere. La resistenza del campione dei Kazat amplificata dall'effetto degli steroidi avrebbe privato Kai di ogni vantaggio. Il bestione gli avrebbe staccato gli arti; poi Kai sarebbe guarito, sì, ma tenendosi orribili cicatrici. Malgrado i vantaggi di scoparsi un torso, Lucifero e Te l'avrebbero lasciato; a quel punto, Stephan avrebbe preso il suo posto, sarebbe stato lui la loro compagnia e il loro compagno perfetto. Avrebbe chiuso Kai nello stesso bordello in cui aveva lavorato lui, perché lo usassero, ne abusassero e perché fosse dimenticato. Ogni tanto però sarebbe andato a fargli visita, per ricordarsi di essere passato dalle stelle alle stalle. Per ricordarlo a se stesso, ma anche a Kai.

Quella bellissima immagine lo accompagnò nel distretto del Clan Acqua. Intendeva usare il loro portale per andare al Seggio del Clan a Los Angeles. Stephan non era gradito al clan, ma il suo status di Consorte di Te gli consentiva di fregarsene di qualsiasi restrizione.

Trovare gli steroidi sarebbe stato un gioco da ragazzi. Jarvis era affascinato da tutto ciò che gli umani ritenevano illecito e illegale. Le fortune del clan provenivano solo in parte da imprese legali nell'industria dell'intrattenimento; i proventi maggiori derivavano da attività tutt'altro che legali. Jarvis aveva le sue scorte di sostanze proibite, ed erano custodite in camere blindate in tutta la città.

Stephan non avrebbe dovuto saperlo; d'altronde, non avrebbe dovuto sapere molte cose. Raccogliere e trafficare segreti era un'abilità che aveva affinato nella vita da umano, che gli aveva permesso di tenersi la vita da vampiro e di crearsene una migliore a partire da circostanze meno che ideali.

Sul finire degli anni Ottanta, era stato un avvocato di uno degli studi legali più prestigiosi e lucrativi di New York. A quel tempo, riusciva a ottenere tutto quello che voleva, e di conseguenza voleva sempre di più. Essere nel fiore degli anni, bianco, talentuoso, etero per finta, e bellissimo, significava riuscire ad avere tutto, e subito. Spietato, ma sempre affascinante, aveva passato le giornate a farsi strada con il diritto d'impresa lavorando per i suoi clienti, e le notti in una frenesia di cocaina, feste e sesso.

Era stato a una di quelle feste che aveva conosciuto Valerie. Non appena aveva sentito il suo profumo e visto i suoi strani occhi blu, gli era venuto duro e si era ripromesso di scoparsela, cosa che aveva fatto meno di cinque minuti dopo, in un angolo buio del Limelight. Guardandosi indietro, sembrava calzare alla perfezione il fatto che l'incontro che aveva cambiato il corso della sua vita fosse avvenuto proprio in una chiesa sconsacrata convertita in discoteca, come se Dio, in quel momento, avesse simbolicamente voltato le spalle a quello che era e a quello che sarebbe diventato.

Lui e Valerie avevano festeggiato e scopato da un club all'altro. Non aveva mai messo in dubbio, nemmeno un istante, la strana attrazione che provava per lei. Alla fine della serata, lei gli aveva detto che, se fosse rimasto con lei, la festa non sarebbe mai finita.

"Se potessi farle questo per sempre, lo faresti?"

In procinto di raggiungere il sesto orgasmo di

quell'estatica notte, l'aveva guardata negli occhi. "Sì", le aveva poi risposto con sincerità.

E così, lei l'aveva trasformato in vampiro. Si era lasciato alle spalle la vita umana senza rimpianti. Avevano passato insieme i successivi cinque anni, durante i quali lei gli aveva fatto conoscere un mondo che lui non sapeva esistesse e aveva assecondato ogni suo capriccio. Era stato felice fino al delirio.

Quel delirio era finito nel 1992, quando erano stati catturati e destinati all'esecuzione. Valerie l'aveva trasformato senza permesso; aveva violato la legge ed era in fuga per non affrontare le ripercussioni del suo gesto. Stephan aveva pensato che si spostassero tanto solo perché lei era un tipo irrequieto, una che si annoiava facilmente. Lei doveva aver saputo che era inevitabile che li catturassero; l'unica questione era il quando e dove. Alla fine era stata giustiziata per Crimini Contro il Clan. Non aveva mai cercato di difendersi, né aveva mai implorato clemenza per Stephan.

Consapevole di essere stato creato illegalmente e che il suo futuro era la morte, per restare vivo, Stephan aveva usato tutto il suo fascino – sovrannaturale e dato da Dio alla nascita – più un segreto che gli era stato rivelato.

In un momento di confidenze, Valerie gli aveva detto che lui non era la sua unica progenie non autorizzata. C'erano altri due, che lei aveva abbandonato poco dopo averli trasformati. Gli aveva rivelato anche dove e quando era successo. Mentre era in ginocchio a fare un pompino a Jarvis, Stephan si era offerto di trovarli e sbarazzarsene, in cambio della propria vita. Jarvis aveva riso e gli aveva dato dello stupido, ma gli aveva dato il permesso di farlo entro un anno. Inoltre, l'aveva assecondato assegnandogli fondi e un membro del clan, Alice. Il compito primario di Alice era di ucciderlo, se avesse fallito. Dato che non era un combattente, Stephan aveva dovuto stringere un accordo con lei per assicurarsi che collaborasse occupandosi degli omicidi quando fosse arrivato il momento.

Insieme erano riusciti a portare a termine il lavoro in sei mesi. Impressionato, Jarvis aveva sospeso l'esecuzione e come pena alternativa l'aveva bandito dalla protezione e dall'aiuto del clan per "non meno di cento anni".

La vita di uno scarto sociale era dura e breve; senza la guida del clan, nessuno si aspettava che sopravvivesse. Di nuovo però, Stephan aveva deluso le loro aspettative. La vita nei bordelli era stata spiacevole, ma i Non-umani, come gli umani, rivelavano cose che non dovevano davanti a coloro che ritenevano invisibili. Aveva raccolto abbastanza segreti da farsi strada fino a una posizione in cui Te non aveva potuto fare a meno di notarlo. Il suo fascino e *altre* abilità avevano fatto il resto.

* * *

Ottenute le fiale, tornò di corsa alla Città e andò subito alla sezione dei Kazat. Lì il suo olfatto amplificato gli dava sempre un gran fastidio: i Kazat non erano il massimo in fatto di igiene. Avrebbe dovuto bruciare i vestiti che aveva addosso, una volta tornato a casa; dubitava che sarebbe riuscito a togliere la puzza dalla seta, persino con un buon ammollo. I Kazat erano come le gazze ladre: ovunque c'erano pile di oggetti-spazzatura che solo ai loro occhi potevano risultare interessanti. I bestioni indossavano i vestiti non per pudore, ma solo per attaccarvi gli oggetti abbastanza piccoli da poter essere portati addosso.

Si avvicinò a un cucciolo. "Portami da Ru'uk", ordinò, dandogli una manciata di perline luccicanti di vetro e metallo.

Il giovane esaminò prima le perline, poi lui; infine gli fece cenno di seguirlo.

La puzza divenne più forte man mano che avanzavano nel complesso. Oltre che bruciare i vestiti, si sarebbe dovuto fare un lungo bagno, dopo.

Le gallerie dei Kazat erano progettate per confondere chi veniva da fuori. I corridoi imbrattati di spazzatura ripiegavano su se stessi in continuazione; alcuni terminavano in vicoli ciechi all'improvviso. Stephan aveva bisogno di una guida che lo conducesse dal capo; da solo, si sarebbe perso subito. Aveva la netta sensazione che il cucciolo lo stesse prendendo per il culo: gli sembrava di aver già superato gli stessi perdigiorno, negli stessi corridoi, diverse volte. Si rassegnò a lasciarlo divertire, sapendo che il proprio status di Consorte di Te impediva ai Kazat di fargli del male, e lo seguì con la bocca chiusa e la testa alta, addentrandosi sempre più nel labirinto di gallerie.

NOVE

La mente di Te ronzava di domande, quando Uriele entrò nell'ufficio. Non sapeva cosa pensare della sua visita improvvisa, ma non vedeva l'ora di averlo come ospite. Gli indicò una poltrona nella zona salotto e poi mandò l'Eineu che l'aveva scortato fin lì a prendere qualcosa da bere. "Spero tu non abbia perso il gusto per l'Ambrosia".

Colto alla sprovvista, l'arcangelo assunse un'espressione deliziata, per poi riprendere subito il suo solito contegno neutrale. "Non provocarmi".

"No, sono serio. Ne faccio scorte da anni. Credo che l'unica ragione per cui Lucifero mi tiene con sé è per scoprire dove l'ho nascosta". Te gli fece l'occhiolino e sorrise.

Uriele ricambiò il sorriso. "Non è ancora riuscito

a estorcerti l'informazione con le lusinghe? Mi sorprende".

"Si distrae facilmente". L'angelo gli scoccò uno sguardo cospiratorio. "E comunque, più o meno una volta ogni cent'anni gliene do un assaggio".

La tensione fra i due si allentò proprio mentre l'Eineu stava rientrando. Guardarono la creatura alta e magra versare con grazia l'Ambrosia in due bicchieri. La sua tunica gialla si abbinava alle squame verdi iridescenti che gli coprivano il corpo. John-giallo mise delicatamente la bottiglia sul tavolo e se ne andò in silenzio.

"È vero che si fanno chiamare tutti John?" chiese Uriele.

Te annuì. "Non si vedono come individui. Dovevo chiamarli in qualche modo. John era un nome come un altro. Il fatto che fossero indistinti faceva impazzire Luc. È stata una sua idea, far indossare loro tuniche di colore diverso".

"E le femmine, come si chiamano?"

"Non ne ho mai visto uno che sia vistosamente femmina".

"Oh".

Gli Eineu erano tra gli ultimi arrivati nella Città. In precedenza, erano vissuti in piccole comunità isolate nelle foreste pluviali in superficie. Vegetariani e non violenti, avevano trascorso le loro intere vite tra gli alberi. La loro popolazione si era ridotta drasticamente con la deforestazione. Della quarantina di

Eineu rimasti, Te era riuscito a convincerne circa la metà a rifugiarsi nella Città, sotto la sua protezione. Secondo i suoi piani, doveva essere una soluzione temporanea, finché lui non avesse trovato una dimensione adatta a loro; alla fine, però, gli Eineu si erano abituati alla Città, e comunque non avevano interesse a lasciare il pianeta.

Bevendo l'Ambrosia, l'arcangelo e l'angelo scivolarono in un silenzio sempre più imbarazzato.

"Mi sei mancato, Uriele", disse Te sottovoce.

Uriele fissò il bicchiere e lo vuotò prima di parlare. "E tu sei mancato a me. Una volta ti chiamavo amico".

Te aggrottò le sopracciglia e si sporse sulla poltrona. "Eri più di un amico. Eri... no, *sei* mio fratello. Facevo parte della tua Casa, per l'amor del cielo. Non ho mai smesso di sentirne la mancanza".

"Prima facevi parte della Casa di Samael. Hai sempre preferito lui".

"Non renderla una gara. Provo amore per Lucifero quanto ne provo per te; e gli ero fedele quando era Samael quanto lo ero a te".

Uriele poggiò delicatamente il bicchiere sul tavolo, poi si alzò e andò al caminetto, volgendo la schiena a Te. Rimase lì per un attimo a guardare le fiamme. "E hai dimostrato l'amore e la fedeltà nei miei riguardi andandotene".

"Non ti ho mai lasciato. Ti saresti potuto unire a me; te l'avevo chiesto".

"Lasciare tutto per cosa? Per andare in giro come un dio?"

Te non poté trattenere una smorfia. "Avresti potuto fare qualsiasi cosa. Saresti potuto essere qualsiasi cosa. Ce l'ha insegnato Lucifero: il libero arbitrio vale per noi come per gli umani. Ci ha donato la conoscenza della scelta. Perché non capisci?"

Uriele si voltò. "Questo posto non è mai stato per noi. Il *dono* di Lucifero, come lo chiami tu, ha causato la rottura di ciò che era stato unito nello scopo e nel dovere, ha creato una separazione. Voi tutti, non solo avete voltato le spalle a nostro Padre, ma vi siete posti come suoi eguali".

Per coloro che erano rimasti indietro, era stato quello, il loro peccato più grande. Te guardò il proprio bicchiere: il prezioso contenuto, il nettare degli dei, all'improvviso era diventato amaro. "Amerò sempre nostro Padre, come amerò sempre te". Mise giù il bicchiere. Gli occhi di Uriele color rame ossidato lo trapassarono. La tensione appesantì l'aria nella stanza. Te non riuscì a sostenere a lungo l'assalto di quello sguardo accusatorio. Si sgonfiò un po'. "Volevo esplorare la mia esistenza. Sapere di più. Fare di più".

"Come Lucifero, pensavi di essere migliore di noialtri. Migliore di chi era contento di servire come era stato deciso".

Te distolse lo sguardo, incapace di continuare ad affrontare l'espressione tradita negli occhi di Uriele.

"Nostro Padre mi ha perdonato. Perché tu non ci riesci?"

Uriele non rispose.

Te lasciò passare i secondi, poi rinunciò. "Perché sei qui?"

"Il cambiamento è inevitabile, persino per noi". Fu come se fosse scattato un interruttore. Uriele era tornato al suo atteggiamento stoico.

"Non sono dell'umore adatto per tirare a indovinare. Di' quello che hai intenzione di dire".

Perplesso, l'arcangelo tornò a sedersi e rimase in silenzio. Passò del tempo; Te stava per ripetersi, quando finalmente l'altro si decise a parlare.

Venti minuti più tardi, Te pensò che sarebbe stato meglio se Uriele non gli avesse detto un bel niente.

"Ti ho accolto, una volta. Speravo che mi restituissi il favore".

"Certo. Qui sei il benvenuto". Non c'era neanche bisogno di dirlo. "Ma sono rimasti altri. Ci dobbiamo organizzare, fare una ricerca accurata..."

"Tamiel, basta", lo interruppe Uriele, spiazzandolo non solo con il tono di comando, ma anche con l'uso del suo nome. "Credi che non l'abbiamo già fatto?"

"Ma..."

"Non capisci? O vuoi negarlo anche tu, come Michele e gli altri?"

"Di che stai parlando?"

Uriele rispose con voce inespressiva. "Tutto

questo – la melma nera misteriosa, gli angeli che scompaiono, il Paradiso che si rimpicciolisce e poi sparisce – può significare una cosa sola: nostro Padre è morto".

Determinato e concentrato, Uriele era sempre stato in grado di vedere quello che gli altri non vedevano. Te sapeva che diceva la verità; ma un conto era saperlo, un altro, accettarlo come un dato di fatto. "Come fai a dirlo, se nemmeno cinque minuti fa mi hai accusato di avergli voltato le spalle?"

"È l'unica cosa che abbia senso. Prima lo accetti, prima puoi voltare pagina".

"E tu l'hai fatto? Hai voltato pagina?" chiese Te addolorato.

"No", disse Uriele, a voce bassa, sconfitto. "Ma non ti trascinerò in una ricerca inutile, come ha fatto Michele con Lucifero". Sprofondò nella poltrona e fissò il vuoto. "Se senti il bisogno di fare qualcosa, lo farai senza di me".

Te non sapeva cosa fare. Non aveva mai visto Uriele turbato e sconfitto. Il pensiero che il Padre fosse morto era orripilante, vero, ma anche lontano. Vedere l'arcangelo lì, a meno di un metro da lui, in quello stato, lo spinse ad agire.

Gli aprì la propria mente, con delicatezza lo stimolò ad aprirsi a sua volta. Ci volle un po', ma alla fine l'arcangelo lo lasciò entrare. Te si sentì sopraffatto dall'intensità delle sue emozioni – il terrore, la perdita, la confusione e la risoluta determinazione a tenersi tutto per sé – ma si fece avanti e l'abbracciò. Poi, pur temendo di soccombere ed essere trascinato in quel vortice di emozioni, lo strinse forte e gli mandò ondate d'amore e di ricordi della loro fratellanza.

In quel momento un Eineu agitato entrò nell'ufficio, calmandosi subito a contatto con la bolla di pace emanata dal loro abbraccio. "Perdono, Signori", si inchinò. "John non vuole interrompere".

Con riluttanza, i due serafini sciolsero l'abbraccio. Te si voltò e si rivolse all'Eineu; stavolta era John-lavanda. "Va tutto bene. Cosa c'è?"

"È Padron Stephan". Fece un altro inchino. "John capisce che è Consorte, ma ha paura per Signorina. John ha dovere di prendersi cura di Signorina".

"Signorina?"

Leggendo nella mente dell'Eineu, Uriele capì di chi si trattava e glielo spiegò.

Te imprecò, facendo sobbalzare la creatura. "Non sono arrabbiato con te, John. Hai fatto la cosa giusta. Grazie per avermelo detto. L'ha spaventata?"

"No, Signore. Signorina dorme ancora".

"Bene. Trova Lord Kai e digli di raggiungermi nella suite dell'ospite".

John si inchinò un'ultima volta e uscì dall'ufficio.

"Consorte?" Uriele sollevò un sopracciglio.

Te alzò gli occhi e scrollò le spalle. "Gli faccio credere quello che vuole. Certe volte, è più facile così".

"Mi sembra che lo vizi". L'arcangelo mostrò un raro sorriso; il collegamento tra loro era ancora attivo e confortante.

"Sì, anche quello. Dovresti trovarti un giocattolino. Poi potremmo commiserarci a vicenda". Gli fece l'occhiolino.

Il viso di Uriele si contorse per il disgusto. "Continua a suggerire cose del genere, e me ne vado".

Te rise e lo invitò a uscire per primo. "Non sai cosa ti perdi". Rise ancora, notando lo sguardo di repulsione dell'altro, mentre insieme si avviavano vero il quartiere degli ospiti.

DIECI

STEPHAN STAVA ASPETTANDO che il capo di guerra Kazat accettasse il suo piano. Inclinando la testa dipinta di bianco, Ru'uk scrutò di nuovo la fiala con sospetto; la sua esitazione stava mettendo a dura prova la pazienza ormai agli sgoccioli del vampiro. Aveva passato almeno mezz'ora a camminare nelle gallerie puzzolenti dei Kazat, prima che il cucciolo si decidesse a portarlo dal capo di guerra. Ora si trovava in una stanza con lui e altri dieci Kazat. Ru'uk se la prendeva comoda, continuando a rigirare la fiala tra le dita mentre rimuginava sulla sua proposta. La puzza in quella stanza era ancora più forte, cosa che Stephan non avrebbe mai creduto possibile. Si sentiva irritabile.

"Guarda, vuoi vincere o no?" Non aveva più tempo da perdere.

"Perché ti importa chi vince?"

Stephan si impedì di alzare gli occhi al cielo. Perché non facevano come aveva detto loro di fare, e basta?

"Ti ha mandato Lord Te?"

Alzò mentalmente le spalle. *Che diamine.* "Certo che mi ha mandato lui. È amico di Lucifero: non può farsi vedere che parla con te. Penserebbero tutti che voi due tramate contro Kai. Se la voce arrivasse a Lucifero, Lord Te dovrebbe fronteggiare la sua ira. Invece, se mi dai retta, Kai verrà sconfitto, e nessuno potrà accusare neanche te, perché avrai rispettato la Legge". Era un peccato che fosse impossibile incantare i Kazat; altrimenti quell'incontro sarebbe finito molto prima.

"Questa magia renderà forte il mio campione? Ma il mio campione è già forte".

"Kai appartiene a Lucifero. Credi che Lucifero lo lasci senza protezioni? Con questa magia, il tuo campione vincerà di sicuro". Perché lo stupido Kazat non capiva un concetto così semplice?

"Dove hai preso questa magia? Perché io non la conosco?"

"È una magia umana". Si pentì subito di averlo detto.

"Gli umani non hanno magia".

Il che era vero. Doveva recuperare. "Hanno un tipo di magia diverso dalla nostra. Alcuni sono molto bravi a preparare pozioni". Il capo di guerra era accigliato, ma non era ancora diventato aggressivo, per cui continuò. "Gli umani sono deboli..."

"Ma saporiti!" Uno dei dieci Kazat l'aveva interrotto; Ru'uk e gli altri si unirono subito alla sua risata e tutti insieme iniziarono a commentare su quale fosse la parte più prelibata del corpo umano.

Dio, che noia. Stephan si incollò un sorriso sulle labbra finché non riebbe la loro attenzione. "Siccome sono deboli, dicevo, creano cose per renderli più forti. Fai prendere questa fiala al tuo campione e... *anie* sarà più forte". I Kazat si offendevano a essere chiamati "esso", ma tutti i non-Kazat usavano quel pronome di genere neutro per riferirsi a loro. Stephan non faceva eccezione, e c'era mancato poco che mandasse tutto all'aria: solo all'ultimo momento si era ricordato di usare il pronome di terza persona singolare nella loro lingua, *anie*, per riferirsi al campione.

Ru'uk ci pensò, poi curvò un grosso dito verso la parte della stanza in ombra: un Kazat imponente si fece avanti e si inchinò. "Bevi", ordinò il capo di guerra, porgendogli la fiala.

Ma Stephan gliela strappò via di mano. "Non funzionerà, se *anie* lo beve".

Ru'uk sembrò sul punto di cambiare idea.

"Aspetta. Ti faccio vedere". Tutti guardarono il vampiro estrarre un ago dalla tasca. "Devo pungere *anie* con questo".

Ru'uk si avvicinò per esaminarlo.

Chissà se credono che la loro forza dipenda dal

173

loro tanfo. Il che avrebbe spiegato molte cose. Il capo di guerra era quello con più trofei: orecchie, dita, nasi. Stephan era sicuro che contribuissero non poco alla sua puzza.

Con movimenti misurati, mostrò loro cosa doveva fare con l'ago. Fortuna che ne aveva portato più di uno, perché ne ruppe due, prima di capire come fare l'iniezione nella pelle coriacea del Kazat. Il campione sbuffò a ogni tentativo, ma a parte quello, lo lasciò fare in silenzio. Dopo avergli somministrato la dose, Stephan si preparò ad andarsene. "Torno domani per la seconda somministrazione. E *anie* deve riceverne una terza appena prima della Rappresentazione".

Ru'uk invase di nuovo il suo spazio. "Se non funziona, Lord Te dovrà trovarsi un altro Consorte".

"Funzionerà", gli assicurò Stephan, nascondendo ogni possibile dubbio.

Il viaggio di ritorno alla piazza del mercato durò poco. Quando la raggiunse, a momenti si mise a correre, talmente era forte il suo desiderio di bruciare gli abiti e di passare un'ora a strofinarsi la pelle sotto l'acqua pulita. Tuttavia si trattenne. Il pensiero di entrare nel letto di Lucifero dopo la morte di Kai gli diede la forza di camminare con dignità fino ai quartieri che condivideva con Te.

* * *

"*Anie* mente", disse M'ok, lo sciamano del clan, quando uscì dalle ombre. La testa di M'ok era dipinta di nero dagli occhi mancanti al retro del cranio. Le cianfrusaglie che adornavano i suoi vestiti – perline e pezzetti di vetro levigato – erano più oggetti di prestigio, che trofei di catture degli schiavi o di uccisioni. Toccato dagli Dei, M'ok aveva il dono della Vista – gli occhi erano stati rimossi, dato che non gli servivano per Vedere – e grande magia.

"Lasciateci", disse Ru'uk al resto dei presenti. Se M'ok avesse rivelato le parole degli Dei, preferiva sentirle in privato.

"Cosa vedi?" chiese Jol'un, il capo del clan, uscendo dalle ombre per unirsi agli altri due. Anche la sua testa era dipinta dagli occhi alla parte posteriore. Il suo colore era il rosso.

"Bugie, un po' di verità".

"Spiegati", ordinò Jol'un.

"*Anie* crede che la pozione funzionerà. Quello è vero. *Anie* mente sul perché *anie* viene da noi".

"Il vampiro ha le sue ragioni. Se la pozione funziona, le sue ragioni non importano", disse Ru'uk.

Jol'un annuì e incrociò le braccia enormi. "Concordo. La richiesta del vampiro di mutilare e non uccidere?"

"Ignorata", disse Ru'uk. "Combattiamo fino alla morte. Sempre".

Tutti e tre sorrisero; le labbra grosse e larghe misero in mostra i denti affilati.

"Mediterò fino alla sfida, anche se gli Dei restano silenziosi", disse M'ok, facendo calare il buon umore.

"Quando finirà questo silenzio?" Jol'un non si aspettava una risposta. Quella ormai era una domanda retorica, essendo stata fatta e rifatta da tutti i Kazat per anni.

Gli Dei avevano scelto M'ok, ma non parlavano per suo tramite da settantacinque anni. All'inizio, nessuno ci aveva fatto caso più di tanto. Quando però i cicli di riproduzione si erano fermati, i Kazat si erano preoccupati davvero. Ogni loro preghiera per avere dei cuccioli veniva ignorata: ecco perché la perdita di Om'sau era stata un evento gravissimo.

Erano tutti d'accordo sul fatto che Om'sau era stato uno stupido ad attaccare Kai; la sua morte però, per quanto sventurata e indesiderata, era stata una lezione importante per tutti i cuccioli su ciò che li aspettava in mezzo ai Non-umani di altre razze. La vendetta sarebbe stata in parte un gesto di gratitudine per il suo sacrificio, in parte un gesto di rivalsa, perché Kai si era approfittato dell'inesperienza del cucciolo. Se fosse stato un guerriero adulto ad affrontare il vampiro, il risultato sarebbe stato diverso. Ru'uk non aveva bisogno di M'ok per saperlo.

M'ok non sapeva dire se gli Dei li avessero abbandonati, o se li stessero solo mettendo alla prova. Ru'uk credeva che li avessero abbandonati quando il loro periodo di letargo si era allungato. Di solito, i Kazat andavano in letargo non più di due volte all'anno, con il cambio di stagione. Per alcuni, però, il ciclo di letargo era diventato anomalo: durava dei mesi.

A farne le spese più di tutti erano loro tre, estremamente stressati dalla mancanza di risposte da fornire alla popolazione in cerca di rassicurazioni. M'ok aveva suggerito a Jol'un di andare da Lord Te a spiegargli il problema, ma Jol'un aveva rifiutato. Per quanto Lord Te, come Uru, venisse rispettato, la questione era troppo personale per coinvolgere degli estranei. I loro Dei avevano le risposte. Jol'un aveva deciso che i Kazat avrebbero aspettato finché gli Dei non avessero risposto. Erano forti; avrebbero resistito. Nel frattempo, Kai avrebbe pagato per la giovane vita che aveva rubato, e ogni Kazat avrebbe festeggiato come se l'avesse ucciso con le proprie mani.

UNDICI

Erano in tre ai piedi del letto su cui dormiva l'umana. Te guardò Kai. "Uriele me l'ha detto, ma vorrei sentirlo da te. Perché questa donna occupa uno dei miei alloggi per gli ospiti?"

"È la segretaria di Gregory", rispose Kai, a disagio. "È entrata mentre lo stavamo recuperando. Uriele l'ha soggiogata per farci dire dov'era la moglie di Gregory".

"Che ora è morta", si intromise Uriele.

A Te non sfuggì lo sguardo gelido di Kai all'arcangelo. "La moglie non è importante", disse poi. Guardò la donna nel letto. "Bello averla qui, ma non necessario". Guardò di nuovo Kai. "Danni collaterali, quindi. Non è da te".

Kai distolse lo sguardo, imbarazzato.

L'angelo lo scrutò. Il vampiro gli aveva detto che

erano passati due giorni dall'ultima volta che si era nutrito, ossia due giorni dall'ultima volta che aveva bevuto il sangue di Lucifero. Quando gliel'aveva chiesto però, Te era convinto che fosse passato molto più tempo. E adesso, anche se gli aveva fatto bere il proprio sangue poche ore prima, Kai sembrava ancora... fiacco.

Non c'erano dubbi che il suo sangue non fosse potente come quello di Lucifero. E Kai beveva regolarmente solo il sangue di Lucifero da secoli. Pur essendoselo tenuto per sé, nel corso del tempo, Te si era chiesto se ci fosse un lato negativo nel fatto che Kai si nutrisse solo da Lucifero. A quanto pareva sì, a giudicare dallo scarso rendimento del vampiro durante il recupero di Gregory e dalla sua dubbia salute. Era evidente che il sangue di Lucifero bruciasse rapidamente in lui, soprattutto se doveva berlo ogni giorno. Un vampiro della sua età, in teoria, non aveva bisogno di nutrirsi per settimane, se non per mesi. Kai lo sapeva? E Lucifero? Il secondo dubbio lo impensierì anche di più.

Con tutto quello che stava succedendo, sia Te, sia Kai si chiedevano quando sarebbe tornato Lucifero. Forse Kai non era in grado di aspettarlo. "Quando torni a casa, se Luc non c'è, devi venire da me. Hai bisogno di nutrirti".

Kai lo fissò per qualche istante. "Certo".

Te percepì che non diceva sul serio. "Promettimelo".

"Lo prometto", rispose con l'aria di chi era stato messo al muro.

L'angelo annuì, soddisfatto.

"Toccante", commentò Uriele, "ma se non avete più bisogno di me, io me ne andrei". E sparì.

"Ci rivediamo presto", disse Te all'arcangelo già sparito, senza badare alla sua tipica evasione dei convenevoli. Avvicinò una sedia al letto e si sedette. Poggiò una mano sulla testa della donna e l'altra sul basso ventre per esaminarla. "Per quanto tempo è stata sotto l'incantesimo?"

Ai piedi del letto, Kai scosse la testa. "Non ne sono sicuro. Ha sentito il potere di Uriele quando lui ci ha trasportati dove si trovava la moglie di Gregory".

"È sprofondata in se stessa". C'era dell'altro, ma per quello si poteva aspettare. Ritirò le mani e fece apparire un vasetto dal nulla.

"Aspetta, hai davvero intenzione di curarla con quella?" Kai era incredulo. "Da quando la Polvere di Stelle cura qualcosa?"

"Polvere di Luna".

Kai sollevò gli occhi al cielo, infastidito dalla correzione.

"I giovani di oggi la chiamano Passione Porpora o P2".

Kai fece una smorfia. "Tipico di quegli imbecilli presuntuosi, uscirsene con qualcosa di così insipido". Si zittì.

Te intuì che stava per fare una filippica e rimase a

guardare, divertito, mentre il vampiro reindirizzava la mente altrove.

"E va bene. Non la ucciderà?"

"No. La P2 è affascinante, davvero. In realtà ha più usi, oltre a far sballare i licantropi".

Kai era ancora scettico.

"Davvero. Nei vampiri, per esempio, ha l'effetto di un forte afrodisiaco".

"Non sapevo ci servisse qualcosa del genere".

Te gli rivolse un sogghigno. "Può essere utile".

Kai rabbrividì e si coprì le orecchie per gioco. "Basta. Non voglio saperlo".

Te ridacchiò. "Negli umani, l'effetto dominante è calmante. C'è anche un effetto euforico; l'intensità varia da un individuo all'altro. E solo a loro dà dipendenza. Nei casi moderati di malia, abbiamo scoperto che aiuta con l'ansia da separazione. Per quelli che sono saldamente ammaliati però, non ci sono speranze".

"Il suo caso è moderato".

"Sì. Con la P2 possiamo smorzare l'astinenza". Te si sfregò le mani; quando tra di esse comparve un piccolo alone di luce, le rimise nella posizione originale.

La donna si svegliò di colpo. Si guardò intorno, disorientata.

"Mi dici il tuo nome?" chiese Te, con gentilezza.

"Roberta". I suoi occhi non mettevano a fuoco.

Te schioccò le dita davanti al suo viso, attirando

la sua attenzione. "Eri soggiogata. E prima ti avevano fatto un altro incantesimo".

"Cosa? Non capisco".

"Sei confusa e hai delle domande, ma per ora, rilassati".

Lentamente, i suoi occhi passarono in rassegna la stanza. Appena si posarono su Kai, divennero allarmati. I ricordi la travolsero; Roberta arretrò a ridosso della testata del letto enorme.

Kai alzò le mani, i palmi in fuori, cercando di essere il meno minaccioso possibile. "Non ti farò del male".

Roberta gemette e si raggomitolò.

Te la toccò sulla testa. "Calma".

Lei si rilassò; il respiro divenne lento e regolare.

"Nessuno in questa stanza vuole farti del male". Le scostò i capelli dal viso.

I suoi occhi vagarono di nuovo per la stanza, stavolta posandosi sull'Eineu.

"Quello è John. Ti mostrerà le tue stanze e si occuperà di te". Poi le mostrò il vasetto. "Dovrai prendere questa medicina. Te la darà lui quando ne avrai bisogno".

John si fece avanti, si inchinò e le sorrise, mostrando le gengive nere e i denti grossi e smussati.

"Dormi, ora".

I suoi occhi si chiusero: Roberta cadde in un sonno confortevole e naturale.

* * *

Fuori dalla suite, Te si appoggiò al muro e guardò Kai. Stava per dirgli qualcosa che non gli sarebbe piaciuto. "La donna era di proprietà di Gregory".

Kai, che si era appoggiato accanto a lui, si raddrizzò. "Merda". Quando le implicazioni lo colpirono, si accasciò di nuovo contro il muro. "Avevo sperato..."

"Avevi sperato che io potessi cancellarle la memoria, e che lei potesse tornare alla sua vecchia vita".

"Sì". Fu a malapena un bisbiglio.

"Be', se non ti fossi imbattuto in Stephan, e se lei fosse stata un'umana libera, sarebbe stato possibile. Ma allo stato attuale..." Gregory aveva firmato un contratto con Te. Alla revoca del contratto, tutto ciò che apparteneva a Gregory diventava di proprietà di Te. Per la seconda volta in due giorni, Te percepì la delusione di Kai e ne fu dispiaciuto.

"Cosa farai con lei?"

"La darò a te".

"Cosa?" Kai si staccò dal muro. Non se lo sarebbe mai aspettato.

"Con una schiava farai un'eccellente impressione, alla Rappresentazione".

"Non posso accettare". Kai gli voltò le spalle e si avviò lungo il corridoio.

Te lo raggiunse. "Allora va all'asta. Schiava o cibo, a me non importa".

Kai si voltò di scatto. "Faresti una cosa del genere? Salvarla e poi gettarla via?"

"Potrei farti la stessa domanda. Il tuo codice d'onore – quello che ti ha impedito di abbandonarla – cosa dice adesso, se le volti le spalle?" Non gli piaceva far del male ai suoi amici, ma era stato Kai a cominciare. O si faceva avanti o si levava di mezzo.

Kai si voltò e ricominciò a camminare. "So cosa vuol dire essere alla mercé dei capricci altrui. Non posso fare di lei una schiava, toglierle il libero arbitrio. Ed è fuori questione che diventi cibo".

A Te non sfuggì la nota di impotenza nella sua voce. "Libero arbitrio? L'ha già perso per mano di Gregory, poi di Uriele. È passato molto tempo, da quando aveva il libero arbitrio".

"Quanto?"

"Cinque anni, più o meno".

Kai espirò. "Dannazione". Era stanco e si sentiva sempre più agitato. Come aveva fatto a ficcarsi in quel pasticcio? Doveva andare a casa e trovare Lucifero: aveva bisogno di nutrirsi. Stava cominciando a diventare difficile concentrarsi e i muscoli iniziavano a fargli male. Svoltò a una diramazione del corridoio, che era deserto, fermandosi a metà, per appoggiarsi al muro. Roberta era un problema su cui non riusciva a concentrarsi abbastanza da risolverlo. "L'ho salvata dalla schiavitù solo per renderla schiava un'altra volta".

Accanto lui, Te rimase in silenzio.

Da dietro l'angolo, spuntò Stephan. Il suo viso si aprì in un ampio sorriso nel vedere Te. "Ecco il mio consorte! Ti stavo cercando".

"Be', mi hai trovato", tubò Te con un sorriso, ignorando lo sguardo incredulo di Kai.

Consorte? Kai aveva mosso le labbra, senza però dire la parola. Era stato un caso, o l'antipatico li aveva seguiti?

L'angelo alzò le spalle.

Stephan gli gettò le braccia al collo e avvolse le proprie gambe intorno alla sua vita. "Portami a letto, amante", gli sussurrò.

Kai annusò l'aria una volta e inclinò la testa, rivolgendo a Te uno sguardo interrogativo. Se non l'avesse conosciuto bene, avrebbe pensato che fosse imbarazzato. Scosse la testa e proseguì, con l'intenzione di allontanarsi da quei due il più in fretta possibile.

"Parliamo più tardi, Kai", disse Te, distratto, mentre Stephan iniziava a baciarlo.

Kai non rispose. Si affrettò ad andare a casa, sperando che Lucifero fosse rientrato.

* * *

Con Stephan ancora avvinghiato intorno ai fianchi, Te si diresse verso le loro stanze. Intendeva gettarlo nella vasca da bagno. "Puzzi di Kazat. Che stai combinando, mio piccolo vampiro?"

Stephan arricciò il naso. "Sono andato da loro un

sacco di tempo fa per i preparativi per la Rappresentazione. Ho già fatto un bagno".

Mentiva. Te si accigliò. Sapeva che, per annunciare la Rappresentazione, ai capi dei clan e alle matriarche Stephan aveva mandato un messaggero; allora perché non fare lo stesso con i Kazat, anziché andarci di persona? Schifiltoso com'era, Stephan normalmente evitava di mettere piede nel lurido labirinto dei bestioni. Quindi dovevano esserci altre ragioni, se ci era andato. Si girò per inchiodarlo contro il muro. "Ricorda con chi stai parlando, piccolo vampiro. Non vuoi farmi arrabbiare, vero?".

Stephan si leccò le labbra. "Forse sì".

Te lo sculacciò. Il colpo spedì una scarica di piacere nei corpi di entrambi, facendoli gemere simultaneamente. Lo sculacciò di nuovo; stava per farlo una terza volta, quando Stephan lo attirò a sé, e si baciarono con l'abbandono di due adolescenti arrapati.

L'angelo si allontanò dal muro e riprese a dirigersi verso le loro stanze. Mentre camminava, ogni tanto alzava e abbassava il vampiro sui suoi fianchi, facendo beneficiare entrambi della deliziosa frizione fornita dal movimento. Proprio allora avvertì la vicinanza di Uriele e la sua urgenza di parlargli. L'avrebbe volentieri ignorato, a essere sincero. Non voleva fermarsi, non voleva posporre il fare l'amore. Ma la consapevolezza amplificata della presenza del fratello lo indusse a dargli retta. Con rimpianto fece scivolare via Stephan dalle proprie braccia, separandosi da lui con un languido bacio.

"Credi che abbiamo finito?" Con le braccia ancora strette intorno al collo di Te, Stephan si rifiutava di lasciarlo andare.

"Per ora sì. Devo parlare con Uriele". Gli massaggiò il sedere con le grandi mani; il vampiro emise un gemito delizioso, che fu per l'angelo uno stimolo a non fermarsi.

"Posso farti cambiare idea". Stephan si leccò le labbra.

"Lo so", rise Te. Perché fingere? Sapeva che era vero. Ma Uriele prima gli aveva dato gravi notizie; per quanto volesse ignorarle, non poteva. "Va' avanti, fa' un altro bagno. Ci vediamo dopo". Girò Stephan in direzione delle stanze e gli diede una pacca sul sedere perché si muovesse.

Stephan lo guardò da sopra la spalla, con le labbra contorte per il disappunto. "Anch'io sono importante".

"Sì, lo sei. Ma adesso, mio piccolo vampiro, vattene".

Lui iniziò a camminare con riluttanza.

Te lo guardò ancheggiare con andatura sprezzante finché girò l'angolo. Poi raggiunse il fratello, che l'aspettava sulla terrazza. "Spero che trovi di tuo gradimento l'ospitalità della Città". Superò Uriele e si stiracchiò sulla grande balaustra di pietra.

"Michele e gli altri sono morti".

Te puntò un piede sul pavimento e fece un gesto con la mano per proteggere la loro conversazione da orecchie indiscrete. "Cosa?" Non aveva ancora digerito le notizie precedenti; rimpianse all'istante di aver lasciato Stephan per quella conversazione.

L'arcangelo riportò lo sguardo al complesso sottostante. "Sono spariti. Controlla tu stesso e dimmi se ci sono altre spiegazioni".

Te fece come gli aveva suggerito. Niente. Non c'era niente. Prima, nell'ufficio, quando si era connesso con Uriele, aveva sentito gli altri arcangeli in sottofondo. Erano ancora vivi, in quel momento. Ora non c'erano più. Lui e Uriele erano gli ultimi rimasti.

"Siamo gli ultimi", disse Uriele, facendo eco ai suoi pensieri.

Te lo guardò. Nulla di quel volto impassibile gli permise di intuire cosa pensava o cosa provava l'arcangelo. Un nodo gli attanagliò le viscere. Si alzò e poggiò le braccia sulla balaustra. "Che facciamo?"

"Niente".

"Niente? Deve pur esserci qualcosa", insisté. Era sempre rimasto affascinato dalla capacità di Uriele di comunicare messaggi incisivi con un solo sguardo. L'occhiata che gli giunse adesso fu l'equivalente di *Non fare lo sciocco*.

"Michele, Raffaele e Gabriele non hanno lasciato perdere. Hanno trascinato anche Lucifero. E sono morti tutti". I suoi occhi lampeggiarono di rosso. "Io non voglio morire", disse, più risoluto che mai.

Si fissarono. Nonostante il viso impassibile, l'essenza di Uriele implorava Te di lasciar perdere, di lasciarli vivere. Se fosse stato qualcun altro, Te si sarebbe messo a discutere con più impegno. Ma Uriele, che non era un codardo, non si sarebbe mai tirato indietro davanti alla vendetta, se non per ragioni sensate.

Lucifero... *Luc*... morto. Sentì ardere dentro di sé il dolore, il desiderio di rappresaglia, ma anche un opprimente senso di impotenza. Come si poteva anche solo sperare di sconfiggere qualcosa che aveva addirittura ucciso Lucifero? Il suo istinto gli diceva che avrebbe vissuto più a lungo, se avesse ascoltato Uriele.

"Devo dirlo a Kai". Si sfregò il volto con le mani e grattò distrattamente il sigillo che aveva sul petto. Uriele aggrottò le sopracciglia, ma rimase in silenzio.

Te osservò la Città con le mani intrecciate dietro la schiena. Sapeva che era inutile guardare Uriele in cerca di rassicurazioni. Vero, amava suo fratello, ma l'eternità sarebbe stata lunga con lui come unica compagnia. Si afflosciò su una sedia. "Dirò a John di preparare delle stanze per te".

Uriele, che ancora fissava la Città, non disse niente.

* * *

Quando Roberta riprese conoscenza, la sua psiche era come avvolta nell'ovatta. Si stiracchiò e si concesse di guardare la stanza. Non era nella sua camera nella proprietà dello Stronzo, per cui non aveva sognato. Posò gli occhi sulla creatura – le avevano detto che si chiamava John – e lo fissò sfrontata.

Era fiera di essere un tipo pratico: non era incline a credere nelle cose di fantasia, né a gridare allo scandalo per cose ritenute immorali. Ma non era neanche il tipo da negare l'evidenza, se ce l'aveva davanti agli occhi; era quello che la infastidiva di più nei film dell'orrore: una volta che i protagonisti avevano le prove, passavano metà del film a perdere tempo negandole, invece di cercare una soluzione.

Ricordava bene gli eventi della notte precedente e non aveva intenzione di sprecare tempo a negarli per farli combaciare con la realtà. Non le era mai capitato niente del genere. Aveva paura. La cosa migliore da fare era mostrarsi condiscendente mentre cercava una via d'uscita. Per sopravvivere, doveva restare calma e vigile.

Le brontolò lo stomaco: la creatura nell'angolo – John, si ricordò – ridacchiò. Il suono la sorprese, le scappò una risatina. "Scusa", gli disse, pur non sapendo perché.

"Signorina ha fame", replicò lui con la sua bocca grande. "John porta cibo, sì". Annuì.

Sembrava una creatura gentile e delicata, ma lei non avrebbe abbassato la guardia. Le si avvicinò con cautela, quasi fosse lei l'animale selvaggio. Aveva occhi enormi; le ricordavano quelli di un gibbone, o del petauro dello zucchero che una sua amica delle superiori aveva come animaletto domestico. Se l'avesse toccato, la sua pelle sarebbe stata liscia e setosa come la pelle di un serpente? Quando fu abbastanza vicino, a momenti allungò una mano per verificare la sua teoria, ma riuscì a trattenersi.

La creatura le versò un bicchiere di qualcosa e glielo porse con un piccolo inchino. "John ora porta da mangiare a Signorina". Scivolò verso la porta.

Lei lo guardò andarsene, incantata dalla sua grazia e dalla fluidità dei suoi movimenti. Annusò il bicchiere di liquido che aveva in mano: poteva essere succo d'arancia; l'odore era dolce e un po' agrumato. Lo mise sul comodino, non sentendosi abbastanza coraggiosa al momento da assaggiarlo. Non sapeva cosa avrebbe fatto quando John fosse tornato con il cibo. Se avessero avuto intenzione di avvelenarla o di drogarla, l'avrebbero fatto comunque.

A tal proposito, il grosso tizio nero le aveva detto che doveva prendere una medicina perché era stata soggiogata.

Che diamine? Nemmeno per sogno.

Non sapeva di che si trattasse e avrebbe fatto in modo di darsela a gambe prima che diventasse un problema.

Roberta scese dal letto per andare in esplorazione, prima che John tornasse. Era in una camera grande e ben arredata, con un letto matrimoniale. Una porta conduceva a un piccolo bagno con la doccia, il lavandino e il gabinetto. Da un'altra porta si accedeva a una cabina armadio non troppo grande. Rimase sorpresa di scoprire che una terza porta si apriva su un salotto-sala da pranzo. In pratica, si trovava in un piccolo appartamento, carino pure, di un'invitante combinazione di colori viola e oro. Contro una parete del salotto c'era un divano dall'aria comoda; di fronte, un tavolo basso con sedie intorno. Più in là, c'era un tavolo dall'aria costosa con una sedia elaborata da ogni lato e, dietro di esso, davanti alla parete opposta, un bar completo.

Di fronte alla porta d'ingresso, si apriva un balcone. Non c'era una porta-finestra, solo una fessura tra le tende da cui filtrava una leggera brezza calda. Aprì le tende, uscì e rimase a bocca aperta: il balcone si affacciava su una città. E sembrava una città sotterra.

Dove cazzo era finita?

La calma con cui si era svegliata scomparve. La sua stanza era nel punto più alto a ridosso della parete della caverna. Suppose che fosse stata ricavata direttamente dalla roccia. La caverna era grande, di forma ovale; dalla sua stanza poteva vedere tutta la città. Lassù non c'erano rumori, ma in basso era tutto un formicolare di gente.

Le si strinse la gola, le lacrime le bruciarono gli occhi. Era in trappola. Ma il grosso tizio nero non le aveva detto che lei era un'ospite? I suoi pensieri iniziarono a sbrogliarsi. Si mise a tremare: era prigioniera in una caverna.

Ripensando alla notte precedente, Roberta cercò una ragione. Tutta colpa dello Stronzo. Perché diavolo non si era licenziata? Odiava lavorare per lui. E allora perché era rimasta così tanto? Se si fosse licenziata, ora non sarebbe stata prigioniera.

Come faceva a uscire di lì? Dal panorama che vedeva dal balcone, intuì che dovevano esserci chilometri di gallerie. Chilometri!

In cosa era invischiato il bastardo, per farsi portare via di peso da tizi spaventosi? E perché avevano preso anche lei? Ricordava il Tatuato. Aveva un nome inusuale che al momento non le veniva in mente. Non voleva che le si avvicinasse. La spaventava a morte. Ma il suo amico... Uriele, lui sì era gentile. Uriele si sarebbe preso cura di lei. L'avrebbe salvata. L'aveva già salvata, no? Il solo guardarlo la faceva sentire al caldo e al sicuro. Era tutto quello di cui lei aveva bisogno.

Uriele. Uriele. UrieleUrieleUrieleUriele...

Quando rientrò nella suite con un vassoio di cibo, John trovò Signorina rannicchiata a dondolarsi avanti e indietro in un angolo del balcone. Singhiozzava e ripeteva il nome di Uriele. Non si mosse, né fece resistenza, quando lui le somministrò una dose di P2. Non sapendo cos'altro fare, andò a cercare Lord Te, sperando che lui sapesse come aiutarla.

* * *

Te era seduto sulla sedia con i gomiti sulle ginocchia. Per non pensare a Lucifero e a Kai, si contemplava le scarpe. Le coda di rondine giallo canarino si abbinavano alla perfezione al suo completo. Il giallo gli piaceva molto; non lo indossava più spesso perché tanti altri colori gli piacevano ugualmente. Il fucsia, per esempio. Ah, quello sì che era un colore. Immaginò un coordinato fucsia con le righe gialle, con il farfallino, magari uno *zoot suit*... Tutto, pur di non pensare a come e quando avrebbe riferito a Kai della morte di Lucifero.

Alzò gli occhi e vide John-lavanda all'ingresso della terrazza che spostava il peso da un piede all'altro; chissà da quanto tempo era lì. L'isolamento acustico che aveva creato prima, non solo tratteneva i suoni all'interno, ma non lasciava entrare quelli dall'esterno. Con un gesto dissolse la barriera. "Che c'è, John?" gli chiese, sorpreso dalla propria voce stanca.

"Chiedo scusa, Signori". John-lavanda si inchinò più volte a entrambi.

E adesso, che c'era? Per quanto timidi, gli Eineu di solito erano efficienti; andavano da lui solo per problemi che non riuscivano a risolvere. Forse doveva avere una conversazione più rigida con Stephan, una in cui non avesse avuto in braccio il vampiro. A quell'immagine sentì una fitta di desiderio.

L'Eineu uscì sulla terrazza e si inchinò di nuovo. "È per Signorina, Padrone. Lei è..." John-lavanda si stropicciò le mani; il suo volto ovale era distorto dalla disperazione. "Infelice".

Te capì all'istante perché John fosse così turbato: gli Eineu erano creature altamente empatiche, al punto che le emozioni negative intense li facevano ammalare. Si alzò e si rivolse a Uriele. "Vieni?"

"Non voglio rivedere mai più quella donna".

Te era ancora abbastanza sintonizzato da sentire il disagio di Uriele alle parole "quella donna". "Stai avendo una retroazione".

Mentre loro due si attardavano, John-lavanda divenne più irrequieto, ma Te lo ignorò.

"Il termine non mi è familiare", disse Uriele.

"È per la malia".

L'arcangelo sembrò preoccupato, ma non disse nulla.

"La senti? Senti le sue emozioni?"

"Sì". Distolse lo sguardo. "All'inizio, erano solo echi. Ora sono diventate più forti".

Te allungò una mano e gli strinse la spalla. "Mi dispiace. Non mi ero reso conto che fosse la tua prima volta".

"Il suo dolore mi urla in testa". Chiuse gli occhi e chinò la testa.

"Lo so, fratello. Lo so". Te poggiò la fronte contro la sua.

Uriele si allontanò; il dolore gli segnava ancora gli occhi. "Tu sai come farla smettere".

Te sospirò. "Quando sarà del tutto libera dalla tua malia, la sentirai solo se vorrai. Se fosse stata esposta più a lungo, avrebbe smesso solo con la morte".

L'arcangelo non fu affatto sollevato. "Ti deluderei, se dovessi ucciderla".

Suonò così petulante che Te avrebbe voluto ridere. Saggiamente, non lo fece. "Finirà in pochi giorni. Ucciderla sarebbe calcare un po' la mano, non pensi?"

A Uriele bastò un'occhiata per fargli capire che no, non era d'accordo.

Allora Te provò con un altro approccio. "Inoltre, l'ho data a Kai. Appartiene a lui". Vide il fratello indietreggiare e appoggiarsi al muro. Lo sentì chiudersi di nuovo. Accidenti, non avrebbe dovuto dirglielo.

"Preferiresti un vampiro a me". Gli occhi di Uriele lo perforarono. "No. Ancora una volta, hai preferito Lucifero a me".

Te poteva solo immaginare la reazione degli arcangeli all'addio di Lucifero; per loro era stato un tradimento. La ferita di Uriele bruciava ancora: le sue rassicurazioni non sarebbero mai bastate per alleviarla, figurarsi per guarirla. E lui era stanco di scusarsi. "Penso che tu debba venire con me. Penso che tu debba avere la possibilità di conoscerla. Penso che..."

"Vattene, Tamiel". Uriele poggiò la testa contro il muro e chiuse di nuovo gli occhi.

Congedato, Te fece come gli era stato chiesto. Nel corridoio, si rivolse a John-lavanda. "Fai preparare delle stanze per Lord Uriele dai tuoi fratelli e informalo quando sono pronte. Mi occupo io della donna".

John-lavanda si inchinò. "Sì, Signore". E scivolò via per obbedire ai suoi ordini.

Te si avviò verso gli alloggi degli ospiti. Era felice di aver trovato assistenti così validi come gli Eineu. In generale, i Non-umani davano più valore all'aggressione e alla forza fisica che all'intelligenza; per quello, non prendevano sul serio gli Eineu. Il loro atteggiamento mite tendeva a innescare l'istinto del cacciatore nei membri dominanti della società. Anche se erano sotto la sua protezione, erano a rischio. Essendo la Città un territorio piccolo, i carnivori erano tentati in continuazione di mangiarseli. Allora, per tenerli al sicuro, Te li aveva impiegati per lo più come governanti, custodi e giardinieri nelle sue case in giro per il mondo. I tre che erano rimasti a lavorare nella Città erano abbastanza unici perché fosse chiaro a tutti che, se uno fosse scomparso, il colpevole sarebbe incorso nella sua ira.

Quando arrivò alla porta di Roberta, bussò per educazione prima di entrare. Non percependo la presenza di nessuno nelle stanze, andò sul balcone. La donna era lì seduta al tavolo di pietra. Si guardava le mani aperte posate sul piano del tavolo.

"Come sarebbe avere le pinne?" Piegò le dita, facendo combaciare le punte di pollici e indici. "Raccogliere le cose sarebbe un inferno".

Te si sedette sulla panca di pietra di fronte a lei. "Vero. Sarebbe un cambiamento interessante, ma lo rimpiangeresti appena non fosse più una novità".

Lei lo guardò. Aveva ancora gli occhi gonfi. "Voglio andare a casa".

"Capisci cosa ti è successo?"

"Capisco che mi stai drogando e trattenendo contro la mia volontà".

Aveva le pupille dilatate e la voce inespressiva, ma era calma. Era rimasto solo un leggero tremito del corpo a indicare il suo disagio. Non era più agitata per l'assenza di Uriele, ma aveva ancora una gran paura di restare intrappolata in un posto in cui non voleva stare: la P2 era stata efficace nel primo caso, meno nel secondo. "Non puoi tornare indietro. Ora la tua vita è qui. Appartieni a me, e io ti ho regalata a Lord Kai". Rimpianse subito di aver detto quelle parole. Quando diceva loro che erano di sua proprietà, tutti gli umani che erano legati a lui – dai camerieri ai negozianti, a quelli come Gregory – o reagivano senza questioni, o con lo sguardo di dolore e di rifiuto che gli stava rivolgendo lei.

"Nessuno decide il mio destino tranne me", disse Roberta in un sussurro.

La guardò. Era terrorizzata, ma aveva uno sguardo determinato. Non avrebbe accettato facilmente il suo destino. Te decise che la donna gli piaceva. "Il mondo che conosci, quello in superficie, non è tutto ciò che esiste". E prese a spiegarle tutto il resto.

* * *

"Allora, sono tutti veri".

"Per la maggior parte, sì. La mitologia è ancora incredibilmente inaccurata, ma i personaggi sono veri". La donna non era sconvolta, l'aveva presa meglio di quanto Te si aspettasse; o forse era solo una reazione dovuta alla P2.

"Ma perché non posso prendere la P2 a casa mia?"

Quant'erano sempliciotti, gli umani. "Perché a casa tua non riusciresti a procurartela. E poi perché sei di mia proprietà".

"No, non è così. Le persone non sono delle proprietà".

Te non la contraddisse; preferì aspettare che continuasse lei.

"Ma... Perché mi vuoi?" La voce sembrava vicina alle lacrime, ma gli occhi erano limpidi; la P2 smorzava ancora l'intensità del suo dolore.

"Che anno è?" le domandò Te.

Roberta era stupita; rispose solo quando si rese conto che era serio. "2010".

Lui scosse lentamente la testa. "Siamo nel 2015". Lei tacque. Te la osservò mentre elaborava il problema.

"Ma..."

"Per quanto tempo hai lavorato per Gregory?"

"Un mese, più o meno. Era un lavoro temporaneo. Mi sarei licenziata". Aveva alzato la voce, ma non troppo, per effetto della droga. "Cinque anni". Fu un sussurro. "Ho lavorato per quel figlio di puttana per cinque anni? Come?"

"Magia di legame. Ma sei da ammirare: non avevi ceduto del tutto". Te lasciò che lei sentisse l'ammirazione nella sua voce. "Eri bloccata in una specie di circuito. Sai, tutto quel tuo parlare di licenziarti. A un certo livello, lo sapevi che c'era qualcosa di sbagliato, e l'hai combattuto".

"Per cinque anni".

"Molta gente non sarebbe durata più di cinque mesi".

"Urrà per me". Copiose lacrime le rigarono le guance. "Perché?" Si rannicchiò su se stessa; si sentiva persa e triste. "Come faccio a crederci? A credere di aver lavorato per lui per cinque anni? Di aver perso cinque anni della mia vita?"

"*Perché?* Sinceramente non ne ho idea, ma sei

diventata di sua proprietà. E ciò che era suo, ora è mio".

"Non lo accetto".

"Lo farai, o morirai". Lei fece per ribattere, ma Te la interruppe. "Se c'è una cosa riguardo la Città che devi capire, è che gli umani, qui, non sono la specie dominante. Sei una schiava: alla meglio, un animale domestico amato; alla peggio, una lavorante usa e getta". Era anche cibo, ma non c'era bisogno che lo sapesse in quel momento.

"No". Roberta si asciugò il viso e si raddrizzò, ma le tremavano le mani. "No..."

Te percepì che avrebbe voluto dire molto altro, ma "no" era l'unica parola che riusciva a pronunciare.

"No. Io qui non ci resto", ricominciò, dopo aver fatto un respiro profondo. "È una follia. Non mi lascio trattare così". Lo sfogo crebbe d'intensità: si alzò dalla panca sul balcone ed entrò nella stanza, la percorse su e giù senza sosta, mentre la determinazione di pochi momenti prima si trasformava in disperazione. "Lasciami andare. Ti prego, lasciami andare! Come fai a parlare così degli umani?" Fece una pausa, guardandolo. "Aspetta. Tu non sei umano, vero?" Scosse la testa, si allontanò da lui e fece un gesto per tenerlo lontano. "Non voglio sapere cosa sei. Non mi importa. Prometto di dimenticare te, questo posto, *tutto*. Solo... Non obbligarmi a stare qui".

Te l'aveva seguita dentro ed era rimasto a guardarla. Roberta aveva intuito che non fosse umano: bene, gli piaceva, quando gli umani erano intelligenti. Avrebbe accettato di restare, alla fine. Come, non era un problema suo, ma di Kai, che avrebbe dovuto essergli grato per aver gettato le fondamenta. "Non hai più il diritto di scelta su cosa ti succede o non ti succede. Devi mettertelo in testa". Andò da lei e le sollevò il mento con il pollice, fissandola negli occhi. "Non cercare di scappare. Non ci sono strade per salire in superficie dall'interno della Città. Se ci provi, verrai catturata da esseri molto meno benevolenti di Lord Kai e di me. Potrebbero mangiarti, violentarti o tutte e due le cose". I Kazat amavano dare la caccia agli schiavi fuggiti; se poi li restituivano, erano mutilati.

"Ma hai detto che sono un'ospite". La sua voce tremante era bassa, quasi inudibile.

"L'ho detto, sì. Sei ospite, ma solo in queste stanze. Fuori, sei proprietà. Ora, se ti fa piacere vedere la Città, posso accompagnarti, ma devi indossare qualcosa di appropriato". La lasciò andare e fece un passo indietro.

Lei abbassò gli occhi sul pavimento e si accasciò lentamente, finché non fu seduta a gambe incrociate. "Forse un'altra volta", rispose senza guardarlo.

Te chiamò l'Eineu. Pochi istanti dopo, sentì bussare alla porta. "Entra".

John-lavanda entrò nella stanza.

Te andò al vassoio di cibo dimenticato sul tavolo.

Lo stufato ormai era freddo. Con un tocco leggero alla ciotola, lo fece tornare caldo e fumante. "John, voglio che lei mangi e indossi l'abito sul letto".

L'Eineu si inchinò. "Sì, Signore. John si prenderà cura di Signorina".

Soddisfatto, Te si rivolse alla donna seduta sul pavimento. "Dopo che hai mangiato e che ti sei vestita, se vuoi vedere la Città, ti porto io. Dillo a John, e lui me lo farà sapere".

Roberta non alzò gli occhi, ma annuì. "E i miei ricordi? Li riavrò?"

"La tua mente si è messa in un circolo di pensieri ripetitivi apposta per proteggersi. Se vuoi, posso ripristinare i tuoi ricordi perduti, certo. Ma stando a quello che sai di Gregory, vuoi davvero riaverli?" Lei alzò la testa: il suo sguardo terrorizzato gli disse di no. "Se cambi idea, fammelo sapere". Era una piccola cosa; non aveva nessuna buona ragione per rifiutare.

Uscì e si diresse alle sue stanze. Se era fortunato, Stephan era diventato geloso e moriva dalla voglia di provargli il suo valore. Quando entrò, bastò un solo sguardo al vampiro per capire che sì, era molto, molto fortunato.

DODICI

Un vento lieve e profumato accarezzò Kai mentre camminava lungo il fiume Ashley verso il parco. Lucifero non era a casa. Pur avendo promesso a Te di tornare da lui subito per nutrirsi, si era ritrovato a passeggiare sul viale e aveva deciso di andare a caccia, con la speranza che la caccia allentasse la sua tensione fino al ritorno di Lucifero. Gli serviva anche del tempo per pensare, dato che le sue azioni dei giorni precedenti l'avevano invischiato in situazioni senza una soluzione semplice.

Da secoli non gli capitava di provare il desiderio di rivolgersi al sire per un consiglio. Aram aveva avuto l'abilità di destreggiarsi fra i dilemmi della vita con una facilità che eludeva Kai. Il sire aveva sempre sprizzato le sue convinzioni da ogni poro, come se fossero state fuse con la sua stessa essenza; Kai era impacciato e inadeguato al confronto. Prendersi le responsabilità, preoccuparsi delle proprie azioni e del loro effetto sugli altri era stato il fulcro dei suoi insegnamenti, insegnamenti che aveva appreso dai Ronin e che aveva passato a Kai. Per Kai era stato più facile digerire l'arte del combattimento rispetto alla filosofia. Ci aveva provato comunque. Per onorare la memoria del sire, si sforzava di essere all'altezza di quei difficili standard, anche se i due che gli erano più vicini, Lucifero e Te, lo prendevano sempre in giro.

Per quel che riguardava Roberta, le sue intenzioni erano state onorevoli. Salvarla, tener fede al dovere di proteggere un'innocente, era stata una bella sensazione. Si era sentito ancorato a qualcosa di importante, almeno per un po'. Si ridiresse mentalmente: non gli piaceva dove stava andando quel filo di pensieri.

C'erano solo tre possibilità: tenerla schiava, ucciderla o trasformarla. L'opzione di ucciderla andava presa in considerazione, anche se non aveva intenzione di farlo. Idem l'opzione di trasformarla, che per di più era impossibile. Se l'avesse fatto, sarebbe stato senza autorizzazione, a meno che non avesse ricevuto il permesso di Lugan o combattuto con lui per il controllo del clan. Si irritò. Non voleva chiedergli il permesso, né combatterlo. Gli bastava ignorarlo ed essere ignorato a sua volta. Funzionava bene per entrambi.

Con due opzioni fuori gioco, non gli restava che la terza: tenersela come schiava. Inutile dire che Lucifero non avrebbe preso bene la presenza di Roberta. Sostenere che se la teneva per aumentare il proprio prestigio per l'incombente Rappresentazione sarebbe stato un pretesto debole. Niente avrebbe potuto aumentare il prestigio di Kai più dello stesso Lucifero, anche se al contempo lo sminuiva. Lo sapevano entrambi. E comunque, delle tre possibilità, tenersi Roberta era quella che Kai aborriva di meno. Non aveva altra scelta. Sperò che Lucifero non sarebbe stato troppo irragionevole.

Arrivato all'altezza del parco, Kai si fermò e si voltò per appoggiarsi alla ringhiera. La notte era appena calata, il fiume era scuro, l'acqua turbinosa e salmastra si infrangeva contro gli argini. Era passato molto tempo dall'ultima volta che avevano nuotato in quelle acque. Si appuntò di trascinare i suoi compagni in una spedizione per farlo presto.

Lasciò vagare lo sguardo verso la bocca del fiume insieme alla mente, finché un pensiero inquietante emerse in superficie. Con il senno di poi, forse uccidere il cucciolo Kazat era stata una reazione esagerata. Le botte sarebbero bastate. Se non avesse consentito alle emozioni di spingerlo a un'azione avventata, ora non avrebbe dovuto affrontare la Rappresentazione, a prescindere che fosse o meno un'usanza detestabile quanto tenere un'Assemblea.

Come Aram prima di lui, Kai odiava l'Assemblea. Odiava lo spettacolo e il rituale pomposo. Odiava l'educato disprezzo. Soprattutto, odiava le continue

manovre per la posizione e la conseguente concessione di favori a esseri che avrebbero cercato di ucciderlo ogni volta che ne avessero avuto la possibilità.
Presumibilmente non raffinata quanto l'Assemblea, la
Rappresentazione forse non sarebbe stata poi così
male. Kai non ne aveva idea.

Non c'era modo di tirarsi indietro. I Kazat volevano il suo sangue. Poteva mettere fine alla questione
adesso, con la Rappresentazione, oppure prestarsi a
una faida sanguinaria di durata indefinita. Era bloccato in una specifica direzione e doveva arrivare in
fondo, indipendentemente da quanto volesse evitarlo.

Si voltò, appoggiò la schiena contro la ringhiera
ed entrò in sintonia con gli umani di passaggio. La
sera tiepida aveva indotto molta gente ad andare a
passeggio lungo il viale. Doveva riprendere l'abitudine di cacciare.

Te gli aveva offerto il suo sangue per lealtà verso
Lucifero, e andava bene. Ma Kai non era indifeso. Si
sarebbe nutrito di umani fino al ritorno di Lucifero.
Inoltre, era passato fin troppo tempo da quand'era libero di assecondare i propri capricci e i propri desideri, e l'idea di tornare a farlo lo sorprendeva e lo
eccitava.

Allontanandosi dal fiume, attraversò il parco
verso King Street. Le persone che lo incrociavano
sgomberavano il marciapiede: quasi tutte preferivano
attraversare la strada; pochi lo aggiravano e basta.
Non stava attivamente cacciando, in quel momento.

Se l'avesse fatto, si sarebbe impegnato di più per non sembrare minaccioso, legandosi i capelli e usando l'illusione per nascondere i sigilli. Persino con addosso solo una camicia nera, dei calzoni e scarpe di qualità, il suo regolare aspetto faceva sì che tutti gli umani lungo la strada, tranne i più robusti, lo evitassero d'istinto.

Mentre percorreva i viali alberati sprofondati nelle ombre, un sorriso gli si allargò sul viso al ricordo dei primi tempi, quand'era appena diventato consapevole delle proprie abilità. Scelse un punto e saltò, facendo sobbalzare una coppia di umani, che si scusarono per non averlo visto. Per forza non l'avevano visto: un attimo prima, non era lì.

Minimizzò con un cenno e un sorriso. Aveva dimenticato quanto fosse divertente saltare fra le ombre. Da giovane si era meravigliato della capacità di sparire fondendosi con le ombre. Si era divertito parecchio a farlo. La scoperta di quella e di altre abilità dei vampiri era stata fonte di infinita meraviglia per lui, e di problemi a non finire per il sire. Ora non riusciva a cancellarsi il sorriso dalla faccia. Con una gioia che non provava da tempo, saltò fra le ombre per tutto l'isolato.

Evitare Te era essenziale, così rimase su King Street, abbastanza lontano dal club di Te, I Caduti, che si trovava su East Bay Street, verso il fiume Cooper. Kai ridacchiò divertito, rendendosi conto solo ora di quanto fosse appropriato il nome. Senza dubbio,

Te e Lucifero si ritenevano molto furbi. Il Clan Orione aveva un club chiamato La Foschia nel distretto Upper Peninsula. Si diresse lì, pensando che, se proprio doveva fare politica, tanto valeva cominciare. Inoltre, Lucifero provava un affetto inusuale per la matriarca, per cui non c'era niente di male ad andarci.

La Foschia si trovava sulla Upper King, vicino al cavalcavia del Ravenel Bridge. L'area si stava imborghesendo. Da quartiere degradato, con case popolari e negozi abbandonati, si era trasformato in quartiere moderno popolato dagli scalatori sociali, con negozi sempre pieni e appartamenti ristrutturati. Era il posto prediletto dei giovani festaioli e alla moda.

Il nome del locale faceva bella mostra di sé in lettere lucide su un'insegna nera cromata all'altezza del marciapiede. L'edificio era un affare generico di metallo, con una grande porta che si apriva sulla strada. Una corda di velluto rosso era d'obbligo per transennare l'ingresso: grossi buttafuori tenevano a bada i clienti in lizza per entrare, la cui fila serpeggiava lungo la strada.

Gli umani che aspettavano di entrare nel club lo guardarono: alcuni lo fissarono apertamente, altri lo sbirciarono di sottecchi. A differenza degli abitanti del proprio quartiere, quella gente era entusiasta della sua presenza e del suo aspetto, che senza dubbio considerava esotico. Nell'orbita di Lucifero, per Kai era facile dimenticare il proprio carisma. Lucifero brillava più luminoso del sole e attirava sempre l'attenzione di tutti i presenti. Soltanto le volte in cui era solo e riscuoteva una certa attenzione senza bisogno di fare uso attivo della Seduzione, Kai si ricordava di avere anche lui il suo fascino. Senza smettere di camminare, attraversò l'ingresso, facendo un cenno ai buttafuori licantropi.

Il Clan Orione definiva Charleston casa propria. Pur avendo altre attività, La Foschia era ciò che lo rappresentava di più. Scorse la matriarca e il suo compagno che tenevano una riunione nella sezione VIP e andò in quella direzione.

Tecnicamente, la propria età e il proprio status implicavano che lui fosse al di sopra di lei. Tuttavia, snobbarla nel suo territorio non sarebbe stato educato. Avrebbe costituito una fonte di imbarazzo per Lucifero e rispecchiato male le proprie intenzioni, e quella era l'ultima cosa che voleva. Per quanto non fosse obbligatorio, con un regalo avrebbe rispettato l'etichetta, ma sarebbe stato fin troppo. Kai voleva solo fare il minimo per non essere maleducato. Attraversò la folla. La security della sezione VIP lo lasciò passare.

"Lord Kai. La Madre ci benedice con la vostra presenza!" esclamò Risha, alzandosi per salutarlo.

"La Madre ti benedice in ogni cosa", rispose lui, chinando la testa.

Il bel viso della licantropa si accese di sorpresa e di gioia al saluto tradizionale. Gli offrì la propria sedia, spostandosi su quella appena lasciata libera dall'alfa. Il maschio rimase in piedi dietro di lei e, come volevano le regole dei clan di lupi mannari purosangue, Kai non lo guardò, né fece cenno di aver notato la sua presenza. La matriarca notò il comportamento e nei suoi occhi brillò l'approvazione.

"Come vanno le cose, Risha?" chiese Kai, quando si fu seduto. Parlava in modo informale. Non sopportava le cerimonie e si atteneva alle tradizioni il minimo per non apparire maleducato.

Lei si rilassò. "Bene. Il clan è forte". Preferiva colloquiare nel modo tradizionale, pur accettando il linguaggio informale.

Lui l'ascoltò distrattamente, scegliendo invece di apprezzare la sua bellezza. Risha era tutta grazia e potere in un corpo minuto. Dietro i suoi modi fini e calorosi si nascondeva la capacità di combattere e uccidere con selvaggia efficienza, se l'occasione lo richiedeva.

Kai aveva avuto a che fare con le matriarche solo in gioventù: tutte cagne gelide, a eccezione della madre di Risha. A Kai, Adelaide piaceva. Le mancavano i modi superiori e gelidi delle altre matriarche. In anticipo sui tempi, aveva una filosofia permissiva vivi-e-lascia-vivere: ai suoi occhi, c'era spazio per tutti i Non-umani, sia in superficie che sottoterra. La somiglianza tra madre e figlia era tale che Kai non poté fare a meno di chiedersi quanto di Adelaide ci fosse in Risha.

"Ma non siete qui per parlare di lavoro". La licantropa aveva capito che lui ne aveva già abbastanza delle formalità, e non sembrava offesa. "Quindi, Lord Kai..."

Lui alzò una mano, interrompendola. "Ti prego, Risha, chiamami Kai".

Lei sorrise e ricominciò. "Kai, cosa ti porta nel mio piccolo angolo di mondo, qui nei bassifondi?" I suoi occhi brillavano divertiti.

"Mi sto nascondendo da Te", rispose Kai con malizia.

"Ti nascondi in piena vista, quindi?"

"Be', non mi sto impegnando molto". Le fece l'occhiolino.

"Come sta il tuo compagno? Era molto turbato, quando ha lasciato la nostra compagnia".

Kai alzò le spalle. "Come il sole che sorge e tramonta: è eterno".

Lei non sembrò scomporsi al ritirarsi di Kai nella formalità evasiva. "C'è chi ti negherebbe ciò che ti spetta per via del tuo rapporto con lui. Io non sono fra questi. L'amore ci benedice come ritiene opportuno, e la Madre sa che può essere uno stronzo volubile". Risero entrambi. "Non siamo tutti così ciechi o così stupidi. Lord Lucifero non sceglierebbe mai un giocattolino come compagno per più di mezzo millennio".

Nonostante i propri pregiudizi, Kai si rese conto che Risha gli piaceva molto. Era un dato di fatto che a lui non piacevano i licantropi, quindi non si disturbava mai ad accompagnare Lucifero quando andava da lei, anche se Lucifero gli aveva sempre detto che Risha era simile a Adelaide, quindi era facile apprezzare la sua compagnia. Solo adesso, Kai si accorgeva del proprio errore di valutazione.

"Mi dispiace. Mi sto comportando come se non avessi mai ricevuto ospiti", disse lei, visibilmente turbata. "Ti sei nutrito? Ti prego, il mio club è a tua disposizione". Il suo gesto aggraziato racchiuse tutto il locale.

Kai scosse la testa, ignorando le suppliche del suo corpo perché si nutrisse. "Sono onorato dalla tua offerta, Risha". Si appoggiò allo schienale e accavallò le gambe. "Tuttavia, non ho così fretta di lasciare la tua compagnia".

Lei rise. "Adulatore. L'offerta è aperta, se dovessi cambiare idea". Indicò uno dei suoi cortigiani. "Bevi con me?"

Kai chinò la testa, accettando. "Certo. Un whiskey andrà bene". Il cortigiano si allontanò rapidamente e tornò con whiskey per lui e vino per Risha.

Lei alzò il calice. "A coloro che se ne sono andati".

"E a coloro che verranno", Kai finì il brindisi tradizionale, e bevvero.

Lei abbassò il calice, guardandolo intensamente. "Non voglio mancare di rispetto, ma tu sei, ehm..."

"Sorprendentemente ben educato, per essere stato cresciuto da un selvaggio?" Rise per lo shock di

Risha davanti al proprio candore e agitò la mano per minimizzare. "Nessuna offesa. Il mio sire non era poi così selvaggio, dopotutto".

Le rughe di preoccupazione sparirono dal bel viso della licantropa. "Avevo sentito... Be', tutti credevamo..."

Lui alzò una mano, interrompendola. "Lo so. Aram detestava le bugie e gli inganni, in altre parole, il comportamento che si tiene a corte. Non era un ignorante, però, riguardo l'etichetta, e me l'ha trasmessa".

"Sono molto pochi a conoscere la differenza", disse Risha, concentrata sul suo viso. Fece una pausa, studiandolo. La sua espressione si fece seria. "So che ci odi e perché". Kai, che si era sporto verso di lei, cominciò ad arretrare, ma lei gli afferrò il braccio. "Ti prego". Lasciò che lei lo tirasse di nuovo a sé. "È una cosa che si trascina da tempo. La vita in passato era difficile, ma questo non giustifica il modo in cui i nostri clan hanno trattato i vostri".

Si riferiva all'abitudine dei lupi mannari di cacciare i vampiri. Anche se, al tempo di Kai, il Clan Orione si era già ritirato da attività del genere, gli altri clan di licantropi avevano continuato ad andare di città in città a vendere i propri servigi agli umani spaventati e creduloni. I clan di vampiri avevano continuato a vendicarsi, ovviamente, ma non erano mai riusciti a formare alleanze durature tra loro, e di conseguenza non erano mai stati efficaci sul lungo periodo come i loro nemici. Nell'età moderna, continuare le faide era impossibile, ma ciò non significava che gli antichi rancori fossero finiti nel dimenticatoio.

"Abbiamo combattuto per molto, ma abbiamo guadagnato poco". Lo sguardo di Risha si fece pensieroso; il suo dolore si vedeva. Lui sapeva che lei aveva perso tanto quanto lui. "So che le scuse non ti restituiranno quello che hai perso, quello che abbiamo perso tutti, ma ti prego, sappi che mi dispiace davvero".

Poi, in una mossa che gli fece mancare il fiato, Risha chiuse gli occhi e gli offrì il collo. Lei doveva sapere che lui voleva vendetta, nello specifico contro Gwendolyn e il Clan Celesta; doveva anche sapere che Gwendolyn non avrebbe mai fatto ammenda. Gli stava dando un regalo notevole.

Era stato così facile lasciare che il proprio odio per Gwendolyn si riversasse su tutti i clan di licantropi. Con quel gesto però, Risha gli fece capire quanto fosse fanatico. Si vergognò di se stesso.

Percepiva la tensione del clan che attendeva la sua reazione. Persino l'alfa restava immobile. Lei incuteva abbastanza rispetto da non far intervenire nessuno, anche se ciò significava che avrebbero potuto perderla. O forse il loro restare immobili significava che la volevano morta. Ma no, a giudicare dai loro visi, non era quello il caso.

I suoi occhi indugiarono su una femmina che non

poteva che essere la figlia di Risha, data la somiglianza tra le due. Lo sguardo della giovane prometteva rivalse contro di lui, anche se ciò sarebbe andato contro i desideri della madre. Risha gli stava offrendo la sua vita per estirpare le ingiustizie perpetrate dalla sua razza. Si aspettava che il clan accettasse il suo gesto e andasse avanti senza di lei. La figlia però, che di certo avrebbe preso il posto della madre, non era disposta a farlo, a giudicare da come lo guardava.

Non fu però l'atteggiamento della giovane a ispirare la sua reazione, ma il profondo desiderio di conoscere quella matriarca così capace di suscitare amore e rispetto nell'intero clan. Riportando gli occhi su di lei, sollevò la mano, accarezzò la pelle esposta, lentamente e con reverenza si sporse per baciarle il collo, poi le fece rivolgere il viso verso il proprio.

"Grazie, ma non ho niente contro di te, né contro i tuoi. E non desidero privare il tuo clan di un membro così amato. Sono anni che Lucifero mi parla di te. A mio danno, non l'ho mai ascoltato. Vi porrò rimedio, Risha. Non vedo l'ora che venga il giorno in cui potrò chiamarti amica". Sul suo volto, vide più rispetto che sollievo.

"Mi onori... Ci onori". Risha indicò il clan e gli prese la mano.

"La Mano della Madre mi guida". Le coprì la mano con la propria. La stimava per ciò che era e per i suoi buoni propositi di riconciliare le razze e costruire nuove alleanze.

Risha prese il calice. "Ci vuole un altro brindisi".

"Un'altra volta, magari? Non vorrei approfittare troppo dell'accoglienza". Vide che l'aveva delusa, ma doveva risolvere la questione del cibo. "Inoltre, c'è un bocconcino in blu che mi tenta sulla pista da ballo". Le rivolse un sorriso malizioso, che lei ricambiò.

"Va' a nutrirti. Divertiti". Lo allontanò giocosamente.

"Lo farò. Grazie, Risha. Tornerò a farti visita". Alzò la mano che ancora le stringeva, portandosela alle labbra, e la baciò.

"Grazie, mio Signore". Chinò la testa.

Quando sollevò lo sguardo, Kai le accarezzò il viso. Alzandosi, fece un cenno all'alfa, che chinò la testa in risposta. Incrociò ancora una volta gli occhi della figlia di Risha: lo guardava con sollievo e rispetto. E qualcos'altro. Desiderio? *Interessante*. Non era certo di cosa pensare al riguardo, dato che la propria relazione con la madre era ancora agli albori, quindi si limitò a farle un cenno con la testa prima di voltarsi e lasciare la sezione VIP.

Già sentiva il *Te l'avevo detto* di Lucifero. Non avrebbe mai smesso di ripeterglielo, una volta che avesse saputo del suo ripensamento.

* * *

Kai si sedette vicino alla pista da ballo, a guardare la donna vestita di blu che ballava. Risha gli aveva mandato una bottiglia di brandy Corolon. Con il brandy, riuscì a darsi una calmata e a scollegarsi dal desiderio viscerale di nutrirsi. Non ricordava di essere mai andato in palla per la fame. Ogni cellula del suo corpo lo supplicava di bere il sangue di Lucifero, perché solo quello lo saziava davvero.

Ogni attimo in cui riusciva a non precipitarsi da Te era una vittoria. Non aveva dubbi sul fatto che, se Lucifero non fosse tornato presto, avrebbe ceduto alla dipendenza. Proprio così: dipendenza. A quel punto, non poteva più negare cos'era. Voleva arrabbiarsi, ma non c'era spazio. La forza di volontà che gli serviva per non arrendersi si prendeva anche lo spazio che avrebbe potuto dedicare alla rabbia. Che vergogna. La dipendenza lo rendeva schiavo. Senza padron Lucifero, era privo di guida.

Bevve un sorso di brandy, disconnettendosi da quel pensiero prima che mettesse radici. I Corolon erano gli unici produttori di alcol per le comunità di Non-umani. Gli unici, perché avevano difficoltà ad afferrare il concetto di competizione amichevole. I Non-umani lo chiamavano alcol in generale o gli davano nomi come brandy o vino, ma nessuno, tranne i Corolon, sapeva esattamente cosa fosse. Merda fermentata? Acqua e magia? Chi poteva dirlo.

Si sapeva soltanto che, se l'alcol umano sui Non-umani non aveva effetti, l'alcol Corolon ne aveva, eccome. Kai ne era grato e assaporò ogni sorsata. Avrebbe ignorato la voglia di sangue di Lucifero il più a lungo possibile, concentrandosi invece sulla caccia. Una volta, l'attesa, la seduzione, le sensazioni della caccia gli piacevano. Voleva godersele di nuovo. Il brandy l'avrebbe aiutato a rilassarsi e a entrare nel giusto stato mentale.

La donna ballava con abbandono, immersa nella musica; prestava a malapena attenzione al suo compagno. Non era particolarmente aggraziata o attraente nel senso convenzionale, ma lui si sentiva comunque attratto da lei. Era ciò che amava della caccia: le piccole cose intangibili che gli facevano scegliere un delizioso spuntino piuttosto che un altro; solo ora si rendeva conto di quanto gli fossero mancate.

Sapeva di essere osservato. Dopotutto, era ampiamente noto che non si cibava di umani. Anche se lo scopo di quella caccia era di riempirgli la pancia, metterla in atto in un posto così pubblico avrebbe dato luogo a qualche soddisfacente pettegolezzo da diffondere tra i Non-umani. Sarebbe stata una manna per Risha e il Clan Orione fornire informazioni così succose.

L'ebbrezza era uno sventurato effetto collaterale legato all'effetto calmante del brandy. Per via della fame, ogni goccia di sangue umano nel locale lo chiamava. Per via dell'ebbrezza, si trovava sul bordo del precipizio, ossia in procinto di perdere il controllo, di cedere al desiderio di fare a pezzi, lacerare e bere senza fine, un desiderio che non provava da quand'era giovane e il sangue era tutto il suo mondo.

Quand'è che aveva perso l'abilità di capire che il sangue di Lucifero lo stava cambiando, al punto che la sua mancanza lo rendeva ferale? Se n'era mai accorto? Lucifero lo sapeva? Gli venne un brivido. Riempì di nuovo il bicchiere e annegò il pensiero con un'altra sorsata benefica.

Stava finalmente concependo un piano di caccia, quando notò l'alfa di Risha dirigersi verso di lui. Imprecò, svuotò il bicchiere e lo riempì di nuovo, mentre osservava il grosso licantropo avanzare. L'aveva mandato Risha, o era lì di sua iniziativa?

"Mio Signore, speravo di potervi parlare", disse l'alfa appena ebbe raggiunto il tavolo. Era alto all'incirca un metro e settantacinque, bello ma non bellissimo, e indossava un paio di jeans e una t-shirt che aderiva all'ampio torso muscoloso.

"Certo". Kai indicò la sedia vuota di fronte e gli offrì del brandy.

"Grazie, ma no", rispose mentre si sedeva. "Gli alcolici Corolon mi danno alla testa". I suoi occhi blu brillarono al di sopra del sorriso, esprimendo sicurezza di sé.

Kai rimase in silenzio, in attesa che gli dicesse cosa voleva. Sembrava avere circa trent'anni, ma nei licantropi, come nei vampiri, l'aspetto era ingannevole. Risha aveva circa sei secoli ed era la matriarca degli Orione da cinque. Per una serie di fattori, i maschi non vivevano altrettanto a lungo, così Kai stabilì che avesse tra i centocinquanta e i duecento anni.

"Mi chiamo Julian. Sono l'alfa del clan da quasi duecento anni".

Impressionante. Una matriarca raramente aveva un alfa per così tanto tempo. O era uno che riusciva sempre a prevalere nelle sfide mosse contro di lui dai maschi più giovani, o godeva di un rispetto tale per cui lo lasciavano in pace. Forse entrambe le cose. La longevità di Julian era rara, e ciò lo rendeva interessante. "Continua", rispose Kai, nonostante il disagio e il desiderio di andare a nutrirsi.

"Volevo ringraziarvi personalmente per non aver ucciso Risha".

Kai modificò all'istante la sua valutazione e riuscì a malapena a mantenere la calma. Non c'era bisogno di ringraziarlo. Quella semplice espressione di gratitudine poteva celare di fatto una serie di accuse. Senza dubbio Julian lo sapeva. La pietà non era vista come una virtù, nelle società Non-umane. Kai non lottava contro un licantropo purosangue da quasi settecento anni. Forse era il tipo di esercizio di cui aveva bisogno per distendere i nervi troppo tesi. "Ti rendi conto che la tua affermazione potrebbe offendermi?"

"Potrebbe, sì, ma non accadrà. Voi non siete come gli altri", disse Julian, allontanando dal viso i capelli scuri, lunghi fino alle spalle, e stravaccandosi sulla sedia.

"Cosa ti fa essere così sicuro?"

Il sorriso dell'alfa divenne una risata. "Non siete Lugan".

Kai rise a sua volta, sorpreso. "Lugan è un bruto".

"Esatto". Gli occhi di Julian luccicavano.

Un Kai sobrio sarebbe stato più cauto; d'altronde, un Kai sobrio non avrebbe aspettato che Julian si spiegasse.

"Guardate", disse Julian. "Noi non siamo animali, e mi rifiuto di agire come tale. Reagiamo guidati dall'istinto e dalle emozioni, ma abbiamo un linguaggio e l'abilità di comunicare. Abbiamo l'intelligenza. Mi rifiuto di andare in giro e vivere come se fossi solo un animale, soltanto perché posso trasformarmi in un lupo. Dico quello che penso. Provo estrema gratitudine per il fatto che non abbiate ucciso colei che amo. Per questo, vi ringrazio".

Essere Non-umani, ossia un ibrido tra umano e altro, troppo spesso significava ignorare la propria parte umana in favore dell'altra. Poteva incolpare il brandy dei suoi sentimenti, ma il candore del giovane lupo gli piacque. Alzò il bicchiere verso Julian. "Sei saggio e hai vissuto a lungo. Che tu possa continuare a camminare nel favore della Madre".

Julian chinò la testa, accettando la benedizione di Kai. "Posso parlare francamente?"

Kai ridacchiò. "Come se non l'avessi già fatto. Continua".

"Ci sono molti di noi che aspettano con ansia la Rappresentazione. Per noi è ovvio che voi state sondando le acque per assumere la guida del vostro clan. Non vediamo l'ora che la rivendichiate".

Kai si acciglò. Non era esattamente quello che voleva. Se il Clan Orione saltava a quella conclusione, c'erano buone possibilità che lo facesse anche Lugan. *Dannazione*. "Perché questo è un affare dei licantropi?" chiese con voce minacciosa.

Julian non sembrò turbato. "Il Concilio dovrebbe guardare al futuro. Nonostante il suo edonismo, Jarvis è notevolmente progressista. Octavia si fa vedere raramente; quando lo fa, resta in forma di cane e non vota. Anche Elizabeth è assente: è troppo impegnata a tenere insieme il suo clan, dopo la guerra con i Celesta. Alana segue Gwendolyn come se fosse al guinzaglio. E Mathias", la sua bocca si contorse in un ghigno, "quell'ammasso di spazzatura, è solo uno spavaldo. Se n'è andato perché non voleva seguire una matriarca, ma a Gwendolyn basta guardarlo, perché voti come lei. Per come stanno le cose, si fanno raramente progressi. Se prendete il vostro posto legittimo come capo del Clan Aria, i risultati delle votazioni saranno più favorevoli. Mathias, data la sua aperta accettazione dei Canes Inferni, voterebbe indubbiamente per guadagnare il vostro favore, invece di quello di Gwendolyn".

Non era inusuale, per un alfa, fare accordi dietro le quinte. Erano sgherri a prescindere dai loro metodi, che implicassero spargimenti di sangue o negoziazioni. Kai prese un altro sorso di brandy. "Trovo piuttosto difficile credere che Lugan voti con Gwendolyn. La odia tanto quanto me".

"Non vota come lei per simpatia o rispetto reciproci. Hanno lo stesso modo di vedere. Quello è il loro terreno comune".

Kai ricordò con acuta chiarezza perché odiava la politica. Prese un altro sorso. "Ti farò sapere cosa dirò a Lugan, se dovesse chiedermi qualcosa. La Rappresentazione è per risolvere la questione fra me e i Kazat. Niente di più. Non intendo assumere la guida del mio clan. Il tuo Concilio continuerà come ha sempre fatto, senza di me".

Julian aprì bocca per protestare, ma Kai lo zittì con uno sguardo, chiudendo la questione. Stava per riprendere la bottiglia di brandy, quando fu colpito dall'odore. Con la mano sospesa a mezz'aria, voltò la testa verso l'odiato fetore. Aveva la gola stretta; Julian ringhiò in sinergica risposta. I nuovi arrivati fecero aumentare la sua eccitazione al di là dell'effetto del brandy. Sapeva che i suoi occhi erano diventati completamente neri, ed era grato per le luci soffuse del club.

"Avete notato i nostri nuovi ospiti", constatò Julian, quando Kai bevve una lunga sorsata di brandy senza riempirsi il bicchiere, direttamente dalla bottiglia.

"Ospiti?" disse con sarcasmo; la voce era arrochita per l'eccitazione e per il bruciore dell'alcol.

"In quanto Lord, non avete messo taglie su di

loro", rispose Julian. Kai colse l'ammonimento e lo lasciò correre. "Inoltre, i loro soldi sono buoni. Li lasciamo restare, a meno che non causino problemi".

"La loro stessa esistenza causa problemi". Tutti – compresi la deliziosa donna in blu e lo stesso Julian – svanirono dalla sua consapevolezza. Ora i nuovi arrivati erano al centro della sua attenzione.

Persino i vampiri purosangue più giovani riuscivano a individuare un altro vampiro o un Non-umano; era un istinto di sopravvivenza. Ai meticci mancava quell'abilità. L'unica abilità di sopravvivenza evidente in loro, era quella di riprodursi come ratti. Il loro sangue era debole. Se Kai si fosse avvicinato a un meticcio, quello non avrebbe avuto abbastanza cervello da scappare. Al di là dell'atto in sé, non c'era quasi nessun divertimento nell'ucciderli. *Quasi*. Dopotutto, ognuno aveva la propria definizione di divertimento.

I nuovi arrivati erano quattro: tre meticci, di cui due maschi e una femmina, e una ragazza. Li guardò muoversi tra la folla: si sceglievano qualcuno con cui ballare, flirtavano sempre. La femmina umana, o la stavano istruendo, o era il loro giochino – dubitava fossero abbastanza forti da creare un soggiogato. Non che importasse. Per il momento, lui era fuori dal giro di quelli che andavano a salvare le persone.

Nessuno dei meticci era arrivato a mezzo secolo di vita. Si vedeva dai loro modi, da come si davano delle arie. I due maschi erano magri, con tratti del viso fini, quasi femminili. Avevano entrambi capelli e occhi scuri, ed erano vestiti in stile goth. Kai identificò quello leggermente più basso come il capo del gruppo, dato che gli altri tre si rivolgevano a lui in continuazione per avere il permesso o l'approvazione. La femmina era più bassa e in carne rispetto ai due maschi, aveva capelli biondo platino spettinati, come voleva la moda, e occhi azzurri cerchiati di kohl. Sarebbe stata carina, se non avesse esagerato con il trucco. La ragazza aveva i capelli rossi e sembrava a disagio e fuori luogo, nel suo costume goth. Kai si chiese cosa avrebbe scelto di indossare, se non fosse stato per l'ovvia influenza dei tre meticci.

In quel momento, i due maschi stavano ballando con la ragazza, mentre la meticcia li osservava sorridente. Quando distolse gli occhi da loro, vide Kai. Lui ricambiò lo sguardo, intenzionato a vedere come avrebbe reagito. Lei lo fissò ancora per un attimo, poi scappò verso la porta. Colti di sorpresa, i suoi compagni la seguirono, ma non riuscirono a raggiungerla all'interno del locale.

Kai si alzò e uscì in un lampo. Sentì Julian sussurrare "Buona caccia" da qualche parte dietro di lui e sorrise.

* * *

Te si muoveva senza fretta dentro e fuori da Stephan, quando il sigillo che aveva sul petto iniziò a bruciare.

226

Smise di muoversi, suscitando un gemito di protesta del suo vampiro. Scivolò fuori, si sdraiò supino e invitò Stephan a mettersi a cavalcioni, in modo da poter prestare attenzione al sigillo e fare meno fatica.

Con un sogghigno seducente, Stephan spalancò le gambe, mettendosi in mostra per Te. Quando ritenne che il demone avesse guardato abbastanza, gli afferrò il membro, lo fece scivolare qualche volta lungo le labbra lucide e poi iniziò una scivolata lenta e bella, inghiottendolo nel canale scivoloso, fino alla base.

Te ghignò. Aver dato una vulva a Stephan era stato un colpo di genio, per quel che lo riguardava. Era una cosa perversa, sì, perché Stephan non aveva mai chiesto, né insinuato in alcun modo di volere genitali diversi da quelli maschili con cui era nato. Tuttavia, voleva essere il Consorte di Te. Facendo accordi, Te aveva fatto la sua proposta. Dire che il suo vampiro non godeva della leggera umiliazione di scambiare i suoi organi sessuali per il titolo e il privilegio sarebbe stato falso. Per come andavano gli accordi, secondo Te, gli era andata di lusso.

Mentre Stephan lo cavalcava, si concentrò sul sigillo. Non era una sensazione particolarmente spiacevole, più un calore che un bruciore vero e proprio, ora che ci faceva attenzione. Era la prima volta, da quando Lucifero gliel'aveva apposto, che aveva preso vita. Il sigillo era il suo giuramento di lealtà a Lucifero. Implicita, in quel giuramento, era la promessa di

Te di proteggere Kai, se fosse stato necessario. Il fatto che si fosse attivato voleva dire che Kai era in qualche guaio. Dalla mite sensazione che gli dava, suppose però che non fossero guai seri. Era più un *suggerimento* che Kai potesse aver bisogno del suo aiuto. Kai era stato molto suscettibile di recente, quindi pensò fosse meglio aspettare. Non voleva che pensasse che lui non lo ritenesse in grado di badare a se stesso. Decise che, se la sensazione non fosse passata, dopo aver finito con Stephan, sarebbe andato a cercare Kai per aiutarlo a risolvere la questione.

Qualche secondo più tardi, la sensazione passò.

* * *

Il brandy Corolon aveva funzionato: per la prima volta da ore, Kai si sentiva libero. Tutto quello che aveva ingombrato la sua mente – la mancanza di Lucifero, la Rappresentazione, la preoccupazione per Roberta – era sparito, sostituito da un desiderio primordiale bene accolto. L'eccitazione per le uccisioni imminenti gli formicolò lungo la schiena mentre si fondeva con le ombre, dirigendosi con passo silenzioso verso il retro del vicolo, dove si era riunito il gruppetto.

Il meticcio numero due stringeva la meticcia in un abbraccio molle, sussurrandole all'orecchio, mentre lei si rannicchiava contro di lui. Appoggiata al muro, la rossa, un po' alticcia, si risistemava. Con un balzo tra le ombre, Kai saltò in cima all'edificio più vicino, per vedere e ascoltare dal tetto basso.

"Sei sicura che sia uno di noi?" chiese il meticcio numero due.

"È questo il punto, Frankie. Non so cos'è. Mi ha spaventata, ok?" piagnucolò lei.

"Ti ha spaventata, eh?" chiocciò quello che Kai aveva supposto fosse il capo, il meticcio numero uno, avvicinandosi e abbracciandola dall'altro fianco. "Qualsiasi cosa sia, non la farà franca", la calmò, poi mostrò le zanne in un sorriso ferino. "Giusto, Frankie?"

Kai vide lo sguardo di Frankie e pensò che non ne fosse poi così convinto.

"Guarda, Vic", disse Frankie. "So che Rosie non si spaventa facilmente, quindi se sta sclerando, direi di andarcene e basta. Lasciamo perdere. Non voglio che facciamo ancora la fine di Chattanooga".

Vic lasciò andare Rosie e prese Frankie per il collo, inchiodandolo contro il muro. "Mi stai sbattendo di nuovo in faccia Chattanooga, Frankie? Pensavo di averti detto che è stato un incidente. Che ti avevo detto, sul non buttarci addosso le tue stronzate di sensitivo ecologista? Eh? Che ti avevo detto?"

Kai era eccitato, ma anche arrabbiato e triste che non ci fosse Lucifero a far comparire i popcorn e a dargli un flashback su Chattanooga.

Frankie abbassò gli occhi e si afflosciò nella stretta di Vic; Kai però vide che non aveva intenzione di arrendersi. "Mi ci sono voluti due mesi per guarire, Vic. E chissà se il tuo cazzo sarebbe ricresciuto, se te l'avessero tagliato. Sto solo dicendo che mi puzza di guai, tutto qui".

"Per te tutto puzza di guai". Vic lasciò andare Frankie, che si accasciò contro il muro. "Mi ha stufato. Fattene una ragione". Fece un passo indietro e si voltò verso le femmine. "Ok, non daremo la caccia a quel tizio. Come vi pare. Basta che facciamo qualcosa. Mi annoio e ho fame".

"Voi andate avanti. Vi raggiungo dopo". Frankie prese le distanze dagli altri. Non sembrava convinto che Vic dicesse sul serio. Si allontanò nel vicolo in direzione opposta a quella che volevano prendere gli altri.

Vic voltò le spalle a Frankie e si allontanò; la ragazza gli corse dietro.

"Andiamo, Frankie. Non fare così", lo implorò Rosie, indecisa sul da farsi.

"Puoi venire con me", disse lui, continuando a camminare.

"Stronzo", sibilò lei. Si voltò e affrettò il passo per raggiungere Vic e l'umana.

Kai guardò i compagni di Frankie allontanarsi. Poi saltò giù per unirsi a lui nel vicolo. "Notevole. Un meticcio con il senso di autoconservazione".

Frankie si voltò, spaventato dalla voce sconosciuta. "Merda". Il suo volto cominciò a cambiare.

"Io mi controllerei, se fossi in te". Kai si riferiva

alla deformazione del viso del meticcio in risposta al desiderio di nutrirsi o di lottare. "Se ti fermi adesso, la tua morte sarà rapida e indolore", disse, godendosi la crudeltà della richiesta.

Con sforzo e tanti respiri profondi, Frankie riuscì a fermare la metamorfosi, impressionando di più il tormentatore, pur senza volerlo.

"È raro, un meticcio che sa controllarsi. Lo sapevi?"

Frankie, visibilmente turbato, scosse la testa. Iniziò ad arretrare, purtroppo per lui nella direzione sbagliata. Il muro lo fermò. Alzò le mani, in un gesto conciliante. "Non avevo intenzione di darti la caccia. Non mi interessa chi sei. Non puoi lasciarmi in pace? Lasciarmi andare?"

Kai si avvicinò. "Per ragioni che non capirai mai, no, non posso lasciarti andare. Ma posso mantenere la mia promessa". Sollevò una mano e strappò la testa dal corpo.

Non era stata una morte pulita, ma almeno era stata veloce, come gli aveva promesso. Turbato, gettò la testa accanto al corpo e uscì dal vicolo. I licantropi l'avevano seguito: lasciò che si occupassero loro di fare le pulizie.

* * *

Te stava crogiolandosi nel piacere dopo il sesso mentre pensava di andare a controllare Roberta –

231

John non era ancora venuto a chiamarlo – quando il sigillo prese di nuovo vita. Che stava facendo Kai? Era caldo, come prima. Ma come prima, non sembrava esserci urgenza.

Lasciò dormire Stephan, si ripulì, si vestì e uscì dalle loro stanze.

Pochi minuti più tardi, si accorse appena che il calore del sigillo era svanito.

* * *

Kai era confuso dalle proprie emozioni. Per un attimo – certo, era stato breve – aveva pensato di lasciar andare il meticcio.

Frankie. Si chiamava Frankie.

I meticci erano un abominio, bisognava ucciderli a vista, e non era cosa da mettere in discussione. Eppure lui si sentiva in colpa. Il che era oltraggioso. Gli mancava solo che un meticcio lo facesse sentire in colpa. Si arrabbiò. L'avrebbe fatta pagare ai compagni di Frankie, godendo della loro morte. Per trovarli, non ci sarebbe voluto molto. Non erano affatto silenziosi.

"Oh merda! Non ditemi che l'abbiamo perso", si lamentava Rosie a qualche strada di distanza.

Ridacchiò. Con un balzo fra le ombre, si ritrovò davanti a un minimarket. "Per la cronaca, Frankie aveva ragione", disse, sapendo che potevano sentirlo. "La sua morte è stata indolore. La vostra?" Sparì con un passo fra le ombre di lato, riapparendo dietro di

232

loro, abbastanza vicino da bisbigliare all'orecchio di Vic: "Sarà *divertente*".

"Merda!" urlò Vic, girando su se stesso.

Kai era sparito.

La ragazza gridò e si mise a correre.

"Che cazzo, Vic? Che cazzo?" strillò Rosie.

"Calmati, cazzo!" urlò lui. "Guarda, prendiamo Monica e leviamoci di mezzo". Partì di corsa, con Rosie alle costole.

Trovarono la ragazza a un isolato di distanza. Piangeva nascosta dietro un cassonetto. Vic la prese fra le braccia.

"Frankie è morto", singhiozzava. "Non lasciare che mi uccida. Ti prego non lasciare che mi uccida!"

"Credo che nessuno sia annoi, adesso". Kai si appoggiò all'altra estremità del cassonetto.

Monica pianse ancora di più e Vic la trascinò via, seguendo Rosie, che stavolta era in testa.

"Dove abbiamo lasciato la macchina?" urlò la meticcia.

"Cazzo! Non me lo ricordo".

Kai rise. Lasciò che guadagnassero un po' di terreno. Seguirli era facile. Erano lentissimi. Sarebbe stato prudente, per loro, lasciare la ragazza. Sperò che lo facessero.

Il gruppetto si fermò a un angolo. Monica annaspò, senza fiato.

"Ferma quella macchina!" Rosie indicò un'auto in arrivo.

Vic si parò davanti al veicolo, costringendo il conducente a frenare. Poi corse da lui, spalancò la portiera, lo afferrò e lo gettò in strada, incurante delle sue proteste. Rosie spinse Monica sul sedile posteriore e salì a sua volta. La macchina partì sgommando.

Kai quasi si mise a ballare per la gioia di prolungare l'inseguimento. Continuò a rincorrerli con balzi fra le ombre.

Seguire un'auto a piedi non era facile; ciononostante si divertì. Dubitò che i licantropi, che gli stavano ancora dietro, si divertissero altrettanto. Per sua fortuna, il traffico sulla I-26 era leggero, e le ombre erano tante.

Quando prese l'uscita dall'autostrada che portava sulla Spruill Ave, la macchina andava a una velocità normale. Dunque, le prede pensavano di essergli sfuggite. Le inseguì ancora per strade deserte, passando da case malandate o abbandonate. Alla fine, l'auto rallentò e si fermò davanti a una casa dall'aria triste, in fondo a una strada senza uscita chiamata con numeri e trattini anziché con un nome vero e proprio.

Entrambe le femmine, che si erano calmate, entrarono nell'edificio dal retro. Monica sorrideva. Vic si allontanò, senza dubbio per abbandonare l'auto. Ricomparve circa mezz'ora dopo, cauto, guardandosi alle spalle di tanto in tanto. Una volta che ebbe raggiunto la casa, si guardò intorno un'ultima volta e poi andò sul retro, sparendo alla vista di Kai.

A giudicare dall'aspetto, la casa non era più abitata da qualcuno che se ne prendesse cura da parecchio tempo; era un rifugio per senzatetto o vagabondi. I meticci potevano accamparsi lì in relativa sicurezza, finché non fossero stati pronti ad andare altrove. Le finestre erano coperte da assi. Vista dalla strada, la casa era buia.

Kai seguì il sentiero che portava sul retro, facendosi strada nel cortile invaso di erbacce. Dalle fessure tra le assi sulla finestra della cucina filtrava una luce fioca. La porta a zanzariera aveva il chiavistello rotto; quando l'aprì, si mosse sui cardini in modo sorprendentemente silenzioso. La porta sul retro non era chiusa a chiave. La cucina era piccola, illuminata da un fornello da campo sul piano sporco.

Non aveva ancora oltrepassato del tutto la soglia, quando Monica gli si scagliò contro con un paletto. Lui l'afferrò, lasciando che la stessa spinta della ragazza gli forzasse il paletto nel cuore mentre la fissava negli occhi. Fu estremamente doloroso, ma ne valse la pena, per godersi il terrore che le distorse i lineamenti davanti al proprio sorriso foriero di morte. La lasciò andare.

Lei arretrò, fissandolo.

Senza interrompere il contatto visivo con lei, estrasse il paletto. La ferita sul suo petto si rimarginò immediatamente. Chiuse la porta. "Non disturbiamo i vicini".

Il trambusto attrasse Vic e Rosie in cucina, appena in tempo per vedere Kai che leccava il proprio sangue dal paletto.

"Non è morto, Vic. Non è morto!" Monica sprofondò sul pavimento, singhiozzando.

"Cosa cazzo sei?" sussurrò Rosie. I suoi occhi osservavano Kai con incantato orrore, mentre lui finiva di pulire il paletto con la lingua.

Lasciò cadere il pezzo di legno pulito e mise una mano nella tasca della camicia, da cui estrasse la fiaschetta. "Sono ciò di cui dovreste aver paura, se foste abbastanza intelligenti. Ma non lo siete". Prese una sorsata di acqua dalla fiaschetta e gliela sputò in faccia.

La meticcia urlò quando l'acqua santa iniziò a bruciarle la pelle.

Lui si pulì la bocca e fece una risatina oscura. "Probabilmente ti resterà una cicatrice". Ridacchiò ancora, sentendo il mondo inclinarsi e la sua sanità mentale scivolare via.

Vic sembrava indeciso tra il desiderio di aiutare Rosie e quello di scappare.

Kai lo ignorò. Si voltò verso Monica, ancora inginocchiata nell'angolo. "Tu resterai lì. Se non ti muovi, non ti uccido. Annuisci se hai capito". La rossa annuì; le lacrime le colavano dagli occhi gonfi e arrossati. Si era affidato a un ordine perentorio perché non aveva intenzione di darle il suo sangue, per soggiogarla. Certi umani sembravano fatti apposta per obbedire.

Nel frattempo, Vic aveva deciso che fare: gli si

scagliò contro... ma finì con l'agitare le braccia nell'aria.

"Finalmente hai trovato le palle per attaccarmi, eh? Eccellente", disse Kai, dalla stanza accanto.

Vic prese un coltello dallo stivale e andò a cercarlo. Superò Rosie, che era in ginocchio a lamentarsi dal dolore. Guardò nella stanza accanto: sembrava vuota. Dopo un attimo di esitazione, si mosse lento all'interno.

Kai lo colpì con forza da sinistra: il meticcio perse l'equilibrio, finì contro il muro e si ritrovò seduto a terra, stordito.

Rosie intanto stava strisciando per raggiungerlo. Quando ci riuscì, gli afferrò la gamba, gemendo. Il suo viso era distrutto. L'acqua santa l'aveva colpita in pieno e stava bruciando la pelle. Presto avrebbe raggiunto l'osso. Con le labbra arricciate per il disgusto, Vic scalciò finché lei non lo lasciò andare.

La puzza della carne in suppurazione investì le narici di Kai, foderandogli la gola. "Non era brutta, prima. Forse dovresti porre fine alle sue sofferenze". Adesso era accovacciato davanti a Vic.

"Qualsiasi cosa tu sia, morirai!" Con le zanne fuori e il coltello in mano, Vic ruggì e gli si scagliò addosso.

Kai lo schivò senza sforzo. "Sono un vampiro", gli rivelò. "Potrei dire di essere come te, ma non è vero", aggiunse a voce bassa, in tono cospiratorio. "Tu non sei niente".

Il meticcio tornò alla carica: stavolta Kai lo sventrò con un colpo aggraziato del braccio. Vic collassò a terra con un gemito.

"Bel trucco, quello con il paletto", stava continuando Kai. "Gliel'hai insegnato tu?" Con un calcio gli ruppe le costole e lo mandò a sbattere sul muro dall'altro lato della stanza. "Se io fossi un meticcio, come te, avrebbe funzionato, sai". Lo raggiunse con calma e lo prese per una gamba.

Vic si dibatté. Cercava di trattenere le viscere nel corpo e al contempo di sfuggire alla sua presa.

"Ma non è così facile liberarsi dei purosangue". Gli afferrò il piede e lo girò con forza verso destra, dislocandogli la gamba all'altezza dell'anca. Vic urlò. Kai lo lasciò andare e rimase a guardarlo.

"I purosangue sono una leggenda!" Il meticcio si girò a pancia in giù e cercò di allontanarsi strisciando.

Kai gli si sedette a cavalcioni, afferrò il coltello che Vic sorprendentemente aveva ancora in mano e glielo affondò nella nuca, separando le vertebre. "Sai, ogni meticcio che ho ucciso credeva che io fossi una leggenda". Ridacchiò e si avvicinò in modo da potergli sussurrare all'orecchio: "Come ti senti all'idea che verrai ucciso da una leggenda?"

Mentre si alzava, la risatina divenne una risata. Prese Vic per la camicia e lo trascinò fino al divano; le interiora del meticcio strisciarono per terra, fuori dal corpo flaccido. Lo mise seduto in qualche modo, poi andò in cucina. Rovistò tra i cassetti e gli armadietti.

Sperava di trovare... Uh, sì! Un intero cassetto di posate! Forchette, cucchiai e coltelli smussati.

Con un gridolino di gioia, tornò nel salotto portandosi il cassetto. Lo appoggiò sul divano per essere più comodo, afferrò una forchetta e la infilzò nella spalla di Vic, inchiodandolo allo schienale. Quindi fu la volta di un coltello nella coscia. Con un sorriso folle congelato sul viso, afferrò diversi utensili e procedette a infilzare Vic sul divano in punti a caso.

"È un peccato che tu non senta più niente. Mi dispiace molto", disse Kai. "Ma devi ammetterlo: così è molto più facile". Fu allora che si ricordò degli intestini. "Dannazione", gemette, chinando la testa.

"Secondo te, quanti anni ho, Vic?" Non si aspettava una risposta: gli aveva troncato le vertebre troppo in alto. Si sedette sui talloni e guardò i suoi occhi tristi e terrorizzati. "Sono nato nel dodicesimo secolo... Nel 1110? O era il 1112? Non ero nessuno, quindi la mia nascita non è stata registrata. Ciò che intendo dire, però, è che ho visto molte cose. So molte cose". Giocò distrattamente con una spirale di viscere. "Quello che avrei dovuto fare", disse, gesticolando con la forchetta che aveva in mano, "era romperti abbastanza ossa da renderti accondiscendente, e poi legarti con questo". Indicò il tubo morbido nell'altra mano; non poté fare a meno di notare il sollievo negli occhi di Vic. "È una fortuna, per te, che io sia fuori allenamento. Ma", e sottolineò la parola infilandogli la forchetta nella coscia, "ti servirà

239

un buon posto per la prossima parte, e suppongo che non importa come lo ottieni".

Si alzò e andò da Rosie, che a quel punto era a malapena cosciente, per via della lenta erosione della testa. Se non si fosse sbrigato, sarebbe morta troppo presto. "Be', almeno una soffre", commentò, trascinandola fino al divano.

La mise accanto a Vic e infilzò anche lei con le posate, senza badare ai suoi scarsi tentativi di scappare. L'unico suono proveniente dal viso rovinato era un miagolio costante, che diventava più stridulo a ogni pugnalata. Quando il cassetto fu vuoto, si alzò, aprì la porta d'ingresso e rimosse abbastanza assi da potersi affacciare all'esterno.

Notò i giovani licantropi in forma di lupo dall'altro lato della strada; si tenevano a rispettosa distanza. Sorridendo fra sé, riuscì a sopprimere la voglia di far loro cenno di raggiungerlo. Dall'esterno tolse le assi che proteggevano la finestra e con la mano salutò le due figure sul divano al di là del vetro, prima di rientrare.

"Il sole sorgerà presto. Dimmi, Vic, quand'è stata l'ultima volta che hai visto il sole?" gli domandò guardando fuori dalla finestra panoramica appena scoperta. Il cielo rosa indicava l'alba.

Si voltò per guardare il vampiro paralizzato: era nel panico. "So cosa stai per dire. Non c'è di che, davvero. È stato un piacere". Andò verso la cucina. "Godetevi la vostra ultima alba. Nel frattempo, credo che farò amicizia con Monica".

* * *

"Io quello non lo metto", dichiarò Roberta ancora una volta, in tono di sfida.

Te sospirò e si chiese dov'era finita la donna triste e spaventata che aveva dovuto rassicurare, perché quella nuova versione gli stava sui nervi. Aveva incrociato John-lavanda nel corridoio: l'aveva mandato lei a cercarlo. Sentirsi dire che un'umana l'aveva convocato, era stato persino divertente.

Il divertimento però era evaporato non appena era entrato nella stanza e aveva visto il suo sguardo di ribellione. Te era confuso; non sapeva quale fosse esattamente il problema. Andò a raccogliere l'indumento nell'angolo in cui lei l'aveva gettato. Districò le catene in alcuni punti: ecco fatto, era di nuovo a posto. Lo sollevò, perché potessero vederlo entrambi. "È bellissimo. Sarai gradevole, con questo addosso". Le gettò un'occhiata e ne ebbe la conferma: sembrava fatto apposta per contenere le sue forme generose. Insomma, qual era il suo problema?

"È... è... osceno", balbettò.

Ah, quello. Qualsiasi schiava nella Città sarebbe stata onorata di indossarlo, per il solo fatto di averlo ricevuto in dono dal padrone; l'avrebbe preso come un gesto di apprezzamento dei suoi servigi. Vero, però: la vita degli schiavi umani nella Città era dura, presto insegnava loro ad accettare con gratitudine anche ciò che ritenevano di dubbio gusto. Roberta non aveva gli stessi punti di riferimento.

"E non sono la schiava di nessuno!"

Smise di ascoltarla per un po'. Quando ricominciò a prestarle attenzione, lei lo stava guardando male, con le braccia incrociate sull'ampio petto. Non la prese a schiaffi solo per deferenza verso Kai. Roberta doveva imparare il rispetto e l'obbedienza. Come, però, era a discrezione di Kai. "Ti ho informato su qual è il tuo posto qui. I tuoi capricci non cambieranno le cose".

"Allora lasciami andare! Portami a casa! Non voglio essere una prigioniera o una schiava!"

Il sigillo sul petto di Te prese vita all'improvviso. Il dolore fu così intenso che lo fece cadere in ginocchio. La donna gli stava ancora parlando. Dovette lottare per concentrarsi abbastanza da sentirla sopra il dolore.

"Stai bene? Devo chiamare qualcuno?"

"No, non chiamare nessuno. Non lasciare questa stanza". E poi sparì.

TREDICI

Te si trovava dall'altro lato della strada rispetto alla casetta triste. Chissà cosa ci faceva Kai, lì dentro. Il sigillo sul petto si era calmato, ma bruciava ancora. Un paio di lupi mannari del branco di Risha trotterellarono da lui riprendendo la loro forma umana. In realtà non era necessario: per Te non sarebbe stato un problema recuperare le informazioni dalle loro menti mentre erano in forma di lupo. Probabilmente non lo sapevano. Faceva lo stesso. I Non-umani tendevano a innervosirsi di fronte all'entità del suo potere. Facendo a quei due una cortesia, pose un'illusione sui loro corpi nudi, per evitare che attirassero attenzioni indesiderate; il quartiere era deserto, ma stava lentamente iniziando a risvegliarsi.

"Qual è la situazione?" chiese quando furono abbastanza vicini da poter conversare con un tono normale.

"Signore, grazie, Signore". Il più vicino gli fece il saluto ringraziandolo per l'illusione. Te non glielo fece pesare. Era un licantropo giovane, stava improvvisando: era evidente che non si sarebbe mai aspettato di trovarsi faccia a faccia con lui.

Quando lo raggiunse, il compagno gli diede una gomitata e si inchinò a Te. "Mio Signore".

Imbarazzato, il giovane copiò l'inchino, ma tenne la bocca chiusa.

"Lord Kai ha seguito tre meticci e un'umana fino a questa casa prima dell'alba", rispose il secondo licantropo, con gli occhi fissi sul naso di Te. "Non è ancora uscito".

Te indicò il licantropo giovane. "Tu. Tieni d'occhio la strada". Rimase a guardarlo mentre riprendeva le sembianze di lupo e si appostava nelle vicinanze. "Tu", disse all'altro, "vieni con me".

Attraversò la strada e andò alla porta. Da dove si trovava prima, il riflesso del sole sulla finestra gli impediva di vedere, ma da vicino colse subito la scena raccapricciante all'interno. Kai non si vedeva.

"Va' sul retro, ma non entrare".

Il licantropo si allontanò in fretta e sparì dietro l'angolo.

Un tocco sulla porta fece cadere le assi rimaste. Te entrò. I vampiri bruciavano lentamente. Dubitava che avrebbero incendiato il divano. Si ripromise di mandare i licantropi a pulire, dopo.

La puzza di sangue e di brandy Corolon l'attirò in cucina. Si fermò di botto sulla porta. Non se l'aspettava, una scena del genere. Vide che anche il licantropo fuori dalla porta sul retro era impressionato; avrebbe dovuto modificargli la memoria, prima di rimandarlo dal branco. C'era sangue ovunque, per lo più raccolto in due zone. In una, c'era Kai, nudo. Nell'altra, una ragazza, che ne era apparentemente la fonte. Era giovane – dubitò che avesse superato da molto i vent'anni – e a malapena riconoscibile. Entrò, notando con disgusto che il proprio completo color crema tendente al beige, le scarpe abbinate, e forse persino il cappotto, avrebbero avuto bisogno di una pulizia accurata. Al pensiero provò un leggero fastidio.

Incredibilmente, la ragazza era ancora viva. Te si inginocchiò accanto al corpo deturpato e toccò quel che restava del viso. "Riposa", disse, liberando la sua essenza.

"Avresti potuto guarirmi", disse una voce accanto a lui.

"Cos'è successo, qui?" chiese alla ragazza morta.

"Non è ovvio? Perché non mi hai guarita?"

"Non sono un addetto alle pulizie cosmico, ecco perché. Rispondi alla mia domanda".

Lei sospirò pesantemente. Fu più una sensazione

che un suono, dato che non respirava. "Come ti pare".

"Se preferisci, posso riportarti indietro. Le tue scelte ti hanno portata qui". Indicò con la testa i due vampiri morti in salotto. "Ti avrebbero uccisa, prima o poi. Fa' la vittima con qualcuno che ci crede".

"Mi avrebbero resa come loro".

"Esatto. Morta. Non farmelo chiedere di nuovo".

"Come ti pare", sbuffò. "Pensavo che mi avrebbe scopata, ma poi non riusciva a farselo alzare. Allora mi ha morsa e ha vomitato ovunque. Era patetico. Mi mordeva e vomitava, mordeva e vomitava, mordeva e vomitava. Ancora e ancora. È un vampiro, o cosa? Credo che poi si sia arrabbiato, perché ha cominciato a picchiarmi. Stronzo".

Te ebbe l'impressione che, se fosse stata corporea, avrebbe preso a calci Kai; ma senza corpo, l'intenzione fu priva di efficacia.

"Puoi andare, ora".

"Andare dove? Non dovrebbe esserci qualche cazzo di luce o roba del genere?"

Nessuno della Casa di Azrael era venuto a scortarla, il che rafforzò la paura di Te che quello che gli aveva detto Uriele fosse vero. Non era rimasto nessuno. Si chiese dove sarebbe andata, dove sarebbero andati anche gli altri morti, ora che il Paradiso non esisteva più. Ma non era un suo problema. "Va' dove ti pare. Basta che scompari dalla mia vista".

Per fortuna, lei obbedì: lentamente e lamentandosi tutto il tempo, ben presto lo lasciò solo.

Rivolse allora l'attenzione a Kai: nudo e svenuto, era riverso nel suo stesso vomito – brandy Corolon misto al sangue della ragazza. Maledisse Lucifero nella loro lingua natia, sentendosi in colpa, ma anche sollevato dal fatto che non fosse lì a sentirlo.

Andò alla porta sul retro. "Puoi andare a fare rapporto a Risha", disse al licantropo, omettendo le condizioni di Kai dalla sua mente. "Data l'alba e, con essa, la tua accresciuta visibilità, l'illusione resterà fino al tuo ritorno, per facilitarti il passaggio".

"Certo. Grazie, mio Signore". Il licantropo si inchinò, si trasformò e se ne andò.

Dopo aver dato fuoco alla casa, Te sparì con Kai, soddisfatto: entro poche ore, tra le comunità di Nonumani sarebbero circolate voci sulla brutalità di Kai, ma non sulla sua debolezza.

* * *

Tornati a casa, depositò Kai ancora privo di sensi nella vasca da bagno. Aprì l'acqua e con la doccetta portatile lavò via la maggior parte del sangue. Poi prese un rasoio dall'armadietto delle medicine, si ferì il polso e lo accostò alle labbra di Kai, sperando che l'istinto lo stimolasse a bere.

Non c'era da preoccuparsi: appena il sangue toccò le sue labbra, Kai tornò in vita, gli afferrò il

braccio come se fosse un'ancora di salvezza e suc-
chiò il sangue con tale forza e rapidità che Te si
chiese se sarebbe svenuto. Ovviamente no, non
svenne, ma il pensiero gli passò per la testa. Mentre
Kai beveva, il sigillo sul petto si raffreddò fino a tornare inerte. Quando Kai riaprì gli occhi, Te ritirò il
polso.

Il vampiro lottò per riaverlo indietro, ma si arrese
di lì a poco, rendendosi conto che non avrebbe vinto.
"Cos'è successo?" A parte l'intontimento, sembrava
stesse bene.

"Datti una ripulita e poi me lo dirai tu", gli disse
Te prima di alzarsi e lasciare la stanza.

Entrò nella camera da letto padronale e si tolse i
vestiti bruciandoli fino a rimanere nudo. Poi indossò
un paio di pantaloni del pigiama bianchi di seta presi
dall'armadio di Lucifero. Non l'avrebbe mai fatto
mentre Lucifero era in vita, ma adesso era abbastanza
arrabbiato con lui da giustificare la piccola tra-
sgressione.

Aprì le porte sulla veranda e uscì. Era una bellissima mattina. La brezza che veniva dal fiume era
fresca e delicata. Si appoggiò alla ringhiera del portico e si costrinse a rilassarsi.

Non sapeva con chi fosse più arrabbiato: con Kai,
per non essere venuto da lui per il sangue; o con Lucifero, per aver messo Kai in quella posizione. Dalla
scena nella casa di prima, era ovvio che il vampiro
non tollerasse più il sangue umano. Forse Lucifero

non aveva idea che sarebbe successo. Ma, conoscendo Lucifero, Te ne dubitava.

Un rumore proveniente dalla camera da letto richiamò la sua attenzione. Si voltò. Fresco di doccia, Kai gli stava venendo incontro con un accappatoio blu scuro. Te rimase colpito da quanto fosse attraente. Non succedeva spesso, per lo più perché si era addestrato a non pensare a Kai in quel modo, per via di Lucifero.

Ma Lucifero era morto, e Kai era... libero.

In cuor suo si vergognò del tradimento, ma il desiderio non se ne andò. E non c'era ragione per cui lo sopprimesse. Non più.

Kai aggrottò le sopracciglia; si sentiva osservato.

Te si appoggiò alla ringhiera, sostenendosi con le braccia ai lati. "Vuoi dirmi cos'è successo?"

Kai aggrottò ancora di più le sopracciglia e alzò le spalle. Alla luce del mattino, i sigilli sul suo viso, e quelli visibili fuori dall'accappatoio, brillavano e danzavano. Era il dono potente di Lucifero: far sì che la loro lingua scritta sembrasse avere vita propria. Per i suoi simili, gli unici in grado di leggerla, sarebbe sempre stato così. Il sigillo sul viso di Kai – dove Lucifero aveva scritto il proprio nome perché tutti lo vedessero – si faceva beffe del desiderio di Te. Il demone bramava di coprirlo con la mano e di percorrere gli altri con le labbra, a dispetto del proprio giuramento. Lucifero aveva dannato Kai, e ora non c'era più. Non era giusto.

"Tutto si annebbia dopo che ho seguito i meticci in casa. Credo di aver bevuto troppo brandy Corolon". Kai arricciò le labbra, imbarazzato per aver perso il controllo. Scosse la testa. "Non mi ricordo. Poi mi sono svegliato nella vasca. Bagnato". Le sue labbra si incurvarono divertite, ma gli occhi erano preoccupati. "Devo essermela spassata, se hai dovuto ripulirmi mentre ero ancora svenuto". Si stiracchiò. "Non ricordo nemmeno di averti chiamato".

"Ho fatto una promessa a Lucifero. No, più che una promessa. Un giuramento, siglato con la mia essenza". Indicò il simbolo inciso nella carne al centro del pettorale sinistro. "Questo è il simbolo di quella promessa".

Kai sgranò gli occhi per la sorpresa e aprì l'accappatoio per mostrargli un simbolo simile sul suo petto, esattamente nello stesso punto.

"Ci collegano", disse Te.

"Che significa?"

"Significa che se tu fossi in pericolo mortale, io lo saprei subito. E ti troverei subito. È l'idea di assicurazione sulla vita che ha Lucifero".

"Ieri notte ero in 'pericolo mortale'? Avrei giurato che lo fossi di più a combattere contro i Ronin che ad azzuffarmi con dei meticci". Kai era incredulo.

"Aspetta. Hai combattuto contro i Ronin, e sei sopravvissuto?" Te non intendeva insultare Kai, sminuendo le sue capacità: era un dato di fatto che da uno scontro con i Ronin di solito non si usciva vivi.

Il vampiro però non se la prese; lo sapeva benissimo anche lui. "Me la sono cavata da solo", disse con un certo orgoglio. "Li aveva assunti Gregory. Sapevano perché ero lì e mi hanno consentito di prenderlo".

"Impressionante". Te sorrise quando Kai si inorgoglì. Poi si fece serio. "Era il sangue. Avevi bisogno di sangue. Non sangue qualsiasi; il *mio* sangue. Tracannare Corolon non ti è servito a niente. Perché non sei venuto da me?"

Un barlume di consapevolezza passò nello sguardo di Kai. "Avevo pensato di esserne dipendente, ma..." Si voltò, entrò nella stanza e si sedette sul bordo del letto. Con i gomiti sulle ginocchia, abbassò la testa fra le mani; i capelli ancora umidi si riversarono in avanti, nascondendogli il viso. "Non me l'avresti detto".

"Il mio sangue era un sostituto accettabile fino al ritorno di Luc".

"A proposito, dov'è? Perché non è ancora tornato?" Kai aveva chiuso le mani e si stava tirando i capelli.

In quel momento, Te si domandò quanto dell'amore di Kai per Lucifero fosse dovuto alla dipendenza del vampiro dal sangue dell'angelo caduto. Detto altrimenti: Kai era soggiogato. Lucifero gli aveva fatto ciò che Kai si era rifiutato di fare all'ex segretaria di Gregory: l'aveva reso schiavo. Pensò di dirglielo apertamente, ma quando vide il suo sguardo impaurito, lasciò perdere. Dal proprio viso doveva essere trapelato qualcosa di inquietante.

"Sai qualcosa. Mi ha lasciato?" Si accasciò sul pavimento. "Gliel'avevo detto, che si sarebbe stancato di me. L'ha fatto, vero? È per questo che ti ha messo il sigillo, che ti ha legato a me. Persino quando non mi vuole, non mi lascia andare".

Il sole entrò nella stanza, incorniciando il suo corpo tremante. Era così che l'aveva trovato Lucifero centinaia di anni prima, mentre piangeva il sire perduto su una strada abbandonata? Vulnerabile. Squisito. Se sì, non c'era da stupirsi che Lucifero l'avesse catturato.

Te entrò e si inginocchiò accanto a lui. "Non ti ha lasciato volontariamente". Anche se non conosceva le circostanze, Te ne era certo. "Uriele crede che sia morto, e io sono incline a concordare". L'incredulità negli occhi di Kai era palese: l'avrebbe guardato allo stesso modo, se gli avesse detto che la luna era fatta di formaggio. "Sembra che le cose non siano più le stesse da un po'. Tutti gli angeli sono morti. E il Paradiso non esiste più".

"Uriele aveva accennato a dei cambiamenti. Ma credevo che fosse criptico solo per fare il misterioso".

Te sbottò in una risata; le labbra di Kai si curvarono in un sorriso ironico. "Uriele è misterioso solo perché non è un gran comunicatore".

Risero entrambi, rasserenandosi.

"Gli credi davvero?" sussurrò Kai. Aveva bisogno di saperlo, anche se porre la domanda fu faticoso.

"Sì. Uriele e io siamo gli ultimi rimasti. Qualcosa o qualcuno ha ucciso tutti gli altri".

"Cosa farai?"

Te scrollò le spalle. "Quello che ho sempre fatto. Uriele resterà nella Città. La vita andrà avanti".

"Io cosa farò?"

"Ti impadronirai del tuo clan e ti unirai al Concilio".

Kai roteò gli occhi e scosse la testa. "Quando si congelerà l'inferno", disse, facendo ridacchiare Te. "Aspetta, come fai a saperlo?"

"Le voci corrono". Alzò le spalle. "Sono anni che Risha accenna al fatto che dovrei parlartene".

Kai annuì e guardò in lontananza. "Voglio dire, *io* cosa farò?"

Te non sapeva dire se lo stato d'animo del vampiro fosse dovuto all'amore per Lucifero o alla dipendenza dal sangue di Lucifero. Decise però che non gli importava. Allungò una mano e la passò fra i capelli di Kai, ne afferrò una manciata e tirò abbastanza da fargli emettere un suono gutturale. Poi avvicinò delicatamente le proprie labbra alle sue, dando a Kai tutto il tempo di allontanarsi, se l'avesse voluto. Ma fu Kai a lanciarsi su di lui, rapido e con forza, concedendo a Te di affondargli la lingua in bocca. Il bacio che iniziò come un'esplorazione divenne una sfida, infine un reclamo.

Quando Te si allontanò, avevano entrambi il fiato corto. "Cosa vuoi fare?"

* * *

Kai non credeva, né avrebbe mai creduto, che Lucifero fosse morto. Ma in quel momento Lucifero non c'era, e Kai aveva bisogno di perdere il controllo. Ai vampiri in generale piaceva il sesso violento; lui non faceva eccezione. Non c'era tempo per i preliminari erotici; magari un'altra volta. Emise gemiti di incoraggiamento e ansimò di piacere mentre Te si scagliava contro di lui, lo distruggeva e poi spargeva i pezzi al vento. Amare Te non era difficile e gli diede un po' di sollievo. Gli doleva il cuore per la mancanza di Lucifero e avrebbe aspettato il suo ritorno. Fino ad allora, sarebbe sopravvissuto. Lucifero aveva fatto in modo che sopravvivesse, e Kai gliene era grato.

* * *

Dopo, Te rimase piacevolmente sorpreso del fatto che Kai si lasciasse coccolare. Una volta sazio, il vampiro era rimasto fra le sue braccia. Stephan invece non ne voleva sapere, di tenerezze del genere. Alcuni dei gatti più coraggiosi rientrarono pian piano nella stanza, dopo essere scappati per il frastuono violento di prima. Tenendosi alla larga da Kai, si piazzarono dalla parte di Te. Di fatto, i gatti e il vampiro avevano fatto una tregua per i loro amati serafini.

"La Rappresentazione è domani notte".

Kai sospirò e rimase docile fra le sue braccia. "Giusto in tempo".

Te mugolò e gli baciò il collo. "Una volta che avrai consolidato la tua posizione, la situazione dovrebbe calmarsi un bel po'". Si arrotolò una ciocca di capelli neri intorno alle dita.

"Ora che Luc se n'è andato, è necessario anche più di prima".

"Vero". Te punzecchiò Kai finché questi non si girò. Erano uno di fronte all'altro. "Ma perché non essere di più? Perché non guidare il tuo clan? Unirti al Concilio?"

Kai lo guardò a lungo, prima di rispondere. "Significherebbe sostituire Lugan. Ma Lugan è il mio unico legame con Aram. Per quanto non andiamo d'accordo, uccidere mio fratello sarebbe come insultare la memoria del nostro sire. Non voglio il clan. Voglio solo che mi rispettino e che mi lascino in pace".

Te la pensava diversamente, ma insistendo avrebbe solo allontanato Kai; siccome non era ciò che voleva, lasciò perdere.

"So cos'hai fatto a Stephan, per la cronaca. Non pensare nemmeno di farlo a me", gli disse Kai, prima di girarsi di nuovo.

Te rise. "Vuoi sapere un segreto?"

La risata di Kai si unì alla sua. "Certo".

"Era il mio prezzo per il suo titolo".

"Gli è andata bene". Ridacchiarono entrambi. "Non ho intenzione di rimpiazzarlo", disse Kai, quando riuscì a smettere di ridere.

"No", Te si fece serio. "È utile dove sta, e il titolo di Consorte gli dà abbastanza potere da agire in mia vece quando è necessario".

"Preferirei non lo sapesse. Di questo, intendo". Kai indicò lo spazio fra loro. "Cercherebbe di uccidermi più del solito. È già abbastanza fastidioso così".

Te emise un suono che significava assenso. "Va bene, altrimenti dovrei ucciderlo. Preferirei di no, se posso evitarlo". Accigliandosi, sollevò un sopracciglio. "Ma non sentirà il mio odore su di te?"

Kai scosse la testa. "No, è troppo giovane per distinguere l'odore del potere dall'odore che ti distingue".

"L'odore del potere?"

Alzò le spalle. "È così che chiamo l'odore dominante. Ora che ci penso, mi chiedo se sono l'unico capace di distinguere tra i due, per via di certe circostanze".

"Intrigante. Che odore ha il potere?"

Kai poggiò la testa sul petto di Te. "Ozono è la parola migliore che mi viene in mente. Il tuo vero odore è più vicino al cedro".

"Cedro, eh? Mascolino senza essere odioso. Mi piace", disse Te, prima di rotolare sopra Kai e baciarlo, ponendo fine alla conversazione.

QUATTORDICI

Roberta raccolse con due dita l'abito offensivo e lo rigettò nell'angolo. Inizialmente perplessa per la sparizione improvvisa del Tizio-Di-Colore, non ci pensava già più. Aveva i suoi problemi di cui occuparsi. Una cosa era certa: non aveva intenzione di andare in giro mezza nuda.

Guardò l'odiato coso ammucchiato sul pavimento. Non era nemmeno un vestito. Erano solo cinghie e catene. E come avrebbe dovuto indossarlo? Lo guardò con disprezzo attraverso le palpebre socchiuse dal centro della stanza. Lui gliel'aveva spiegato, ma a ben guardare, lei non riusciva a distinguere la parte superiore da quella inferiore. Forse una pornostar o una prostituta avrebbe indossato un coso del genere. Lei no.

Non era una puritana. Indossava lingerie, certo.

In privato, o se aveva un amante, sì. Ma di andare in giro in pubblico con quel coso addosso, non se ne parlava proprio. Dubitava pure che le stesse.

Si lasciò cadere sul divano e incrociò le braccia. Forse... Forse, se non fosse così grassa, non avrebbe dato di matto all'idea. Le donne magre amavano ostentare i loro corpi, a giudicare dai vestiti che indossavano. Il coso le ammiccò in tutta la sua gloria di cinghie. Se fosse stata magra, forse avrebbe accolto il suo invito e l'avrebbe provato, forse l'idea di indossarlo non l'avrebbe terrorizzata. Già, forse.

Roberta non riusciva a digerire la storia della schiava. Data la natura del coso che avrebbe dovuto indossare, era piuttosto sicura di sapere cosa implicasse la schiavitù, e non voleva pensarci. Avvolgendosi le braccia intorno al corpo, desiderò ardentemente di poter andare a casa, anche se non sapeva più dove fosse casa sua.

Cinque anni. Aveva perso *cinque anni*. Anche se le sembrava ancora di aver lavorato per lo Stronzo solo per un mese. In effetti, le circostanze in cui le era stato assegnato il lavoro erano state strane. Lei però le aveva ritenute più delle fortunate coincidenze che altro. Aveva appena terminato un lavoro lungo e voleva un po' di tempo per sé, quando Bree, il suo contatto nell'agenzia interinale, l'aveva chiamata.

"So che volevi fare una pausa, ma siamo in difficoltà, Roberta. Aiutaci, per favore. Ti garantisco che ne vale la pena".

"Non lo so".

"Guarda, ci ha già rimandato indietro due candidate. Nessuno si è mai lamentato di te. Se riusciamo a piazzarti lì per poche settimane, così ci fai tornare in buoni rapporti – mentre lui si cerca una segretaria permanente – sarebbe perfetto. Ci faresti un enorme favore. È un cliente che non vogliamo perdere".

"Due settimane? Penso di poter rimandare la vacanza".

"Mi hai salvato la vita. Guarda, alziamo la posta. Considerala una compensazione per la tua mancata vacanza. Che ne dici di quaranta all'ora?"

"Lo prendo". Era quasi caduta dalla sedia, quando Bree le aveva detto la tariffa oraria.

Il colloquio con la Lady di Ferro era stato strano. Le aveva fatto domande che era certa fossero illegali. Viveva sola? Aveva molti amici e un fidanzato? Com'erano i rapporti con i suoi genitori? Tra l'altro, gliele aveva fatte in quella che Roberta aveva creduto fosse una breve chiacchierata dopo il colloquio. Con il senno di poi, capiva perché le era parso tutto così strano. I campanelli d'allarme c'erano stati, eccome. Ora riusciva a vedere chiaramente i segnali di pericolo. All'epoca però, aveva pensato ai soldi e al fiore all'occhiello che sarebbe approdato sul suo curriculum, dopo aver lavorato per la compagnia dello Stronzo; e così le sue esitazioni erano sparite.

Il Tizio-Di-Colore aveva detto che poteva ridarle i ricordi di quegli anni: li rivoleva?

Avvertì un improvviso scoppio d'ansia, e il suo corpo fu attraversato da uno spasmo. Ricordava un mese di abusi. Voleva davvero ricordarne cinque anni? La reazione istintiva era no. Per quel che riguardava gli amici, suppose che avessero rinunciato a lei. E non aveva un fidanzato.

Ma i suoi genitori? Certo, non era mai impazzita dalla voglia di vederli, ma mandava loro i soliti auguri a Natale e ai compleanni. Almeno, lo faceva cinque anni prima. Cosa avevano pensato della sua sparizione? Erano ancora vivi? Strano, non avere più la cognizione del tempo, non saper più cosa fare. Si sentì punta sul vivo. Meglio lasciar perdere. Meglio non pensarci più. Meglio spostare l'attenzione sull'altra cosa folle con cui aveva a che fare.

P2. La-Miglior-Droga-Di-Sempre.

Aveva fumato erba con i suoi amici attori dopo le prove e le lezioni di teatro, si era ubriacata alle feste, ma quella roba andava al di là dei suoi termini di paragone. Lo sballo era fantastico. Non somigliava a niente che avesse mai provato, ed era tutto quello che voleva provare per il resto della sua vita. Fino a quel momento, gli aspetti negativi erano l'irritabilità, gli sbalzi d'umore e un appetito famelico. Ma erano proprio dovuti alla P2? O piuttosto alla scoperta di essere una schiava, tenuta prigioniera in una città sotterranea, e al fatto di non aver mangiato da chissà quanto tempo? Che giorno era, poi?

Forse erano stati gli effetti collaterali della droga

ad averla fatta uscire dai gangheri per lo stupido coso che il Tizio-Di-Colore le aveva detto di mettersi. Era più facile pensarla così. Perché davvero non era da lei. Il Tizio-Di-Colore stava cercando di aiutarla. A parte il fastidioso atteggiamento condiscendente, non si meritava che lei gli urlasse contro in quel modo. Ed era sicuramente meglio dello Stronzo, con cui lei non se l'era mai presa. Quando il Tizio-Di-Colore fosse tornato, gli avrebbe chiesto scusa.

Pensando, Roberta andava su e giù per la stanza. Sentì l'agitazione crescere in sé. Fece un po' di respiri profondi per calmarsi. Ora stava facendo del suo meglio per non pensare a Uriele.

Che sarebbe successo, se non l'avesse soggiogata? Gregory sarebbe scomparso, e forse lei avrebbe avuto ancora la sua vita. Ok, aveva perso cinque anni e forse avrebbe continuato a perderne di più, ma almeno non l'avrebbe saputo. Per quanto fosse disgustoso, quel pensiero era meglio della sua attuale realtà.

Il desiderio di crogiolarsi alla presenza di Uriele lottava con quello di urlargli contro perché le aveva rovinato la vita. Quello che le faceva male davvero, era sapere che a lui, di lei, non importava niente ora, e non era importato niente prima. Aveva continuato a farsi gli affari suoi, intenzionato a lasciarla in quello stato. Bastardo. Era un angelo, per l'amor di Dio! Non ce l'aveva, una coscienza? Una specie di codice sacro che diceva che fare stronzate con le menti umane era sbagliato?

Bussarono alla porta.

Entrò John, inchinandosi profondamente. "Scusi, Signorina. Ha visite".

Subito dopo entrò Uriele: la mente di Roberta si azzerò. Non sembrava più il Tizio-Uscito-Da-Una-Fiaba. Il suo impeccabile vestito di sartoria, così nero che pareva assorbire tutta la luce nella stanza, faceva da contrasto con la luminosità delle sue fattezze. Vederlo fu come tornare a casa. I capelli rossi erano legati in una treccia stretta, appoggiata su una spalla. Roberta avrebbe pianto per l'ingiustizia di legare capelli così belli.

"Vorresti dirmi qualcosa?" Il suo viso era illeggibile. Andò al divano e si sedette, accavallando le gambe e posando le mani in grembo.

Al che Roberta tornò in sé. La furia bruciava in lei mista all'indignazione per essersi resa conto di essersi smorzata non appena l'aveva visto. "Come osi!" La rabbia la consumava. Il Tizio-Di-Colore era stato l'innesco per incendiarla; in Uriele trovò il combustibile. "È questo quello che fate voi angeli? Andate in giro a incasinare la vita alla gente?"

Lui rimase immobile, una statua implacabile, per nulla impressionato dalle sue emozioni. Riuscì solo a farla arrabbiare di più, ma aveva perso le parole. E così fece l'unica cosa che riusciva ancora a fare: urlò.

Urlò, cadde in ginocchio e pianse. Alzò in aria le braccia e le abbassò con forza, battendo i pugni sul pavimento. Le alzò e le riabbassò. Lo fece diverse volte, riversando tutta la frustrazione, l'odio, la rabbia, la disperazione e l'amore – sì, c'era anche amore, il che glielo fece odiare ancora di più – in quel battere ritmico. Quando si fu svuotata e non le rimase altro che la stanchezza, si sedette sul pavimento, ansante.

Imbarazzata, si fissò le mani: erano rosse, pulsanti, gonfie. Qualcosa si mosse alla sua destra: John era a pochi passi di distanza, attirato nella stanza dal frastuono. Era sul punto di scoppiare a piangere.

"Come puoi vedere, la tua protetta è solo illividita". Uriele agitò le dita della mano poggiata sul ginocchio: le mani di Roberta guarirono. "Adesso è guarita. Puoi andare". Guardò fisso la creatura tremante: era riluttante ad andarsene, anche se era stata testimone della guarigione.

Roberta annuì. John esitò ancora, poi si inchinò e lasciò la stanza.

"Sembra che le emozioni intense contrastino gli effetti del soggiogamento".

Lei gli lanciò un'occhiata. Era esausta, ma più lucida di quanto non fosse stata da quand'era lì. Uriele aveva ragione. Lentamente si alzò in piedi, andò a una sedia, vi si accoccolò e si studiò le mani appena guarite. Per quanto gli fosse grata, non era incline a ringraziarlo. "Perché sei venuto? Perché ora?"

Uriele non rispose. Rimase seduto a guardarla. Poi si alzò, andò al balcone, aprì le tende e uscì. Lei rimase dov'era, in attesa. Gli ci volle così tanto a rispondere, che lei non era certa che l'avrebbe fatto.

"Soggiogare è sempre stato un modo conveniente per recuperare informazioni o per ottenere obbedienza". Parlò dal balcone, dandole le spalle, ma lei non aveva problemi a sentirlo con chiarezza. "L'aspettativa era che tu obbedissi immediatamente. La nostra interazione avrebbe dovuto durare solo pochi secondi. Un'esposizione più lunga causa... complicazioni".

Quindi, c'erano conseguenze anche per lui. Bene. Gli stava bene per averle incasinato la vita. Che soddisfazione!

Uriele si voltò: i suoi occhi la trafissero. "Non sono legato a te o sciocchezze del genere. Tuttavia, mi sono ritrovato piuttosto... in sintonia con la tua esistenza". Rimase lì, le mani strette dietro la schiena, una figura scura circondata dalla luce che veniva dall'esterno. Non si agitò, né sprecò movimenti.

Roberta ammirava il suo autocontrollo. Lei invece aveva cambiato posizione più di una volta, mentre lo ascoltava. "Mi hai rovinato la vita". Lo sentì distintamente sbuffare dal naso.

"Non ho fatto niente del genere. Ti eri già dannata da sola".

Scattò in piedi, pronta a scagliarsi di nuovo contro di lui.

"Nel momento in cui hai acconsentito a lavorare per quell'uomo, hai rinunciato alla tua vita".

Si fermò, spaventata all'idea di sentire altro.

"Il complesso conteneva oggetti magici che producevano una pulsione negli umani che ci lavoravano. Una pulsione scatenata dal consenso. Indubbiamente, hai firmato un documento, un accordo".

"Era richiesto".

"Non l'hai letto".

"Be', no. Mi è stato detto che era un accordo di riservatezza standard, quel genere di cose". Sentì il cuore precipitarle nello stomaco per la sua stupida disattenzione verso qualcosa di così basilare.

"Hai ceduto la tua vita. Ma la tua volontà è più forte di quella di molti. Hai trovato una ragione per non perderti completamente nella magia, nell'abuso".

"Ho perso cinque anni della mia vita. Non me lo meritavo". Lui fece un gesto vago, Roberta non ebbe idea se per confermare o per negare il suo punto di vista. "Rivoglio la mia vita".

"Umani!" Uriele sputò. "Il vostro senso di presunzione non smette mai di stupirmi".

Voleva picchiarlo.

"Ti consiglierei di non farlo. Per quanto l'averti soggiogata mi abbia dato quella che potrebbe essere definita un'affinità con te, non sarebbe saggio mettermi alla prova in questo modo".

"Esci dalla mia testa!" Roberta voleva davvero picchiarlo.

"Potrei dirti la stessa cosa".

Era frustrante. "Non hai emozioni? Non sei mai

arrabbiato? O triste? Sei davvero così insensibile da non capire niente di quello che sto passando?"

"L'ultima volta che mi sono arrabbiato, ho distrutto due città". Uriele rientrò nella stanza e sedette sul divano, stavolta in modo più rigido. "Per quanto capisca la tua situazione, quello che non capisco è perché tu debba lagnartene incessantemente".

Non aveva niente con cui ribattere. Due città? Non sapeva molto di angeli o della Bibbia.

"Sodoma. Gomorra".

Oh, quelle due città. Era inquietante averlo nella testa così. Sospirò e si sedette di nuovo sulla sedia di fronte a lui. "Non voglio lagnarmi. È solo... È solo che non so cosa fare. Non posso fare a meno di rivolere la mia vita. Faceva schifo, certo, ma era mia".

Ai suoi piedi, apparve un rasoio.

Guardò Uriele. La stava prendendo in giro o cosa? Non riusciva a leggerlo. Il suo viso radioso era impassibile, come inciso nella roccia viva. Raccolse il rasoio e lo aprì. La lama era affilata: si era appena fatta un taglio sul dito.

"La tua vecchia vita è finita. Hai due possibilità: accetta quella nuova o falla finita. Scegli".

Era serio. "Che razza di angelo sei? Dov'è il conforto? Dov'è la comprensione? Non è un peccato o roba del genere?"

"Scegli".

Roberta lasciò cadere il raso. I suoi occhi si riempirono di lacrime. Non era giusto. Non voleva morire.

Ma non voleva nemmeno essere una schiava. Aveva sempre pensato che la sua vita avesse un senso; non poteva finire così.

"Molti umani passano tutta la vita a cercare una verità fondamentale, qualche significato profondo. Nel frattempo, perdono di vista il punto essenziale. La verità fondamentale è questa: o segui la corrente della vita, o ci vai contro. La tua vita è quello che ne fai. La scelta è tua. Viva o morta, per me non fa differenza".

Lei pianse di più.

"Volevi vedere la Città. Vestiti. Ti ci porto io".

Continuando a piangere, scosse la testa.

"Fa' come ti pare", disse Uriele, e sparì.

Il rasoio rimase lì, ancora lucido nella stanza moderatamente illuminata. Lei lo calciò in un angolo, poi si rannicchiò sulla sedia traendo a sé le ginocchia, e chiuse gli occhi gonfi. La sedia era molto comoda. In effetti, le sue stanze erano molto confortevoli, considerato dove si trovava. Il salotto era ben arredato, la vista dal balcone intrigante. Il letto era invitante. C'erano elettricità e acqua corrente calda e fredda. C'era tutto per il suo confort fisico.

Ma era prigioniera. Era in trappola. Quando finì di piangere, Roberta rimase seduta, desiderando di avere il coraggio di andare nell'angolo e prendere il rasoio.

QUINDICI

DALLA COMODA TANA NEL LETTO, Kai guardò Te vestirsi. Il sangue dell'angelo aveva alleviato la sua fame, ma il cuore gli faceva ancora male.

"Dovresti andare a vedere la tua nuova proprietà".

"Lo so. La sto evitando".

Dopo che ebbe finito di vestirsi – con un abito elegante fucsia con strisce gialle, completo di cappello e farfallino giallo – Te si sedette sul letto. "Senza Luc, hai molto più tempo. Per quanto tecnicamente sia una schiava, può anche essere di compagnia".

Kai si era sollevato sui gomiti; con un sospiro, risprofondò nel letto.

"Mi sono preso la libertà di informarla del suo

nuovo ruolo, oltre a darle informazioni sulla Città". Gli raccontò dei suoi incontri con Roberta. "Mettila in mostra durante la Rappresentazione. Farebbe molto bene alla tua reputazione", gli consigliò, cincischiando con il farfallino finché non fu nella giusta posizione.

Kai lo guardò: non c'era differenza rispetto a com'era messo prima. Si seppellì sotto le coperte. "Fammi un favore: minaccia di castrarmi pubblicamente, la prossima volta che faccio qualcosa di stupido come salvare umani indifesi". La risata di Te gli fece formicolare le interiora. Sentì il letto sprofondare, e le coperte tirate via.

"Stai scherzando? Questo è alto intrattenimento", sorrise Te. "Ora, va' a vedere quella donna. Non è più un mio problema", disse poi con tono serio, portandogli via le coperte.

Kai emise un finto gemito di sofferenza e si alzò. Te aveva ragione. Aveva rimandato abbastanza.

* * *

Mezz'ora dopo, Kai bussò alla porta di Roberta. L'invito a entrare fu così flebile che non l'avrebbe sentito, se non avesse avuto un udito superiore. Aprì la porta ed entrò, chiudendosela alle spalle. Roberta era accoccolata su una poltrona. A quanto pareva, aveva dormito lì. Sembrava avvilita. Vederla così gli spezzò un po' il cuore.

Forse si *era* rammollito o addomesticato. Forse era davvero debole, dopotutto.

"Credo che ti aspetti che mi inchini o qualcosa del genere", disse lei con voce incolore, rassegnata.

Kai non conversava spesso con gli umani. Non era sicuro di come procedere. Lucifero, che amava la televisione, gli aveva propinato ore e ore di reality. Dai reality, Kai aveva appreso che gli umani reagivano al potere e all'onestà, oppure al sesso e ai soldi. Nel caso di Roberta, decise di provare con l'onestà. "Dato che non è un'occasione formale, non è necessario".

Le rughe d'espressione intorno alla sua bocca si rilassarono appena. "Oh".

"Quello che ti ha detto Lord Te è la verità". La tristezza le riempì il bel viso. "Tuttavia", aggiunse rapidamente, "ho pensato che dovremmo parlare, capirci". Mentre la guardava, un'idea iniziò a prendere forma nella sua mente.

"Quindi, sono una tua proprietà, ma vuoi conoscermi".

Date le circostanze, sembrava ridicolo, ma era vero. "Voglio che raggiungiamo un accordo". Il suo viso circospetto gli fece capire che era scettica. Si sedette di fronte a lei, sul divano. "Il costume vuole che tu diventi la mia soggiogata: obbediente e senza una tua volontà. Lo trovo inaccettabile".

"Soggiogata. Non è per questo che sono qui?

Quello che mi ha fatto Uriele?" La sua postura era ancora chiusa, cauta.

"All'incirca la stessa cosa, meccanismo diverso".

"Anche tu sei un angelo?"

"Vampiro".

Chiuse gli occhi e riportò le ginocchia sulla poltrona, affondandovi il viso. "Vorrei che qualcuno mi dicesse cosa ho fatto di male per meritarmi questa fine", sussurrò. Dopo un po', sembrò riprendersi: rimise i piedi a terra e avvolse le braccia intorno al corpo. "Uriele ha detto che non ho scelta e che ci devo fare l'abitudine".

"Uriele è... Be', Uriele". Kai alzò le spalle. "Ha ragione, ma voglio che tu capisca che anch'io, come tuo padrone, farò delle modifiche".

"Dall'altro lato del guinzaglio? Mi sanguina il cuore per te", rispose, prima che la bocca ottenesse il permesso di parlare dal cervello.

Kai la osservò, lievemente divertito, rendendosi conto che il suo candore e il suo sarcasmo potevano non essere apprezzati. Quella donna era coraggiosa, il che gli piaceva e aumentava le probabilità che ciò che stava per proporle funzionasse. Ignorando il fatto che lei si aspettasse violenza, disse: "Abbiamo l'opportunità di creare qualcosa che può funzionare per entrambi".

"Perché? Perché ti importa quello che provo? A Uriele non importa. A quell'altro... Lord Te? Non importa neanche a lui. Cosa ti rende così diverso?"

Avendo notato che Kai non intendeva usarle violenza, Roberta ne approfittò per dirgli quello che pensava.

Di tutti gli umani in cui avrebbe potuto imbattersi, Kai si sentiva estremamente fortunato ad aver trovato lei. Aveva spirito; bastava stemperare la sua tendenza ad attaccare con il rispetto. Pensò che non solo lei avrebbe capito il suo ragionamento, ma l'avrebbe anche apprezzato. Solo il tempo lo avrebbe detto.

"Molti vampiri vengono cresciuti a forza di sangue e di dolore; il potere e la brutalità sono accettati e rispettati, nella nostra società. Il mio sire era diverso. Credeva nell'onore e nella disciplina, nel prendere solo quello che è necessario e lasciare il resto. È questo che mi ha insegnato". Dopo circa cinquant'anni di insaziabile sete di sangue, aveva imparato da Aram il controllo. "Mi ha insegnato a rispettare la vita umana, perché senza di voi, io non potrei esistere".

Kai tacque per un attimo, guardando verso il balcone. Non intendeva giustificarsi con il racconto della sua esistenza umana da schiavo. Non gli piaceva pensarci. Anche se erano passati quasi mille anni, le cicatrici gli erano rimaste, e dolevano ancora, quando venivano stuzzicate.

"Avevo paura che Uriele si fosse spinto troppo in là. Ti ho portata qui per cercare di salvare quel che restava della tua vita, perché non meritavi di sprecarla come un'ebete che si lascia morire per Uriele. E in effetti, la tua vita è salva. Presto sarai del tutto libera dal giogo di Uriele. E anche se il contratto con Gregory c'è ancora, almeno non devi più sgobbare semi-inconsapevolmente per lui". Alzò le spalle per quella piccola vittoria. "Dato che tutte le proprietà di Gregory sono state trasferite a Lord Te, tu appartieni a lui. E lui ha scelto di darti a me. Io, come tuo nuovo padrone, ti propongo una modifica del contratto che renderà le cose più facili per entrambi".

"E sarebbe?" chiese, curiosa ma con la guardia alzata.

"La tua cooperazione volontaria. Se non ti va, non ti picchierò, né ti costringerò ad accettare. Dimmelo, e porrò rapidamente fine alla tua vita. Non sentirai dolore". Fece una pausa, per assicurarsi che lei capisse. Stava dando a entrambi la possibilità di uscirne. A dire la verità, si sentiva un po' un codardo. "Ti restano ancora molti anni. Per quanto la tua vita non sia stata notevole, non sei un rifiuto umano. Se accetti la mia proposta, vivrai una vita agiata e vedrai cose che pochi hanno visto".

"Mi stai chiedendo il permesso".

"Preferisco pensare che sia il tuo consenso. Ma non perdiamoci in discussioni di semantica". Sorrise. "Il punto è che voglio fare in modo che tu non perda te stessa. Dovrai fare qualche concessione, ma avrai ancora molta libertà di scelta. Non so se ci sono altri della mia razza che hanno mai fatto una cosa del genere, ma io voglio provarci. E tu?"

Mentre lui parlava, gli occhi di lei si posarono su un oggetto luccicante parzialmente all'ombra sotto un tavolo, in un angolo della stanza. Alla fine, annuì, con le lacrime che le colavano sulle guance. "Posso scegliere. Ci proverò".

* * *

Si trovavano sul balcone affacciato sulla Città. Kai aveva mandato John a prendere un cannocchiale nell'ufficio di Te. John era già tornato. Ora ce l'aveva in mano Roberta. Il suo volto ovale era calmo e serio. Stava aspettando il permesso per usarlo, sottomessa e obbediente. Gregory molto probabilmente aveva affinato quella che era una sua tendenza naturale. Meglio così, pensò Kai. Sarebbe stato più facile andare d'accordo con lei. Le diede il permesso con un gesto. Appena guardò attraverso il cannocchiale, le si mozzò il fiato.

"Lord Te mi ha detto di averti informata sulla Città".

Lei annuì. Nelle sue mani, il cannocchiale faceva avanti e indietro. "Ci sono così tanti... Uh..."

"Non-umani?" chiese, divertito dal suo tentativo di avere tatto nei suoi confronti.

"Sì. Oh mio Dio..." Roberta allontanò il cannocchiale dall'occhio, poi lo riavvicinò subito. Aveva tro-

274

vato i recinti degli schiavi umani. Il suo corpo immobile emanò paura, un odore acre e intenso. Purtroppo si era spaventata, ma era necessario perché capisse. Dovette schiarirsi la voce prima di riuscire a parlare. "Potrei essere laggiù", disse bisbigliando.

"Vero. Ma non ci sei, e non ci sarai". Kai le fece puntare il cannocchiale altrove. "Guarda lì". Lei obbedì, sollevando il cannocchiale all'altezza degli occhi. "Quelle sono le insegne del mio clan, il Clan Aria".

Le fazioni più potenti del popolo dei Non-umani, ossia i vampiri, i lupi mannari e i Kazat, avevano ciascuna uno specifico distretto nella Città, segnalato da insegne o da bandiere. Le insegne dei clan di vampiri erano decorate con i colori e i simboli dei clan: nero con le nuvole turbinanti per il Clan Aria, blu con la cascata per il Clan Acqua, e verde con le montagne per il Clan Terra.

Per i clan di lupi mannari valeva lo stesso. Ogni clan aveva un proprio simbolo, ma tutti i clan avevano lo stesso colore, il color oro, perché al principio tutti i licantropi facevano parte di un unico, grande clan: i Celesta. Da quello si erano poi generati i clan Orione, Zenith, Aurora e Lumina. Per quanto ne sapeva Kai, di quel tipo di Non-umani erano rimasti solo i lupi mannari; l'ultimo avvistamento di una tigre mannara risaliva a oltre cinquant'anni prima.

Indicò a Roberta una larga sezione dall'altro lato della Città. Aveva un'insegna rossa con sopra un grosso artiglio. Era la sezione dei Kazat. Quasi tutti nella Città erano sotto la protezione di un clan di vampiri o di lupi mannari. Una piccola percentuale tentava la sorte da sola. Nella sezione dei Kazat invece vivevano solo i Kazat.

"E Lord Te?"

"Lord Te amministra la Città. Fa in modo che le diverse razze possano coabitare pacificamente. È il sommo mediatore e l'autorità. Altrimenti, ogni distretto ha le sue regole, in qualche caso anche le sue tasse. Alcuni distretti trattano i loro cittadini meglio, altri peggio della media".

"Incredibile", commentò lei.

Kai era compiaciuto dalla sua calma e adattabilità. Era anche felice del fatto che la compagnia di Roberta gli piacesse.

"Sarò con te per la maggior parte del tempo. Quando siamo fuori, nella Città, è imperativo che tu tenga gli occhi bassi e sia una schiava obbediente. Se qualcuno si rivolge a te in mia presenza – non dovrebbero, ma se lo facessero – me ne occuperò io. Devi parlare solo con me, e solo quando mi rivolgo specificatamente a te. 'Mio Signore' è il titolo onorifico appropriato da usare. Se per qualche ragione dobbiamo separarci, ti scorterà John. Gli Eineu sono sotto la protezione di Lord Te, e tu sei sotto la mia. Nessuno dovrebbe essere tanto stupido da darti fastidio".

Fece una pausa, chiedendosi se parlarle subito dei marchi degli schiavi. Il suo marchio l'avrebbe identificata come sua, dandole protezione attiva. Decise di lasciar perdere, per il momento; c'erano altre cose più importanti per lei. Glielo avrebbe fatto fare prima della Rappresentazione. Poteva aspettare: da sola non sarebbe andata da nessuna parte.

"Se devi parlare con qualcuno diverso da me, Lord Te o John, devi usare l'appellativo 'Padrone'. Te è sempre Lord Te. In privato, puoi chiamarmi Kai. Sempre in privato, hai il permesso di parlare liberamente. So che è molto da ricordare, per cui ripetimi tutto".

Lei lo fece, in modo impeccabile.

Lui rimase impressionato, e glielo disse.

"Quindici anni a lavorare per dirigenti, di cui cinque", fece una smorfia, "a lavorare per lo... Mr. Gregory. Ho imparato a seguire le istruzioni".

Dirle che probabilmente era stata condizionata senza saperlo, non sarebbe stato utile, per cui Kai si limitò ad annuire. La ricondusse nel salotto e indicò il divano. Andò a prendere l'abito che lei aveva gettato via e lo buttò sul tavolo, poi sprofondò in una poltrona. "Lord Te mi ha detto che hai un problema con questo".

Lei distolse lo sguardo. La sua espressione da interessata divenne infelice in pochi secondi. "Ti prego, non farmelo mettere".

"Gli umani che hai visto", indicò il cannocchiale che lei aveva ancora in mano, "indossano dei vestiti?"

Lei scosse la testa.

"Qui fa abbastanza caldo, per cui l'esposizione agli elementi non è un problema, non c'è il rischio di perdere uno schiavo per via del clima. Gli abiti protettivi sono costosi; gli schiavi costano poco e i prezzi scendono ogni giorno. Di voi ce ne sono miliardi. Persino se le gabbie fossero piene e con un ricambio veloce, il mercato di schiavi nella Città non arriverebbe mai a intaccare minimamente i vostri numeri. Lo fate da soli". Continuò, anche se lei non lo guardava. "Ti sto dicendo come stanno le cose. Questo", indicò il mucchio di cuoio e catene di metallo con il piede, "significa che hai valore per me, perché mi sono preso la briga di decorarti".

"Decorarmi. Come un oggetto".

"Come una bellissima, stimata risorsa. Il che, in effetti, è ciò che sei". Le sorrise e lei, anche se arrossiva, non lo guardò.

"Questo..." Roberta dovette schiarirsi la gola e ricominciare. "Questo significa... che hai intenzione di usarmi per il sesso?"

Lui si alzò e si sedette accanto a lei sul divano. Le toccò i capelli e le fece girare delicatamente il viso, in modo che lo guardasse. "Usarti? Non prendo ciò che non mi viene dato liberamente".

Roberta rabbrividì.

Un lieve aroma speziato, segno della sua eccitazione nonostante il disagio, gli solleticò le narici. "Non mi trovi attraente?" la stuzzicò.

"Uhm, no. Non... Non è questo".

L'odore lieve divenne più forte. Lei cercò di voltare la testa, ma lui non la lasciò andare; allora si accontentò di abbassare gli occhi.

A Kai piaceva farla arrossire. "Gli umani e il sesso. Rendete le cose così complicate quando non lo sono". La lasciò andare. "Ora, va' a farti una doccia. Quando hai finito, chiamami e vedremo di infilare questo. È la tua prima prova. Se riesci a obbedirmi, le cose funzioneranno. In caso contrario..." Avrebbe scoperto presto quanto si sarebbe impegnata.

Lei lo guardò a lungo, indecisa. Poi si alzò e andò in camera da letto. Poco dopo, Kai sentì l'acqua della doccia.

* * *

Kai non aveva idea di quanto tempo ci volesse di solito a una femmina umana per fare la doccia, ma sospettò che Roberta ci stesse mettendo più del solito. Uscì sul balcone a guardare la Città dall'alto.

Non poté fare a meno di confrontare la propria esperienza con quella di Roberta, anche se non gli piaceva ricordare come era vissuto prima di conoscere il sire. Erano stati tempi più da sopportare che da godere, nonostante la giovane età, quando da schiavo che puliva e portava l'acqua era diventato schiavo addetto ai servizi intimi. A quel punto, si era dovuto anche vestire da ragazza e truccare.

Non volendo mai passare più tempo del dovuto

279

con i clienti, le sue prestazioni erano sempre state il più rapide ed efficienti possibili, il che spesso si era tradotto in botte per non essere stato abbastanza entusiasta. Non era stato una brava prostituta. Per renderlo più docile, il proprietario del locale, Angelo, l'aveva spesso minacciato di farlo castrare o di venderlo. Quando Aram aveva mostrato interesse per lui, Angelo ne era stato più che felice.

Aram era ricco. Angelo aveva a lungo temporeggiato prima di vendergli Kai. Più volte gli aveva detto che doveva essere sicuro di volersi privare di un gioiello tanto redditizio. Più volte aveva rinnovato la promessa di concludere la vendita chiedendo somme sempre più assurde. Sarebbe rimasto sorpreso di sapere che Aram non l'aveva toccato; stare con lui, per Kai, era stata una gioia e un sollievo.

Aram l'aveva portato nella trafficata città di Costantinopoli. Avevano visto spettacoli, musei, templi e cattedrali. Era stato il suo primo assaggio di un mondo al di fuori del bordello. Non aveva avuto rapporti sessuali con Aram, se non molto tempo dopo essere stato comprato e aver ricevuto la libertà.

Quasi subito dopo l'acquisto, Kai aveva implorato il nuovo padrone di concedergli di dargli piacere; credeva che da quello dipendesse la sua vita. Dopotutto, gli era costato un sacco di soldi. Ma Aram l'aveva rimproverato. Non l'aveva reputato pronto. Kai si era offerto a lui ripetutamente, finché non si era reso conto che il sire l'avrebbe accettato solo se il

suo fosse stato un atto spontaneo, non un atto obbligato.

Kai non aveva bisogno dell'amore di Roberta. Da
lei voleva solo accettazione, che credeva di poter guadagnare senza metterla alle strette con richieste di
prestazioni per il proprio piacere. L'avrebbe assag-
giata, sì, ma non in quel momento.

Era stato sviato e distratto, quando aveva deciso
di salvarla. Con il senno di poi, avrebbe dovuto lasciarla dov'era o ucciderla per risparmiarle il tormento. Stava cominciando a riconoscere in sé una
tendenza a sopprimere i propri impulsi in favore delle
voglie e dei desideri di Lucifero. Poi per compensare
faceva cose che inevitabilmente gli complicavano la
vita, per esempio decapitare cuccioli, quando invece
sarebbe bastato picchiarli, o tentare di salvare un'innocente che avrebbe dovuto lasciare a se stessa.

La scomparsa di Lucifero gli aveva reso le cose
più facili con Roberta. Se l'accordo funzionava, sarebbe stata una manna per la sua reputazione. Ora
che Lucifero non c'era più, aveva più tempo per ce-
mentarla a modo suo.

* * *

Roberta aveva avuto abbastanza tempo per farsi la
doccia, decise Kai, mentre rientrava nel salotto dal
balcone. Sostò un momento per prendere la decorazione ed entrò in camera, la cui porta per fortuna non

era chiusa a chiave. Lei era ancora in bagno. Per cortesia, bussò. Non ricevendo risposta, aprì la porta, senza sforzo, poiché Roberta non si era chiusa dentro.

L'aria umida si posò sulla sua pelle, portando con sé l'odore di sapore, pelle e capelli appena lavati, e di qualcos'altro... il sale delle lacrime. Era felice di vedere che lei gli aveva obbedito e si era fatta la doccia. Ma ora era seduta sul coperchio chiuso del gabinetto, avvolta in un asciugamani, e piangeva.

"Non credo di poterlo fare". Tirò su col naso.

Kai pensò per un attimo, poi lasciò la stanza. Uscendo in corridoio, chiamò John perché le somministrasse un'altra dose di P2, che la calmò immediatamente.

"Come ti senti?" La prese per mano e la condusse fuori dal bagno, nella camera da letto.

"Come una tossica", sbottò.

"Preferirei che tu non fossi così angosciata".

"Ci sto provando". I suoi occhi erano solenni, per quanto lo consentisse la P2.

Kai sollevò l'accozzaglia di cinghie e catene che si spacciava per un vestito. Lei distolse immediatamente lo sguardo. "No, Roberta, guarda. Voglio che lo guardi e mi dici perché ti turba".

"Cosa? Intendi oltre alla questione della schiava?"

Sorrise al suo sarcasmo. "Animaletto preferito andrebbe meglio?" Lo sguardo che lei gli scoccò gli fece capire che no, non sarebbe andato meglio. "Lascia stare. Continua".

Lei cercò di sorridere, ma le uscì una smorfia. "Guardami. Non credo nemmeno di entrarci. Sono troppo grossa. Straborderò dappertutto. Come fai a dire che è attraente?" Era più calma, vero, ma il dolore le usciva da ogni poro, e le lacrime dagli occhi.

Kai guardò lei, poi il vestito. Non aveva idea se la taglia fosse giusta, ma supponeva che, dato che glielo aveva dato Te, doveva esserlo. In realtà, comprese che non era tanto questione di entrare nel vestito, ma di non sentirsi abbastanza attraente da indossarlo. La razza umana era ossessionata dalle apparenze; entrambi i sessi erano fissati su ciò che era attraente e ciò che non lo era. In quel periodo storico, l'ossessione girava intorno al grasso: il troppo grasso e il troppo magro. Gli umani inseguivano costantemente ideali coltivati con cura.

Sarebbe stato più facile, per lui, se la riluttanza di Roberta fosse dovuta alle idee puritane sul sesso dell'ambiente in cui era cresciuta. Da un lato, si sentiva fiero di sé per aver capito qual era il problema; dall'altro, voleva darle della stupida e dirle di superare la cosa. Per fortuna, sapeva trattenersi, anche se quello che stava per fare – ne era sicuro – l'avrebbe comunque sconvolta. Gettò la decorazione nell'angolo: Roberta sobbalzò e lo guardò circospetta.

"Alzati e togli l'asciugamano". Intuì che per lei quella richiesta fu pure peggio delle grida che si aspettava. "Il nostro accordo si basa sul consenso, giusto?"

"Giusto", annuì lei, con la sconfitta negli occhi. Si alzò, a testa bassa e con gli occhi chiusi, lasciò cadere l'asciugamano a terra.

"Ed è ancora viva", mormorò Kai, lasciando che l'eccitazione gli colorasse la voce.

Era poco più alta di lui, grassottella, sì, ma non gli dispiaceva. I seni erano grandi e morbidi, proprio come piacevano a lui. Il ventre, i fianchi e le cosce tondetti probabilmente l'avevano fatta sentire ridicola rispetto alle donne magre come grissini che incarnavano l'attuale ideale di bellezza. Gli venne duro. Gli venne voglia di prenderla lì e subito. Girando intorno a lei, la percorse con lo sguardo mentre parlava.

"Sono cresciuto in un bordello". Lei inalò bruscamente alla rivelazione. Era dietro di lei, adesso: vide che aveva la pelle liscia e con le lentiggini. "Angelo, il proprietario, era notoriamente tirchio e aveva l'abitudine di non dare da mangiare alle prostitute per incentivarle a lavorare". Lui era sempre stato denutrito, anche perché Angelo lo affamava per renderlo più compiacente. "Più i clienti tornavano, più le ragazze ricevevano da mangiare. Più ricevevano da mangiare, più diventavano paffute; più erano paffute, più erano desiderabili, più i clienti chiedevano di loro. Di tutte le prostitute che erano lì, due erano più o meno della tua taglia. Ed erano le più popolari". Quando ebbe finito, era di nuovo davanti a lei.

Roberta lo sbirciò da sotto i capelli che le avevano coperto la faccia. Cercava qualcosa, forse dei segnali che le aveva mentito. Ma non ne avrebbe trovati, perché non le aveva mentito. Con una mano le accarezzò il viso e con l'altra le spostò i capelli.

"Non sono scontento". La sua voce era bassa, seducente. Lei alzò lo sguardo, per poi riabbassare gli occhi altrettanto rapidamente. "Il tuo aspetto mi piace molto". Sentiva i fremiti del suo corpo e l'odore della sua eccitazione. La lasciò andare e fece un passo indietro. "Infatti, sarà così che ti presenterai al mio cospetto, finché non dirò diversamente".

Lei rimase a bocca aperta e alzò gli occhi di scatto.

"Hai capito male?"

"Uh, no", rispose a bassa voce.

Voleva allontanare la sua preoccupazione e la sua confusione baciandola sulle labbra piene mentre lei gli cavalcava le dita, ma si trattenne. Sarebbe stata un boccone gustoso. Avrebbe aspettato. Nel frattempo, si sarebbe goduto la visuale.

"Bene. Unisciti a me in salotto. Porta un cuscino". Si voltò per lasciare la stanza, quando qualcosa sul cassettone catturò la sua attenzione. Era una catenina d'oro con un piccolo pendente elaborato a forma di croce.

"Oh".

All'esclamazione di Roberta, Kai la guardò nello specchio.

"Riesco a vedere il tuo riflesso".

"Ne sei sicura?"

Il suo riflesso scomparve, anche se lui non si era mosso. "Ma che...?" fece Roberta, un po' stupita e un po' spaventata. Quando poi tornò a guardare nello specchio, il riflesso di Kai era ancora lì, come la prima volta. "Mi prendi per il culo". Scoppiò a ridere all'improvviso; lui si lasciò contagiare dalla sua allegria, felice che si fosse distratta, prese la croce, gliela portò e gliela mise al collo. "Nemmeno questo ti dà fastidio", disse lei.

"Sembri delusa".

"Be', c'è qualche storia che sia vera?"

"Vieni, e te lo dirò".

Kai la condusse nella stanza accanto, le prese di mano il cuscino e lo mise sul pavimento, accanto alla sua sedia.

"Una cosa cui devi abituarti è stare seduta sul pavimento. Avrai bisogno di un cuscino più decorativo, ma per ora questo va bene. Funziona così: io mi siedo per primo, poi tu metti il cuscino sul pavimento alla mia destra – quando è possibile – e ti siedi".

Lei non sembrava felice, ma aspettò che lui si sedesse, prima di sistemarsi sul cuscino.

"Bene". Si concesse di giocare con i suoi capelli. Ancora umidi per la doccia, erano morbidi e folti. A giudicare dall'espressione soddisfatta che aveva in viso, le piaceva. La croce pendeva abbastanza da arrivarle al centro dello sterno. Decise di lasciargliela indossare, non per il simbolo, ma perché mettendo dell'oro o un oggetto luccicante alla sua schiava dava due messaggi. Primo: che poteva permetterselo. Secondo: che la valutava abbastanza da sprecare risorse per lei.

Doveva cominciare a vivere con un occhio al suo rango. A Lucifero non sarebbe piaciuto. Il pensiero dell'amato gli portò un'ondata di malinconia che lo risucchiò nelle sue fauci e lo divorò. Si era aperto un vuoto nella sua vita, un vuoto improvviso e grande come quello che l'aveva risucchiato dopo la scomparsa di Aram. Come in passato, l'idea di andare avanti senza l'amato gli sembrava tediosa.

Roberta si mosse, attirando la sua attenzione e strappandolo da quella che poteva diventare facilmente una preoccupazione. Si agitava sul cuscino, in attesa che lui le parlasse. La mano sulla testa aveva smesso di muoversi, annidata tra le ciocche folte e ondulate alla base del collo. Ricominciò a muoverla.

"Croci e talismani sacri – di qualsiasi religione, in realtà – non hanno effetto su nessuno dei tre clan della mia razza. Tuttavia, sui meticci – i nostri cugini bastardi – gli effetti sono meno che piacevoli". Scioglierli con l'acqua santa era una delle cose che preferiva fare.

"Meticci?"

"Alcuni membri dei clan hanno deciso di mescolare il loro sangue in un rituale per restaurare la gloria del Clan Fuoco, estinto da tempo. Come c'era da aspettarsi, è andato tutto storto. Il risultato sono i bastardi che chiamiamo meticci. Non hanno un'identità di gruppo, non sono i benvenuti nella Città e vengono inequivocabilmente uccisi a vista dai membri dei tre clan. In effetti, ci sono interi gruppi dedicati alla loro eliminazione".

Lei rabbrividì sotto la sua mano. I meticci lo facevano sempre irritare; ammise a se stesso di sembrare un po' pazzo quando parlava di loro. La tranquillizzò con altre carezze. Doveva stare attento a non lasciare che le sue emozioni negative avessero il sopravvento. Incuterle paura non avrebbe favorito la loro relazione.

Più calma, Roberta si schiarì la voce. "Perché?"

La guardò. "Perché loro sì e noi no? O perché a noi non danno fastidio gli oggetti sacri in generale?"

Il sorriso che gli rivolse era sia giocoso che genuinamente interessato. "Entrambe?"

"Per rispondere alla prima, mi è stato detto che ha a che fare con la magia usata nel riturale". Era una verità parziale. Lucifero e il dio drago Uru – ora sapeva che era Te – avevano ripartito l'essenza del Clan Fuoco nei tre clan esistenti. Solo loro potevano annullare la separazione; ogni altro tentativo di ripristinare il clan avrebbe prodotto risultati instabili e volatili.

"Per rispondere alla seconda domanda, da quel che ho capito, la credenza alla base dell'uso di oggetti sacri contro i vampiri è che i vampiri sono morti, sacrileghi".

"Non ci ho mai pensato, ma sembra giusto".

"Sono morto quanto te".

"Smettila di prendermi in giro con il folklore". Ridacchiando, Roberta si coprì le orecchie con le mani.

Preferiva vederla felice e rilassata. "Lord Te ti ha detto delle origini degli esseri che sono qui?"

"Sì, ma non ha mai detto che i vampiri non sono morti". Si ricompose. "E che mi dici della mancanza del battito cardiaco e della temperatura corporea?"

Kai le tolse la mano dai capelli e gliela porse. "Prendimi il polso".

Non molto convinta, gli prese il polso e cercò il battito. Non sentendo niente, stava per rivolgergli uno sguardo trionfante, quando sobbalzò, stupita.

"Lenta, ma presente. E, come puoi vedere, la mia temperatura non è più bassa di quella della stanza".

"Ma non capisco".

Il sorriso che le aveva rivolto era malvagio, ma non era riuscito a trattenersi. Colpa dell'orgoglio. "Siamo predatori efficienti. Possiamo aspettare per ore o giorni, immobili come i morti. Cose che ucciderebbero un umano non possono ucciderci, ma abbiamo il loro stesso aspetto. Gli umani sembrano morire quando i loro corpi cambiano nei nostri. Una tomba può essere un posto facile e veloce dove nascondersi dal sole. Da lì a darci l'etichetta di esseri sacrileghi è stato facile". Alzò le spalle.

"Probabilmente, non è vera nemmeno la cosa della bara".

"Dormiresti di tua spontanea volontà in una bara?"

Storse il naso per il disgusto, poi lo guardò con sgomento. "Devo anche dormire per terra?"

Gli ci volle un momento per capire a cosa si riferisse, ma quando lo fece, rise. "No, letti ovunque".

"Grazie a Dio". Il suo viso si aprì in un sorriso felice.

Kai le fece fare una pausa per alzarsi, sgranchirsi le gambe e usare il bagno. Nel frattempo, uscì sul balcone. Iniziava a sentirsi irrequieto; avrebbe dovuto trovare Te presto. Quando Roberta rientrò, tornarono ai loro posti.

"Ogni clan ha dei talenti che aiutano i vampiri a sopravvivere. Ogni clan ne ha uno prevalente: il Clan Aria ha l'abilità di alterare le percezioni, il Clan Acqua, l'abilità di affascinare, e il Clan Terra, l'abilità di controllare il corpo".

"Quindi cos'hai fatto con lo specchio?"

"Si chiama illusione. Possiamo alterare ciò che percepisci con i tuoi sensi".

Roberta lo guardò, molto interessata e un po' scettica. "Qualsiasi cosa?"

Lui sorrise: le si offuscò la vista, le pupille si dilatarono, la bocca le si aprì leggermente.

"Adesso, mi rifiuteresti qualcosa?"

"No", le uscì in sussurro.

"Va' in bagno e lavati la faccia".

Si alzò e andò in bagno. Aprì l'acqua.

Lui sentì quello che poteva essere solo descritto come uno squittio, quando lei tornò in sé.

Rientrò nella stanza. "Cosa mi hai fatto?"

Lui ridacchiava sulla sedia. "Credo si chiamino feromoni". Gli altri del suo clan, senza il beneficio di avere un so-tutto-io come amante, chiamavano quel talento "Seduzione".

"È stato inquietante, ma anche fantastico".

Lui le rivolse un piccolo inchino mentre lei tornava a sedersi al suo posto sul pavimento.

"Grazie per non essertene approfittato".

Kai annuì. "Ci siamo accordati per il consenso. Devi capire com'è il mondo in cui ti sei ritrovata".

Fece una pausa, godendosi i contorni del suo viso e del suo corpo per un attimo, finché lei non divenne troppo consapevole e iniziò ad agitarsi. Non vedeva l'ora che arrivasse il giorno in cui lei avrebbe ricambiato il suo sguardo con sicurezza e forse desiderio.

"Parleremo di più dei clan, e dei Non-umani in generale, nei giorni a venire. Adesso, l'unica altra cosa che ti è di vitale importanza sapere, riguarda un vampiro di nome Stephan. Ho sentito che è già venuto una volta a farti visita. Ha paura di me, il che significa che non ti farà del male direttamente. Ma è curioso e subdolo. Prima o poi riuscirà a parlarti. È un membro del Clan Acqua. Come ti ho detto, hanno il potere di affascinarti. Non devi mai, mai, mai guardare lui, o chiunque altro del suo clan, negli occhi. Puoi riconoscerli dai loro tratti distintivi: i capelli biondo platino e gli occhi azzurri".

Roberta annuì, ma sembrava spaventata.

"Sii educata e ricorda quello che ti ho insegnato. Starai bene".

Fece un respiro profondo. "Ok".

La sua espressione però gli disse che era ancora nervosa, il che andava bene. Doveva essere preparata, quando Stephan l'avrebbe messa all'angolo. Kai non aveva dubbi che, prima o poi, l'avrebbe fatto.

SEDICI

"Senti, cos'è successo nell'ufficio dello Str... cioè, nell'ufficio di Mr Gregory?"

"Come stavi per chiamarlo?"

"Lo Stronzo", rispose Roberta, a disagio.

"Lo Stronzo", ripeté Kai, divertito. "Perché?"

"L'hai visto, no? È sempre stato un tale stronzo". Si accigliò. "Credo che gli piacesse rendermi la vita un inferno".

"È stato maleducato, sì. Hai l'abitudine di dare soprannomi alle persone che fanno parte della tua vita?"

"Be', tu eri il Tatuato, Uriele il Tizio-Uscito-Da-Una-Fiaba". Gli rivolse uno sguardo sfacciato.

Lui ridacchiò, apprezzando il suo senso dell'umorismo. "Quanti anni credi che abbia Gregory?"

Roberta alzò le spalle. "Cinquanta?"

"Più tre secoli e mezzo, all'incirca. Gregory aveva fatto un patto con Lord Te. Ma è venuto meno. E io sono venuto a riscuotere". Trovò tenera l'espressione scioccata di Roberta.

Era rimasta a bocca aperta, formando una piccola "o". Le ci volle un po' prima di riprendersi. "Un accordo? Vuoi dire un accordo tipo patto-col-diavolo? Lord Te... è il Diavolo?" chiese sottovoce, esitante.

Il giorno prima, Kai avrebbe riso e giocosamente alluso all'inevitabile circostanza in cui lei avrebbe davvero incontrato "il Diavolo". Quel giorno invece, la domanda di Roberta lo rese solo triste. Scosse la testa. "No".

Lei rimase in silenzio, riflettendoci su. "Odio doverlo dire, ma non mi sorprende quello che è successo allo Stronzo. È una persona orribile".

Sentirono bussare alla porta. Kai rispose con l'ordine di entrare: era John con un vassoio.

"John porta cibo per Signorina". Appoggiò il vassoio sul tavolo. "John porta sangue per Lord Kai".

Kai lo ringraziò, annuendo.

La creatura delicata esitò un attimo, guardando Roberta, poi andò da lei e si sfilò un vasetto di vetro dalla tunica. Roberta scosse la testa; John guardò Kai.

"Ne sei sicura?" le chiese il vampiro.

Lei fece un respiro profondo e si raddrizzò. "Sì, sono sicura".

"È tutto, John".

L'Eineu si inchinò e uscì.

"Se fossimo in pubblico, toccherebbe a me darti da mangiare. O imboccandoti, o dandoti la ciotola per mangiare da sola mentre sei ancora seduta ai miei piedi. In privato, tuttavia", si alzò e le tese la mano, "credo che mangiare a tavola sia accettabile". L'aiutò ad alzarsi e la condusse al tavolo. Quando si fu seduta, si accomodò di fronte a lei.

Sapeva che John aveva avuto buone intenzioni, portandogli il sangue, ma desiderò che non l'avesse fatto. Non gli era mai piaciuto bere dal bicchiere. Indipendentemente dall'incantesimo di riscaldamento, il sangue gli sembrava sempre freddo e non invitante. Per molti vampiri era più raffinato e civile nutrirsi così; per lui, nutrirsi non era mai stata una questione di buone maniere. Preferiva il sangue direttamente dalla fonte. Stringere un corpo caldo fra le braccia, la sensazione di lacerare la pelle con un morso...

Sospirò e guardò il bicchiere pieno di liquido scuro quasi fino all'orlo. Nutrirsi in quel modo non reggeva il paragone. Non amando, però, sprecare il cibo, decise di fare uno spuntino adesso oltre che andare da Te più tardi.

Roberta ignorava la ciotola fumante di stufato per guardare il bicchiere. "Se non sei morto, perché non mangi cibo?"

"Posso mangiare cibo", rispose lui, pensando a quanti pasti aveva consumato con Lucifero, che adorava ogni tipo di cibo ma odiava mangiare da solo.

"Ma non mi nutre, almeno non in quantità ragione-voli. Suppongo che il sangue sia più efficiente".

Non parlò dei lati negativi del mangiare. Dover liberare l'intestino non era stato un problema, da umano, ma da vampiro, gli faceva schifo. Non sapeva perché. Quando aveva iniziato a rifiutarsi di mangiare per quello, Lucifero gli aveva apposto un sigillo che eliminava i rifiuti – non aveva idea di come – così potevano ancora mangiare insieme.

Affascinata, Roberta fissava un po' lui, un po' il bicchiere. Kai si sentiva un insetto sotto una lente d'ingrandimento. "Mangerò, a patto che lo faccia anche tu".

Lei guardò lo stufato. "C'è carne, qui dentro". Guardò di nuovo lui, poi lo stufato. "Se siamo sotto-terra..." Lasciò la frase in sospeso.

"No, non è umana". Sperò di non averle mentito. Prese nota di dire a John che qualsiasi cosa le venisse servita non fosse a base di carne umana.

Lei non sembrò credergli, ma alla fine sospirò e prese il cucchiaio. Kai si rilassò, sollevato dal non dover tirare a indovinare che carne fosse, prese il bicchiere e se lo portò alle labbra. Bevve una lunga sorsata del liquido caldo, se lo lasciò scivolare in gola. Era stato viziato: dopo aver bevuto sangue angelico per secoli, il sangue umano era insapore e blando. Chiunque dei suoi fratelli avrebbe fatto schioccare le labbra per il piacere, ma lui non rimase impressionato. L'avrebbe tenuto in vita, ma desiderava di più, desiderava l'istantanea scarica di potere, l'efferve-scenza, la sensazione di essere *vivo* che il sangue umano non poteva eguagliare.

Il crampo lo colpì all'improvviso e con tale vio-lenza da fargli cadere il bicchiere. Allontanandosi dal tavolo con la sedia, si alzò. Una sensazione di calore e di pressione si diffuse nel suo corpo. Incredulo, corse in bagno, arrivando giusto in tempo per vomitare il sangue nel gabinetto.

Frammenti della notte precedente gli guizzarono nella mente. Non era la prima volta che gli succe-deva. Continuò ad avere crampi allo stomaco, vomitò ancora. Poi si accasciò contro il muro, esausto. Ro-berta, a un certo punto, era entrata. Adesso era in gi-nocchio accanto a lui, con una pezza umida. Gli stava pulendo il viso intorno alla bocca.

"Stai bene? Cos'è successo?" gli chiese.

Kai scosse la testa. Sentendosi debole e vergo-gnandosi di guardarla, spostò lo sguardo sul proprio riflesso nello specchio, sulla parete di fronte. Il primo pensiero fu di essere stato avvelenato, ma non aveva senso. La notte precedente gli tornò in mente di colpo: non era la prima volta che vomitava dopo aver bevuto sangue umano.

Guardò Roberta, chiuse gli occhi mentre le ascol-tava il battito cardiaco: era veloce. Lei era allarmata. Ma quello che lui avrebbe dovuto sentire – l'eccita-zione di un potenziale pasto – era assente. Il sangue che aveva bevuto era caldo e fresco. Essendo prodotto in fabbrica, non aveva impurità. Prima di averne preso un sorso però, non aveva avuto un reale desiderio di farlo. Guardò di nuovo lo specchio, assottigliò gli occhi, e gli venne da vomitare per una ragione diversa.

Si sbagliava. Per forza.

Si alzò così in fretta da urtare Roberta.

"Non lasciare le tue stanze", le disse, scusandosi con gli occhi. Poi, con un'ultima occhiata a se stesso nello specchio, uscì di corsa dalla suite, diretto all'ufficio di Te.

Non trovandolo, afferrò un Eineu di passaggio, che gli disse che Lord Te e Uriele erano andati a Casa Ashley. Corse al portale più vicino. Voleva disperatamente che i suoi sospetti si rivelassero falsi, anche se temeva di conoscere già la verità.

All'inizio, Lucifero aveva apposto i sigilli uno alla volta; erano protezioni da vari pericoli. Il primo era stato quello pratico per l'immunità dal sole, sul polso destro. Poi era stata la volta della protezione dal fuoco e dalla magia, e del sigillo per rimuovere gli scarti. Sempre di più, tuttavia, Lucifero l'aveva decorato per il proprio piacere, dicendo che Kai aveva una pelle così bella da volerla dipingere e da volerlo marchiare come suo. Kai aveva smesso di chiedergli cosa significasse ogni sigillo.

Poi, un giorno, Lucifero l'aveva legato al letto, il che non era niente di inusuale, dato che spesso facevano giochi bondage pieni di sangue e di sesso. Ma quella volta era stato diverso. Quella volta, quando Lucifero l'aveva marchiato, l'esperienza era stata piena di un estremo dolore. E di potere.

Aveva sentito se stesso cambiare, mentre il dolore intenso lo faceva delirare. Era durato per giorni. Lucifero aveva continuato a scrivere cose sul corpo di Kai, indipendentemente dal fatto che lui fosse cosciente o meno. Aveva sussurrato parole d'amore e parole che Kai non capiva, parole nella lingua degli angeli, parole che avevano infuso il potere nei sigilli dopo averli tracciati. A Kai era sembrato che ogni linea e ogni curva non venisse incisa solo nella sua carne, ma anche nella sua anima.

Nei momenti di lucidità, che non erano stati frequenti, aveva chiesto a Lucifero cosa stesse facendo.

"Ti sto proteggendo, amore". E quando aveva iniziato a incidere la sua zona più sensibile e privata, "Ti sto amando".

Alla fine, Kai era stato marchiato con una spirale che cominciava sulla tempia destra, scendeva lungo la guancia, sul mento, andava sul lato sinistro del collo, poi scendeva con una curva intorno alla schiena arrivando al plesso solare da destra, scendeva all'inguine, attraversava le natiche, per avvolgersi infine intorno alla gamba sinistra fino alla pianta del piede. Gli ci erano voluti dei giorni per riprendersi;

aveva perso i sensi in continuazione, ricordando sempre meno delle specifiche, ma crogiolandosi nelle cure e nella reverenza che Lucifero gli aveva dedicato dopo.

Assalito dai ricordi, giunse al portale; la sua fretta era tale da dover rifare due volte l'incantesimo, perché non riusciva a concentrarsi. Senza aspettare che gli passassero le vertigini, barcollò in casa in cerca di Te e Uriele. Li trovò in salotto, a chiacchierare amabilmente, con i gatti sdraiati ai loro piedi, sul loro grembo e sui mobili.

Te fu il primo a notarlo. "Kai? Cos'è successo?" chiese districandosi dai felini che lo circondavano, prima di alzarsi.

Percependo l'agitazione del vampiro, ogni gatto nella stanza si alzò. Qualcuno soffiò, altri ringhiarono, ma tutti si tennero pronti ad attaccare.

Kai si strappò i vestiti. Aveva troppa fretta per preoccuparsi di bottoni e cerniere; se li strappò di dosso fino a scoprire ogni centimetro di pelle. Quando fu nudo, guardò i serafini. "Che cosa dicono?" gridò, indicando i motivi intricati e i simboli che gli percorrevano il corpo.

Nessuno dei due parlò; Te era molto turbato.

"So che sei in grado di leggerli", lo incoraggiò Kai. "Che cosa dicono?" Cercava di restare calmo, ma sapeva che avrebbe ricominciato a urlare, se non avesse avuto risposte.

Te non sembrava disposto a dargliele.

Indicò il sigillo sul collo. "Cominciamo con uno facile. Questo impedisce la decapitazione".

Il loro silenzio fu una conferma. Il senso di tradimento gli attanagliò le viscere. Passò oltre i pochi di cui conosceva il significato e ne scelse un altro a caso. "Questo che cosa fa?" Indicò un largo sigillo sulla spalla sinistra.

"Quello simboleggia la forza", rispose Uriele. Non si era mosso da quando Kai era entrato. A differenza di Te, non era turbato dalle richieste frenetiche di Kai. "Ti ha reso più forte".

"E questo?"

"Quello simboleggia la resilienza", rispose Te, ancora a disagio. "Ti ha dato l'abilità di resistere alle ferite e ha incrementato le tue naturali abilità di guarigione".

Kai urlò per la frustrazione: molti gatti soffiarono e miagolarono, rispecchiando il suo malessere. Sapeva che entrambi erano in grado di leggere il suo corpo. Perché non gli dicevano e basta cosa significava tutto quanto? Perché doveva estrarre da loro a fatica i significati, uno per uno? Era tedioso. Qualcosa gli sfuggiva, ma cosa? Indicò altre spirali e altre forme, scoprendo però che erano solo decorative. La parola "amore" era scritta in tanti modi e in tanti punti diversi, ma non era infusa di potere, solo di sentimento. Doveva esserci dell'altro; fino a quel momento però, gli risultava chiaro solo che Lucifero era paranoico e possessivo, e lo sapeva già.

Infine, indicò il sigillo sul plesso solare. L'espressione di sgomento sul viso di Te gli fece capire che avrebbe dovuto cominciare da lì.

"Quello riguarda la tua sete di sangue", disse Uriele.

"Come riguarda la mia sete di sangue?"

Uriele fece un gesto vago. "Il tuo desiderio di sangue umano è stato... represso".

"E se ne bevo?"

"Sospetto che tu conosca già la risposta". Uriele si sedette di nuovo e lo sfidò silenziosamente a insistere.

Con un gesto svogliato, Kai indicò il gruppo di sigilli che cominciava all'altezza dell'inguine, girava intorno al pene, sbucava sui testicoli e finiva all'ano. Il terrore opprimente gli diceva tutto quello che aveva bisogno di sapere, ma voleva conferme.

"Quelli ruotano intorno al sesso", disse Te, rifiutandosi di guardarlo.

Kai stava perdendo il controllo sulla calma che si era imposto. "Come, esattamente?"

"Ti rendono più ricettivo". Il grosso angelo si strinse nelle spalle.

"Ricettivo o insaziabile?" lo fulminò Kai. Aveva la gola tanto stretta che gli faceva male parlare.

"Il tuo desiderio, il tuo appetito e la tua resistenza sono... implementati". Te continuava a non guardarlo.

"Lo sapevi". Avevano passato la giornata a letto. Come poteva non sapere? "Volevi stare con me, o stavi solo eseguendo gli ordini?" Batté sul sigillo sul petto uguale a quello di Te.

Te fece un passo verso di lui e lo guardò negli occhi. "Entrambe le cose".

Avrebbe digerito più tardi le implicazioni; non poteva fermarsi a farlo ora, preso com'era dalla spinta di esigere le sue risposte. Scelse il sigillo che gli copriva lo sterno. "Questo. Cosa fa, questo?"

Te lo fissò e non disse niente. Kai guardò oltre lui, verso Uriele, che ricambiò lo sguardo, non incline a rispondergli.

"Allora, Te? Che cosa fa?" chiese di nuovo.

"Quello simboleggia l'amore". Te distolse lo sguardo.

"L'amore", ripeté Kai, sentendosi distaccato ed essendone felice. "Che cosa, riguardo l'amore?"

Te si allontanò, a testa bassa. Quando arrivò alla mensola sopra il caminetto, si fermò. Fece un respiro profondo e si voltò a braccia conserte. "Lucifero sapeva cosa provavi per Aram. Penso fosse affascinato dal fatto che tu potessi amare qualcuno al punto da voler morire insieme a lui". Tacque, studiando le proprie scarpe color tè. "Voleva che tu lo amassi come hai amato Aram", aggiunse infine.

"Oh", fu tutto quello che riuscì a dire Kai, quando il peso della comprensione gli calò addosso. Era davvero la puttana di Lucifero. Si afflosciò sul pavimento.

Da quanto tempo? Tutti i suoi sentimenti per Lucifero erano stati costruiti? Sapeva che Lucifero aveva bisogno di avere il controllo, ma così? Kai non aveva mai pensato, mai, che il suo compagno fosse capace di un tradimento di tale portata. Non aveva mai pensato di essere in una relazione paritaria, ma il fatto di non esserlo non gli aveva mai dato fastidio, perché Lucifero lo rispettava. O almeno così aveva creduto, fino a quel momento.

Era stato uno sciocco. Aveva lasciato che Lucifero lo vestisse e si occupasse di lui, proprio come gli umani si occupavano dei loro animaletti domestici. Aveva riso con Lucifero della loro stupidità. Ma per tutto il tempo che erano stati insieme era stato esattamente come quegli animaletti viziati.

Kai si chinò, prendendosi la testa fra le mani. Il suono che partì dal suo addome non somigliava a nulla che si era mai sentito emettere prima. Divenne un grido selvaggio che gli scoppiò dalla bocca e fece scappare la maggior parte dei gatti. Li sentì fuggire e fu felice che qualcosa, in quella stanza, lo temesse. Era la puttana di Lucifero, addomesticato e con il guinzaglio. Il meglio che riusciva a fare era spaventare i gatti. Uno più deciso però rimase indietro; gli girò intorno soffiando. Rapido come un serpente, Kai allungò una mano e l'afferrò. Il suo corpo si gelò completamente.

"Vampiro, ti consiglio di ripensare alle tue azioni".

"Appena mi lasci andare, Uriele, lo uccido". Il

gatto si era afflosciato, per paura o per l'influenza di Uriele, Kai non sapeva quale delle due.

"Non farai niente del genere. Così come tu sei sotto protezione qui, lo sono anche loro".

La calma superiorità con cui aveva parlato gli fece venire voglia di strozzarlo. "Ho sopportato queste bestie per amore. Ma è una amore costruito, me ne rendo conto adesso. Voglio che escano tutte da questa casa. Ora". La sua voce tremava di rabbia per essere ancora prigioniero.

"Sai che i gatti fanno parte delle protezioni sulla casa", disse Te.

"Allora cambiale".

"Le emozioni ti hanno reso irragionevole, vampiro". Uriele lo liberò; ogni gatto, incluso quello che aveva catturato Kai, sparì dalla stanza. "Non è cambiato niente. È stato loro ordinato di starti lontano".

Kai non si sentì grato, quindi non lo ringraziò. Uriele aveva fatto a modo suo. Come aveva fatto Lucifero. Come facevano tutti gli angeli, alla fine. Non aveva intenzione di ringraziarlo per aver ignorato i suoi desideri. Lottava per tenersi aggrappato alla rabbia, che era più che giustificata, ma sentiva ancora il profondo, onnicomprensivo amore per Lucifero che aveva provato per secoli. Sapere cosa significavano i sigilli lo faceva arrabbiare, ma non cambiava il fatto che lui amava Lucifero. Non si fidava più del sentimento, voleva che sparisse totalmente. Il dolore di essere stato tradito faceva il tiro alla fune con il bisogno di nutrire quell'amore. Basta. Voleva che tutto si fermasse.

Si alzò, animato da un improvviso desiderio di sentirsi pulito, pur sapendo che sarebbe stata solo una sensazione illusoria. Te sembrava voler aggiungere altro, ma Kai lo ignorò mentre gli passava accanto. Salì le scale, entrò nel bagno, poi nella doccia. Aprì il rubinetto in modo che l'acqua fosse più calda possibile e rimase immobile sotto il getto.

L'acqua gli scorreva addosso da diversi minuti, quando ebbe l'impeto di fare di più: afferrò il bagnoschiuma e se ne versò un po' in mano. L'odore di sandalo gli assaltò le narici: cadde in ginocchio con un grido. Aveva preso il bagnoschiuma che Lucifero aveva scelto per lui. Lasciò che l'acqua lo portasse via, senza usarlo, e ne cercò un altro, ma tutti gli sciampi e i bagnoschiuma avevano profumi che piacevano a Lucifero, scelti da Lucifero. Era troppo.

C'era qualcosa in casa che fosse solo suo? Aveva lasciato che fosse Lucifero a decidere per lui così spesso che non gli apparteneva neanche la scelta del bagnoschiuma. Pensò che l'aveva fatto perché non gli importava. Era così? Gli sfuggì un singhiozzo quando si rese conto di non saperlo. Rimase nella doccia abbastanza a lungo da esaurire l'acqua calda nel boiler.

Te si affacciò alla porta del bagno. "Kai?"

"Portami del sapone", gli disse con voce stanca. "Qualsiasi cosa senza profumo".

Per fortuna, Te non chiese il perché. Tirò fuori

una saponetta da qualche parte e gliela diede. Kai lo ignorò. Fece fare la schiuma alla saponetta e si lavò. Sapeva che non avrebbe mai rimosso i marchi dal corpo, ma poteva sognare. "Voglio che spariscano".

"Lo so".

Finita la doccia, chiuse l'acqua. "Toglili. Per favore".

"Non posso", disse Te con un'espressione addolorata sul viso. "Lucifero era molto più potente di me. In più, ha fatto cose che non so replicare. Non riesco neanche a immaginare come farle, men che meno come disfarle".

Kai gli credeva; non voleva farlo, ma gli credeva. Doveva chiedere un'altra cosa. La risposta alla domanda che stava per fare era la più temuta di tutte le risposte ricevute quella notte. "C'è anche il suo nome, vero? Ho 'Proprietà di Lucifero, la Stella del Mattino' scritto addosso da qualche, non è così?"

Te si irrigidì e strinse le labbra; gli occhi argento andarono allo zigomo destro di Kai.

Kai alzò le dita e si toccò la faccia. "Dannazione".

Durante le rivelazioni di quella notte, i suoi occhi erano rimasti asciutti, ma ora si riempirono di lacrime di imbarazzo. Superò Te e si diresse nella camera da letto che condivideva con Lucifero. Afferrò uno dei coltelli che aveva sempre con sé e tagliò la pelle sulla guancia. Il Clan Aria non si rigenerava: non aveva problemi a vivere con il viso sfregiato, pur di far scomparire la scritta.

"Non ti servirà a niente, lo sai", gli disse Te, dalla porta. Entrò nella stanza e gli tolse il coltello. "Questo sigillo qui", ne accarezzò uno che copriva l'avambraccio sinistro di Kai, "nega la natura non-rigenerativa del Clan Aria. Il sigillo ricomparirà con la pelle".

Mentre lo diceva, Kai sentì la pelle ricrescere. Guardandosi allo specchio, vide la pelle rigenerata che metteva in risalto il tatuaggio. "E allora la taglio ancora". Cercò di prendere il coltello a Te, ma Te fu più svelto ad allontanare la mano che lo reggeva.

"No, non ti lascerò continuare in questo futile tentativo di mutilarti".

"E allora cancellalo, per favore". Kai odiava implorare, ma era disperato.

Te alzò le mani in segno di resa, arretrò e si sedette sul letto. "Tu non capisci. Lucifero era il mio comandante, il mio maestro. Sono legato a lui in modo più stretto di quanto non lo sia tu. Non posso".

Kai sentì la supplica di comprensione da parte di Te, così come sapeva che Te aveva sentito la sua. Si sedette accanto a lui. "Come ha fatto ad avere così tanto potere?"

"Era magnifico".

Non poteva essere in disaccordo.

Condivisero un momento di silenzio; Kai intuì che Te pensasse a Lucifero, così come stava facendo lui. Poi si alzò, andò all'armadio e l'aprì, guardando gli abiti che erano stati scelti per lui.

Cosa mi piace?

Sfiorò le sete, i lini e i cotoni morbidi. Gli piaceva toccarli, anche se li aveva scelti Lucifero. Era difficile pensare al di là delle emozioni e delle possibili influenze dei sigilli. Indugiò per un po', accarezzando gli abiti.

Cosa mi piace? Mi piace la pelle. Si spostò alla sezione in cui si trovavano vestiti di pelle di ogni tipo, colore e consistenza.

Mi piace la pelle perché piace a me, o perché piace a Lui?

Sfiorò un paio di pantaloni di pelle morbidi come burro e sospirò. Non era sicuro di volerli indossare, ma se li infilò comunque. Gli aderivano come una seconda pelle. Forse gli piacevano, indipendentemente da come erano finiti nel suo armadio. Poi indugiò fra le camicie. La seta gli accarezzava la pelle. Gli piaceva, sì... Forse.

Scosse la testa. *Non ce la faccio.*

Un attimo dopo, stava strappando le camicie. Le fece a pezzi, ruppe persino le grucce. Si strappò via i pantaloni di pelle e fece a pezzi anche il resto degli abiti in pelle nell'armadio. Rimase ansante vicino all'anta, ancora nudo, con un mucchio di stracci ai suoi piedi.

"Non ti vestirai mai, se vai avanti così", disse Te alle sue spalle.

"Era tutto suo", rispose Kai senza voltarsi.

"Prova questi".

Te lo vestì con jeans neri, una maglietta nera e

stivali neri. Kai si voltò per guardarsi allo specchio. Era qualcosa che Lucifero non avrebbe mai scelto per lui, quindi accettabile. "Questo andrà bene. Solo, non abituarti a vestirmi", rispose, incapace di trattenere il sorrisetto che gli curvava le labbra.

Te ricambiò. "Non me lo sognerei mai".

* * *

Roberta era davvero spaventata. Kai non solo aveva vomitato, ma era uscito correndo dalle sue stanze come se lo stessero inseguendo. Era terrorizzato. Vederlo così era allarmante. Non riusciva a mangiare lo stufato, anche se aveva un profumo delizioso, perché nella sua mente era rimasta impressa l'immagine di Kai chino sul gabinetto a vomitare.

Fissando la ciotola, prese il cucchiaio, pescò un pezzo di carne e lo esaminò. Kai aveva detto che non era umana, ma lo sapeva per certo? Erano sottoterra, dopotutto; non c'erano le mucche. Aveva visto gli esseri che popolavano la Città. Se erano tanto insensibili da usare gli umani come schiavi, di certo non avevano problemi a usarli anche come fonte di carne.

Lasciò cadere il cucchiaio nella ciotola e la spinse lontano da lei, sul tavolo. Il bicchiere che Kai aveva fatto cadere non si era rotto, ma era a terra; il contenuto era schizzato sul tavolo e sul pavimento nel punto in cui si era seduto Kai. Grandioso. Quel po' di appetito che le era rimasto l'abbandonò. Si sentiva nauseata e ancora più spaventata di prima.

Si alzò, senza sapere cosa fare. Cos'avrebbe dovuto fare? Andò su e giù per la stanza. Uriele l'avrebbe saputo.

Il pensiero di lui la calmò, finché non lo allontanò. Agitata com'era, pensare a lui l'avrebbe portata solo a un altro eccesso d'isteria e a un'altra dose della meravigliosa, meravigliosa P2. Ma non voleva diventare una tossica. Proprio un bel no.

Se solo ci fosse stato qualcosa da fare... Una televisione da guardare, una radio da ascoltare, riviste da leggere, volantini pubblicitari da far passare... Qualsiasi cosa, pur di non pensare alle cose proibite su cui voleva rimuginare. Tipo: cos'era successo a Kai? Stava male? Non sembrava, ma che ne sapeva lei? Prima di essere portata nella Città, nemmeno sapeva che esistessero, i vampiri.

Di punto in bianco sentì un agitarsi di carta: una grossa pila di riviste era comparsa sul tavolino accanto al divano. C'erano anche i romanzi che voleva leggere, ma non ci era mai riuscita. Li fissò, stupita, finché un foglio di carta non cadde svolazzando dall'alto e atterrò in cima alla pila. Affascinata, si chinò sul tavolino e prese il foglio. C'era scritto un messaggio in un corsivo perfetto, la grafia più bella che avesse mai visto.

Il tuo padrone è indisposto, ma in buona salute. Questi dovrebbero tenerti occupata fino al suo ritorno.

P.S. Sta' tranquilla, la carne nel tuo stufato non è umana.

Roberta sprofondò nel divano, sollevata dall'ultima riga, grata per avere una cosa in meno di cui preoccuparsi. Se Uriele diceva che Kai stava bene, lei gli credeva. Ed era contenta e al contempo sorpresa del fatto che lui avesse trovato il tempo per rassicurarla. Sfogliò le riviste: moda, auto, arti, letteratura, parlavano di ogni argomento. Bene. C'era un'ampia scelta di informazioni probabilmente inutili: proprio quello che le serviva per distrarsi.

"Grazie, Uriele", disse, sicura che potesse sentirla.

Ne prese una in cima, il *Reader's Digest*, si accoccolò sul divano e sprofondò nella lettura.

* * *

"Attento. Continua così e la tua reputazione di bastardo dal cuore di ghiaccio potrebbe rovinarsi", disse Te. Dato che erano rimasti solo loro due, non era incline a separarsi da Uriele, sicché aveva visto cos'aveva fatto per Roberta.

L'arcangelo gli rivolse uno sguardo pigro. "Era solo una ricompensa per non avermi infastidito".

Te pensò che si fosse offeso per essere stato richiamato. "Uh-uh". Stava sorridendo, ma tornò serio. "Non ho mai visto Kai così sconvolto. Credi che dovrei seguirlo?"

"Ci sei andato a letto. Sapevi cos'aveva scritto Lucifero sulla sua pelle, ma non hai detto niente. Perché?"

"Come mai questo improvviso interesse per la mia vita amorosa?"

"Devi essere volgare? Se vuoi andare in calore come un animale, sono affari tuoi."

"Ma ti incuriosisce il clamore che c'è intorno, vero?"

"No di certo. Non mi sporcherei mai così".

Te rise e abbandonò l'argomento con un gesto. "Come ti pare".

"Ho osservato Kai. Sta bene, anche se è ancora turbato. Andrò da lui", disse Uriele, prima di sparire.

Sollevato, Te si rilassò su una poltrona. Non voleva parlarne. Certo che aveva visto quello che Lucifero aveva scritto su Kai, solo che aveva scelto di ignorarlo. Era stato con Kai perché lo voleva. Era stata la prima volta in cui aveva deliberatamente disobbedito a Lucifero. E aveva in mente di farlo ancora, se Kai gliel'avesse concesso. Il prezzo della disobbedienza sarebbe stato il senso di colpa. I sigilli sul corpo di Kai gli avrebbero costantemente ricordato la sua slealtà. Forse il dispiacere sarebbe diminuito con il tempo. Forse no. Avrebbe convissuto con le conseguenze.

* * *

Kai non era andato lontano. Era arrivato al parco alla fine del viale. Era fermo al buio, fra le ombre degli alberi. Era quasi l'alba. Il dolore della perdita che aveva in corpo echeggiava un'altra vecchia perdita. L'unica differenza era che stavolta la sensazione era smorzata dal bruciore per il tradimento di Lucifero. Era stanco, intorpidito. Sedette su una panchina, rendendosi conto che era il posto preferito di Lucifero. Si accasciò con un sospiro. Non sarebbe mai riuscito a sfuggirgli, nemmeno per qualche attimo, anche solo per rimettere ordine nei propri sentimenti.

"Riprenditi, vampiro. Il tuo comportamento non è quello di un guerriero".

Uriele l'aveva chiamato *guerriero*. Era già qualcosa. Non si scomodò ad alzare lo sguardo. "Vattene, Uriele. Qualsiasi cosa sei venuto a fare, l'apprezzo, ma..." Lasciò la frase in sospeso, non avendo l'energia per finirla.

"Non avrebbe potuto fare niente senza il tuo consenso".

Ora Kai alzò gli occhi. Il vestito nero di Uriele si fondeva così bene con il buio che la sua testa sembrava librarsi a mezz'aria senza il corpo. Era una vista che turbava persino lui. "Il mio consenso? Mi prendi in giro? Mi ha legato. Non ha mai chiesto". Kai strinse i pugni così forte da far scrocchiare le nocche.

Gli occhi di Uriele brillarono di un fuoco color rame. "Sì, vampiro, il tuo consenso. Mio fratello, nonostante tutto il suo potere, era possessivo e tendeva

314

alla paranoia quando si trattava di perdere le cose a cui teneva. Tu ne eri consapevole. Dimmi che le sue azioni ti sorprendono davvero".

"Ma..."

"No, vampiro. Sai quanto me che eri complice. Quando hai lottato contro i Ronin, hai desiderato che avesse ignorato i tuoi desideri. E lo aveva fatto. Non puoi avere tutto".

Kai gemette. Voleva negarlo, ma sapeva che era vero. Legato a quel letto, in cuor suo era stato felice che Lucifero lo stesse marchiando, che stesse prendendo possesso di lui. Per sempre. Non ci aveva mai pensato perché si vergognava, ma era stato fiero di avere i suoi marchi, fiero di essere stato scelto. Mise la testa fra le mani, afferrò i capelli e tirò abbastanza forte da farsi male. Quando avrebbe affrontato il fatto che era debole?

"Lord Uriele, finalmente. È tempo che ti unisca ai tuoi fratelli. L'Inferno ti attende, come Lucifero, che è già lì".

Quando Kai alzò la testa, Uriele si era voltato e stava lanciando frecce infiammate, che venivano prese al volo e spente. La paura lo bloccò per un istante. L'unico che aveva conosciuto in grado di spegnere il fuoco sacro di Uriele era stato Lucifero.

Cinque femmine di una specie sconosciuta li circondavano. Erano in abiti da battaglia. Scura come l'abito di Uriele, la loro pelle si fondeva con il buio.

Solo i capelli e gli occhi bianco-argentato riflettevano le luci fioche della notte.

"La tua famiglia non c'è più", disse a Uriele quella al centro. "È ora che ti unisca a loro e lasci che questo posto sprofondi nell'Oscurità, come si merita".

Kai si alzò lentamente dalla panchina. Il suo istinto gli urlava di scappare e di nascondersi. Ma Uriele l'aveva chiamato guerriero: il minimo che poteva fare era morire da guerriero accanto a lui. I suoi movimenti attirarono la loro attenzione.

"L'amante di Lord Lucifero". La guerriera lo guardò. "Le sue protezioni ti hanno reso coraggioso. Ora non ti serviranno più".

Disse una parola che Kai non riconobbe, e il suo corpo andò istantaneamente a fuoco. Le fiamme non erano rosse, ma di un blu acceso. Ebbe abbastanza tempo per rendersi conto di non bruciare, prima che il dolore lo colpisse. Ogni sigillo e marchio decorativo gli fu strappato dal corpo. Sentì il contrario di quello che aveva sentito quand'erano stati applicati; stavolta però, non venne fatta alcuna attenzione. Fu come se gli venissero strappati anche pezzi di anima. Tutto ciò che aveva fatto Lucifero veniva disfatto con sciatteria, la finezza ignorata a favore della forza bruta. Pensò che non sarebbe sopravvissuto. Dubitò di voler sopravvivere.

Quando la tortura finì, si ritrovò a terra, coperto di sangue, con la pelle strappata e lacerata. Alzò gli occhi. Con la vista appannata, scambiò un ultimo sguardo con Uriele prima che scomparisse: l'arcangelo aveva un'espressione sofferente, così diversa dal suo solito viso stoico.

"Di' a Lord Te, Ultimo degli Angeli, che la sua punizione non è morire, ma essere testimone dell'Oscurità che arriva e tutto consuma".

Le guerriere sparirono.

Kai non riusciva a muoversi. Non aveva né la forza, né l'energia per farlo. Vide il polso insanguinato: il sigillo che lo proteggeva dalla luce non c'era più. Presto il sole sarebbe sorto. Debole com'era, l'avrebbe ucciso.

Forse non sarebbe un male. Chiuse gli occhi e scivolò nell'oblio.

DICIASSETTE

TE ERA AGITATO. Una luce blu aveva coperto il sigillo che lo collegava a Kai e l'aveva dissolto. All'incirca nello stesso momento, era stata troncata la sua connessione con Uriele.

Uriele era morto: significava che era morto anche Kai?

Non ne aveva idea. Uscì a cercarlo. Senza il collegamento fra loro, sarebbe stata una ricerca lenta. Allargò le sue percezioni e camminò per strada, temendo il peggio.

* * *

Il giovane lupo mannaro era in giro a godersi la notte. Raramente si spingeva tanto lontano lungo King Street. Preferiva restare nel territorio del branco nel distretto Upper Peninsula. Quella notte però, la sua compagna non aveva voluto sentire ragioni, perciò aveva assecondato il proprio bisogno di allontanarsi il più possibile da lei.

Un potente odore di sangue colpì le sue narici. Si sentì obbligato a controllare. Non aveva mai fiutato niente del genere in tutta la sua vita. Era un odore leggendario, no *epico*, per quanto era intenso. Più si avvicinava, più l'odore diventava forte. Era di un essere vecchio – molto vecchio – che stava morendo. Non sapeva ancora se fosse un bene o un male.

Quando entrò nel parco, gli si rizzarono i peli sulla nuca. L'odore emanato dalla figura a terra gli fece venire le lacrime agli occhi. Era diviso tra la voglia di bere quel sangue, farcisi il bagno o ululare per l'estasi e la gioia di averlo trovato. L'unica cosa di cui era sicuro era che gli apparteneva. Avrebbe lottato fino alla morte contro chiunque l'avesse sfidato per averlo.

Quando fu abbastanza vicino, diede un colpetto al corpo con il piede. Nessun movimento. Bene. I saprofagi sarebbero arrivati presto; avrebbe dovuto combatterli. Era felice di non dover combattere anche contro il proprietario del corpo per avere ciò che ormai aveva deciso fosse di sua proprietà.

Eppure... Eppure c'era qualcosa di familiare, in quell'odore, qualcosa che gli pungolava il cervello, in lotta con i suoi istinti primordiali. Era fastidioso. Non poteva goderselo e basta? Girò il corpo sulla schiena con il piede e imprecò ad alta voce. Sarebbe morto in pochi giorni, se solo avesse assaggiato quel sangue dolce e tentatore. Cazzo.

Tirò fuori il cellulare, ringhiando contro gli inevitabili avvoltoi. Sì, poteva tenerli lontani abbastanza a lungo. Doveva farlo. Risposero al telefono al secondo squillo.

"Julian, sono Joseph. Ho bisogno del tuo aiuto. La situazione è grave".

Disse al suo alfa dove si trovava e di fare in fretta. Poi si mise in posizione protettiva sul corpo e aspettò il primo attacco.

* * *

Te non faceva progressi. Doveva esserci un modo migliore, più facile, per trovare Kai, ma non riusciva a pensarci. Era all'incrocio tra Calhoun Street e Meeting Street. La città si stava svegliando; presto la penisola sarebbe stata piena di gente. Doveva trovare Kai prima che accadesse.

Non per la prima volta, desiderò avere le abilità di un arcangelo. Se le avesse avute, sarebbe potuto essere in più posti contemporaneamente. Vero, era in grado di diventare incorporeo e di scandagliare uno spazio maggiore, ma non di dividere la propria coscienza. In altre parole, sarebbe stato comunque un puntino in cerca di un altro puntino. Frustrato e spaventato per l'amico, si avviò lungo Meeting Street, passando al setaccio Hampton Park.

* * *

Anche se era la residenza di un vampiro sire purosangue, Charleston aveva un'ampia popolazione di saprofagi. Joseph maledisse la cosa, mentre combatteva un altro assalitore. Il giovane lupo mannaro era forte e ben addestrato. Fino a quel momento era riuscito a difendersi piuttosto bene. Il Clan Orione aveva fatto un bel lavoro nel tenere bassa la popolazione di saprofagi nel proprio territorio, ma ciò significava solo che i saprofagi erano andati più a sud.

I saprofagi erano scarti sociali, un miscuglio di vampiri meticci e lupi mannari senza clan. Senza casa, si rifugiavano nelle fogne e negli edifici abbandonati; mangiavano tutto quello che riuscivano a trovare: animali domestici, animali selvatici, si mangiavano anche l'un l'altro. Di rado attaccavano gli umani, anche se gli umani erano il loro pasto preferito. Erano deboli, sia psicologicamente, sia fisicamente: un branco di umani in cerca di vendetta poteva abbatterli con facilità.

Quei saprofagi però erano imbaldanziti dal potente bottino ai piedi del giovane lupo mannaro. Joseph non era ancora riuscito a ucciderne nessuno. Tuttavia, pur essendo armato solo degli artigli e della ferrea volontà di non cedere, feriva a sangue tutti quelli che si avvicinavano. Si era reso conto che l'assedio sarebbe stato lungo quando i saprofagi avevano ignorato i feriti, preferendo continuare ad attaccarlo. In circostanze normali, si sarebbero gettati sui feriti come squali nell'acqua insanguinata, lasciando perdere il bottino originario.

Tirò un sospiro di sollievo quando sentì le fusa familiari della Lincoln dall'altro lato del parco. Un'occhiata in quella direzione lo rassicurò ancora di più: un furgone con altri membri del suo branco era stato parcheggiato dietro la macchina.

Riportò l'attenzione al suo compito. Nell'istante in cui si era distratto, un meticcio aveva afferrato il corpo ai suoi piedi e ora lo stava trascinando via. Schivò un colpo alla testa e si lanciò verso chi l'aveva sferrato, spaccandogli la faccia con un pugno. Sorrise quando sentì le ossa scricchiolare. Poi balzò contro il meticcio e gli spezzò la schiena, bloccando la sua avanzata.

"Cosa diamine è..." disse Julian, arrivando di corsa. Si fermò di botto quando vide il corpo. "Oh porco cazzo, quello è..."

"Già, credo di sì".

Gli altri membri del branco si unirono alla lotta; insieme ci misero poco a liberarsi dei saprofagi.

Julian si inginocchiò con Joseph accanto a Kai. "Cosa può avergli fatto una cosa del genere?" Voltò delicatamente il corpo, ed ebbe un sussulto.

Joseph non aveva mai visto Julian così sconvolto e

spaventato. D'altro canto, trovò di conforto il fatto di non essere il solo ad aver intuito la gravità della situazione.

"È già stato esposto al sole. Dobbiamo portarlo via di qui, ma non possiamo portarlo a casa sua", disse Julian. Le protezioni su Casa Ashley li avrebbero uccisi tutti, tranne forse Kai, prima che arrivassero alla porta d'ingresso. Era un peccato, dato che la casa era in fondo alla strada. "Andiamo da Risha. È il massimo che possiamo fare". Sollevò Kai fra le braccia con delicatezza e reverenza e lo portò alla Lincoln, adagiandolo sul sedile posteriore.

"Joseph, tu vieni con me. Voi occupatevi di quelli". Indicò con disgusto i saprofagi morti e moribondi. "Poi dividetevi e trovate Lord Te. Non dite a nessuno quello che avete visto". Si fermò e guardò ognuno di loro dritto negli occhi, cementando il punto, finché non distolsero lo sguardo. Sapevano tutti che non l'avrebbero passata liscia, se avessero disobbedito.

* * *

Te aveva tagliato su East Bay Street. Aveva perso la pazienza più o meno quando il sole era sorto del tutto. Non avrebbe trovato Kai. Non c'era più tempo. Decidendo di non tornare né a casa, né alla Città, camminò lungo il marciapiede, fissando la nave da crociera in porto. Si sentiva inerme.

Un'auto si fermò con uno stridore di freni. Un

giovane uomo – no, un *lupo mannaro* – uscì e corse da lui.

"Lord Te, è urgente, dovete venire con noi", disse, dopo un rapido inchino. Il suo petto si alzava e abbassava in fretta.

Te aggrottò la fronte. "Non ho tempo..."

"Riguarda Lord Kai", lo interruppe il giovane a voce bassa.

Te sparì e ricomparve nell'auto, mentre il licantropo si guardava intorno disorientato. "Andiamo", ordinò al conducente.

Il giovane ebbe appena il tempo di salire prima che il veicolo ripartisse sgommando.

* * *

Risha diede istruzioni a Julian di mettere Kai nel loro letto. Non aveva altre stanze adatte a uno del suo rango. Vivevano sopra il club. L'edificio era una solida struttura di metallo senza finestre. Kai sarebbe stato al sicuro all'interno.

In quel momento, lei e Julian erano soli con Kai. Non sapeva cosa fare. Voleva pulirgli le ferite, togliergli i vestiti insanguinati e fargli un bagno, ma esitò. E se fosse stato Lord Lucifero a ridurlo così, perché Kai era caduto in disgrazia? Certo, era altamente improbabile, ma chi altri aveva il potere di ridurlo in quello stato? La propria relazione con Lord Lucifero era abbastanza stabile da impedirgli di vendicarsi su di lei, se fosse intervenuta? Non era mai stata messa alla prova prima. Se si sbagliava, metteva a rischio non solo se stessa, ma anche il clan. Soprattutto per quello, era un rischio che aveva paura di correre.

Il telefono di Julian squillò. Lui rispose subito, prima che lei riuscisse a dirgli di non farlo. La conversazione fu breve. Lui la guardò negli occhi tutto il tempo, implorando perdono. "Lord Te sta arrivando. L'hanno trovato sulla East Bay". La sua voce rispecchiò il sollievo che lei provò alla notizia.

"Sia ringraziata la Madre. Lui saprà cosa fare".

* * *

Poco dopo Lord Te entrò di corsa; la sua presenza riempì la stanza. Risha sprofondò in una riverenza, e Julian si inchinò, ma Lord Te li ignorò e andò dritto al letto su cui c'era Kai. Persino agli occhi di Risha, Kai sembrava piccolo e fragile in quel grande letto. Sperò che fossero arrivati da lui in tempo.

Lord Te sussurrò con voce angosciata parole in una lingua che Risha non conosceva. Non per la prima volta, lei si chiese cosa fosse lui di preciso. Lord Te agitò una mano, e tutto il sangue sparì: da Kai, dal letto, da Julian; ovunque c'era del sangue prima, adesso non c'era più. Risha sapeva che lui era potente, ma quella dimostrazione la scosse. Lo guardò ferirsi il polso con un'unghia e accostarlo alla bocca di

325

Kai. Non appena il sangue toccò la lingua, il vampiro si mise a urlare e spinse via il polso, pur non avendo ancora ripreso conoscenza.

Lord Te imprecò e si sedette accanto al letto. "Gli servirà sangue, Risha. Molto sangue". Parlò con lei, ma i suoi occhi non lasciarono Kai.

Risha fece un cenno a Julian, che uscì per adempiere alla richiesta. Sapeva che sarebbe andato alla Città: era l'unico posto in cui era possibile trovare la quantità di sangue necessaria in poco tempo.

* * *

Seduto sul letto accanto all'amico, Te si sentiva esausto e rassegnato. Prima il Paradiso, poi Michele, Raffaele e Gabriele, poi Lucifero e adesso Uriele. Tutti spariti. Kai vivo a malapena. Chiunque l'avesse ridotto così, non solo l'aveva spogliato delle protezioni, ma aveva anche lacerato la sua essenza. Gli incantesimi di Lucifero infatti erano incisi nella carne di Kai tanto quanto nel suo essere.

Chi aveva rimosso i sigilli, l'aveva fatto senza nessuna cura. Un trattamento a casaccio, brutale. Temeva che Kai non sopravvivesse. E se fosse sopravvissuto, sarebbe rimasto pieno di cicatrici. A complicare le cose, era stato esposto al sole abbastanza a lungo da restare avvelenato. Te non poteva fare molto per aiutarlo, se non sperare che trangugiando abbastanza sangue, Kai sarebbe guarito da solo nel corpo e nell'anima.

Guardò Risha e fece qualcosa che non faceva da tempo. La conosceva da secoli, pensava di potersi fidare di lei, ma doveva esserne sicuro. La licantropa aveva rischiato tanto, offrendo rifugio a Kai. Te doveva sapere fin dove si sarebbe spinta. Guardò nel suo cuore, passò al setaccio tutto ciò che era finché non fu certo che non li avrebbe traditi. "Grazie, Risha. Ho un debito con te che dubito riuscirò a ripagare".

"Potete portare le mandorle al cioccolato alla prossima partita". Aveva cercato di suonare spensierata senza riuscirci. Era terrorizzata.

Te voleva rassicurarla, ma dubitava di poterlo fare.

Julian tornò con un cartone contenente bottiglie di sangue fresco. Te ne prese una, con l'altra mano tenne sollevata la testa di Kai, e lo nutrì. Il vampiro era vicinissimo alla morte, una condizione in cui accettava il sangue anche senza essere cosciente. Per il momento, non si sarebbe opposto a berlo. Bottiglia dopo bottiglia, il sangue sparì nella gola di Kai, finché lui, sempre incosciente, spinse via Te e voltò la testa.

L'angelo si lasciò cadere sulla sedia e sospirò. Guardò i salvatori di Kai. Guardò dentro Julian, così come aveva fatto con Risha: trovò un compagno devoto e fidato che avrebbe supportato la sua matriarca e compagna fino all'ultimo respiro. Non voleva dir loro niente, ma doveva fidarsi di qualcuno. Kai era in punto di morte. I suoi fratelli non c'erano più. E non sapeva quanto tempo gli era rimasto. A Kai servivano cure, nel suo stato attuale. Non c'era nessun altro di cui poteva fidarsi, se non loro due.

"Quello che sto per dirvi non deve uscire da questa stanza". Prima di continuare, avvolse la camera con una protezione insonorizzante.

Risha e Julian lo guardarono con occhi curiosi, anche se probabilmente non desideravano sentire altro.

"Lucifero è morto. Sono morti anche tutti gli altri angeli".

Risha sprofondò sul pavimento con gli occhi sgranati per la paura. Julian andò immediatamente in suo soccorso; la sua espressione era di shock e di dolore.

"Non ho idea di chi abbia fatto questo a Kai o perché. So che quello che sto per chiedervi di fare va contro la cultura non-umana, quindi faccio appello al vostro onore e al vostro affetto per me e per Lucifero. Kai ha bisogno di cure. Vi chiedo di occuparvene voi, se mi dovesse succedere qualcosa".

"Ma perché?"

Te sostenne il loro sguardo per un attimo. "Sono un angelo. L'ultimo, in verità. Qualcuno o qualcosa ha ucciso i miei fratelli e molto probabilmente verrà a cercarmi".

Orripilati e meravigliati, Risha e Julian gli fecero un inchino profondo. Guardandoli, Te trovò strano che riuscissero a manifestare al contempo entrambe le emozioni.

"Mio Signore", disse Risha. "Siamo onorati di mantenere il vostro segreto e di dare la nostra protezione a Lord Kai".

Sapendo che era seria e preoccupata, Te si rilassò appena. "Vorrei che Kai restasse qui per un po'. Se io... *sparissi*", non riusciva a usare la parola *morire*, "persino con un Eineu in casa, nel suo stato... ha bisogno di cure. Non sarebbe al sicuro nella Città".

"Capito. È il benvenuto".

Bene, si sarebbero presi cura di Kai; Te sentì che un peso gli veniva tolto dalle spalle. "Resterei a vegliarlo, ma non voglio che la mia presenza vi metta in pericolo. Ecco". Diede a Risha una carta con su un simbolo. "Usalo per contattarmi quando si sveglia o se avete problemi".

"Certo". Risha si inchinò di nuovo, prendendo la carta.

Te svanì.

* * *

Kai dormì tutto il giorno. Risha rimase al suo capezzale facendo a turno con Julian. Ora sedeva su una poltrona accanto al letto e rifletteva su tutto quello che aveva scoperto. Le implicazioni erano sconvolgenti.

Lord Lucifero morto? Gli angeli morti? Perché?

La rivelazione più grande però, era che Lord Te fosse un angelo. Come tutti i Non-umani, lei l'aveva riverito come colui che era stato profetizzato, ma per quanto sapesse che era potente, non aveva mai pensato che fosse un essere così magnifico. Gli angeli esistevano per guidare gli umani. Il fatto che i Non-umani avessero un angelo che vegliava su di loro – e che, con ignoranza, lei aveva pensato fosse suo amico – era stupefacente. Sarebbe stata disposta ad aiutare Lord Te anche prima che le rivelasse la propria identità, ma il fatto che fosse un angelo la faceva sentire ancora più in obbligo di dedicare se stessa – e il suo clan, se necessario – al compito che lui le aveva assegnato. Era stata messa in una posizione d'onore. Non avrebbe mancato di rispetto a se stessa, al suo clan, a Lord Te, a Lord Lucifero e a Kai con un tradimento.

Sentì un gemito di dolore e dei movimenti provenire dal letto. "Lord Kai". Si chinò su di lui in modo che potesse vederla. "Sei al sicuro. Ora sei sotto la protezione del Clan Orione.

Occhi neri stupiti la guardarono. "Risha?" La sua voce roca fu poco più di un sussurro.

"Sì, sono qui". Si mise nel palmo la carta con il simbolo: Lord Te apparve pochi secondi dopo.

"Kai?" lo chiamò sottovoce, come se parlando a voce alta rischiasse di ferirlo. Alla luce di ciò che sapeva ora, Risha suppose che potesse farlo, se avesse voluto.

"Te? Uriele... Ho visto... Non c'è più". Kai aggrottò la fronte. "Loro hanno detto di dirti..."

"Loro, Kai? Chi sono?" Lord Te sembrava frustrato, come se volesse insistere ma avesse paura di farlo.

"L'ultimo... Fare da testimone... Oscurità".

Risha guardò Lord Te per vedere se aveva capito cosa voleva dire Kai. Ma no, sembrava perplesso quanto lei.

L'angelo si sedette accanto al letto. Tirò indietro i capelli dal viso di Kai e mormorò altre parole a lei sconosciute che calmarono e fecero riaddormentare il vampiro.

Entrambi rimasero a vegliarlo, in attesa che si svegliasse per nutrirlo. Solo così poteva guarire.

DICIOTTO

La porta si aprì, svegliando Roberta da un piacevole sogno erotico che coinvolgeva Kai. Il *Reader's
Digest* le cadde a terra, ancora aperto sull'articolo *I
cani più eroici d'America*, che stava leggendo quando
si era appisolata. Pensando che Kai fosse tornato, si
stiracchiò e sorrise. Non vedeva l'ora di rivederlo, soprattutto dopo il sogno.

E invece fu un tizio alto e biondo a entrare. Per
fortuna, lei si ricordò di abbassare gli occhi quando
lui si voltò. Doveva essere il vampiro da cui Kai
l'aveva messa in guardia: Stephan. Non pensava che
fosse tanto sfacciato da fare irruzione nelle sue
stanze. I suoi sentimenti di schiava erano irrilevanti,
certo, ma lei era di proprietà di Kai, e gliel'avrebbe
detto, che Stephan aveva violato la sua privacy.

Dal modo in cui John lo seguiva, Roberta dedusse

che Stephan l'avesse spinto da parte passando a forza. Quando incontrò lo sguardo della creatura e la vide rivolgerle un sorriso di scuse, ne ebbe la conferma. Rassicurò John con un sorriso e spostò l'attenzione sull'ospite.

Stephan si erse in tutta la sua altezza e la guardò dall'alto in basso. Lei non aveva idea di quale fosse il protocollo; stando a Kai, quel genere di cose non sarebbe dovuto succedere. Ricordò di non dover parlare, a meno che non le venisse rivolta al parola, così rimase in silenzio e sperò per il meglio. Ricordando il suo avvertimento, tenne gli occhi fissi sul naso di Stephan. Vide subito che era bellissimo: un figo spettacolare, da acquolina in bocca. Aveva una specie di kimono rosso e arancione; braccialetti d'oro gli adornavano i polsi, e aveva un grosso diamante all'anulare sinistro. Ebbe l'impressione che lui si aspettasse che lei si genuflettesse. Sarebbe rimasto deluso. Kai non le aveva detto che in quanto schiava doveva genuflettersi davanti a chiunque, e confidò che le avesse detto la verità.

Rendendosi conto che lei non avrebbe detto o fatto nulla, Stephan parlò. "Hai un nome?"

Che freddezza. Persino lo Stronzo non l'aveva mai fatta sentire così insignificante. Sotto lo sguardo di Stephan, Roberta all'improvviso fu acutamente consapevole di essere nuda; desiderò prendere un cuscino, qualsiasi cosa, per coprirsi, ma dovette costringersi a non farlo. Il contrasto rispetto a prima, con

Kai, era sorprendente. Non che in presenza di Kai se lo fosse dimenticato, di essere senza vestiti, ma la propria consapevolezza era stata altrove. Kai l'aveva fatta sentire a suo agio, quindi con lui non era più un problema. Fece un respiro profondo, rendendosi conto che ci stava impiegando troppo a rispondere, e che ciò avrebbe solo irritato Stephan.

"Roberta. Il mio nome è Roberta".

"Cosa dovresti essere?" chiese il vampiro, avanzando nella stanza e sedendosi su una delle sedie di fronte a lei.

Fu colpita da quanto Kai e Stephan fossero diversi. Stephan era scivolato nella stanza, trasudando presunzione, come se il posto gli appartenesse, mentre Kai era entrato come se lei gli appartenesse – una differenza che, strano ma vero, la faceva sentire al sicuro in presenza di Kai. Distrattamente, si chiese se la Sindrome di Stoccolma si potesse applicare alla sua situazione. "Appartengo a Lord Kai", rispose, ricordandosi all'ultimo momento di aggiungere il titolo davanti al nome.

"Ah sì? Non vedo marchi di proprietà. Guardami quando ti parlo".

Lei non portò gli occhi più in alto del suo naso. "Sì, sono sua. Chiedete a John; lo confermerà".

La bocca di Stephan si contorse per il disgusto. "Vattene, John. Torna quando me ne sarò andato".

"Sì, Padrone", disse John con aria da cucciolo bastonato, dirigendosi alla porta.

"Aspetta", lo richiamò Roberta. L'Eineu si fermò e la guardò. "Voglio che resti. Per favore". Il sorriso di John le illuminò il cuore.

"Sì, Signorina, John resta". Scoccò un'occhiata tra il neutrale e il trionfante a Stephan.

"Sai chi sono? Ho considerevole peso e influenza, qui. È nel tuo miglior interesse non farmi incazzare".

Roberta voleva ribattere con un *E tu lo sai, per chi ho lavorato io?* Per anni aveva lavorato per despoti e aspiranti tali, sentendo da ognuno di loro variazioni di quel particolare discorso, di solito non diretto a lei. "Non è mai stata mia intenzione farvi incazzare... Padrone". Dovette mordersi la lingua sull'ultima parola.

"Ma continui a insultarmi stando seduta sul divano e parlandomi come se fossimo pari".

E così, si comincia. Roberta si alzò e andò verso il suo cuscino che, purtroppo per lei, era ai piedi della sedia su cui aveva scelto di sedersi Stephan.

"Molto meglio. Sembra che Kai ti abbia dato delle istruzioni", disse, una volta che si fu sistemata sul cuscino. "Ti ha anche detto di non guardarmi negli occhi, vero?"

Le sembrò un po' divertito, ma ancor più deluso. "Sì", rispose. Non aveva ragione di mentire.

"Potremmo essere amici, tu e io".

Roberta ne dubitava, ma tenne la bocca chiusa.

"Dopotutto, non vuoi essere una schiava, no? Vuoi essere libera, per tornare alla tua vita e dimenticare tutto di noi. Non è così?"

"Certo". Per lei era ovvio che lui non sapeva niente della sua situazione. Probabilmente stava cercando informazioni, ma non sarebbe stata lei a illuminarlo.

"Bene. Allora, tu aiuti me, io aiuto te". La sua voce già profonda si fece ancora più bassa, diventando seducente.

A Roberta quasi dispiacque per lui. Nel corso degli anni, aveva incontrato ogni tipo di sordido personaggio aziendale, gente che sarebbe riuscita a ottenere un bicchiere d'acqua da qualcuno che moriva di sete. Anche se in quel momento non si trovava in un ufficio aziendale, riconosceva la recita. Solo che, stavolta, e forse per la prima volta, aveva fiducia che il suo "capo" le coprisse le spalle; il che le diede abbastanza coraggio da dire quello che pensava. "Non ho nessuna ragione per fidarmi di voi e tutte le ragioni per non farlo".

Ci volle un po' prima che lui parlasse di nuovo. "Capisco".

Il suo tono di voce, persino più gelido di prima, l'aveva fatta rabbrividire. Improvvisamente spaventata, abbassò la testa e le si riempirono gli occhi di lacrime.

"Tutti gli schiavi della Città sono marchiati dai loro proprietari".

Era una novità, per lei.

"Mi chiedo perché Kai non ti abbia marchiata".

Accavallò le gambe e tamburellò sul bracciolo con la mano con l'anello. "Ah sì. Lo so perché".

Anche se aveva abbassato la voce in tono confidenziale e amichevole, sembrò che le stesse facendo scorrere un pugnale lungo la schiena. Le venne voglia di allontanarsi il più possibile da lui, e si sentì ancor più turbata perché non poteva.

"È perché non ha intenzione di tenerti. Il suo amante non c'è, e lui si annoia. Quando il suo amante tornerà – e non c'è dubbio che tornerà – Kai ti prosciugherà. Perché? Perché non c'è spazio per te, ecco perché. Sei solo un giocattolino, e pure brutto. Ti terrà qui, lontano da occhi indiscreti, finché non avrà finito di giocare. Poi tornerà alla sua vita normale".

Roberta era scoppiata a piangere a metà del discorso, inconsapevole di avere quella paura a livello inconscio finché Stephan non l'aveva espressa. Quando lui finì di parlare, lei si stava letteralmente sbavando addosso dal pianto: in pochi secondi aveva messo in dubbio tutto ciò che le aveva detto Kai.

Allora Stephan sferrò l'ultimo attacco. "Per la cronaca, Kai ha parlato di una cosa chiamata Rappresentazione?"

Roberta scosse la testa. Non aveva idea di cosa fosse.

"Capisco".

Quella parola cominciava a darle sui nervi.

"Si riuniscono tutti i Non-umani importanti. È

un'occasione in cui, se avesse in mente di tenerti, ti esibirebbe a mezzo mondo; ti metterebbe in mostra, in altre parole. Se, ovviamente, *se* tu avessi il suo marchio, e *se* fosse fiero di averti come schiava. Cosa che, apparentemente, non intende fare, perché non intende tenerti".

A quel punto, lei perse del tutto il controllo.

"Su, su", disse Stephan, in tono falsamente comprensivo. Si alzò. "Se dovessi cambiare idea, mandami John. Sarei felice di aiutarti, cara". Poi uscì dalla suite.

Assalita da ogni paura riguardo la sua situazione, Roberta cedette al terrore e all'isteria.

"Signorina, prego, John aiuta". L'Eineu spinse verso di lei una dose di P2. "Prego".

Roberta non esitò ad accettarla e si sentì meglio quasi subito dopo averla presa.

"John si fida di Lord Kai. John si fida di Lord Te".

Più calma, riuscì a sorridere all'Eineu con gratitudine. "Ti credo, John. Grazie di esserti preso cura di me".

John le rivolse il suo ampio sorriso dalle gengive nere. "È dovere di John prendersi cura di Signorina".

"Farò una doccia, poi voglio che mi porti a farmi fare il marchio di Lord Kai".

Gli occhi di John, già grandi, si allargarono ancora di più. "Signorina deve restare. Signorina deve avere il permesso. John non può farlo".

Già, in effetti si era chiesta se sarebbe stato un problema. "Allora va' a cercare Lord Kai o Lord Te. Voglio farlo adesso".

John si inchinò prima di andarsene. "Sì, Signorina".

Asciugandosi la faccia, Roberta andò in bagno e aprì il rubinetto. Il getto era potente e l'acqua calda, proprio come piaceva a lei. Entrando nella doccia, lasciò che l'acqua battesse sul suo corpo, godendosi la sensazione di sollievo interiore ed esteriore.

Stephan non sapeva che il suo accordo con Kai si basava sul consenso, e lei ne era felice: non ci voleva molto a immaginare tutte le cose brutte che le avrebbe detto, se l'avesse saputo. Alla luce del loro accordo, era sicura che Kai le avrebbe detto del marchio e aspettato che lei acconsentisse a farselo fare.

Non sapeva perché non gliel'avesse detto. Forse aspettava che lei cambiasse idea. Forse pensava che lei avrebbe dato di matto ancora di più. Forse stava facendo una prova con lei e non aveva ancora deciso di tenerla. Rabbrividì, trafitta dalla paura a quel pensiero sgradito.

Be', voleva il marchio. Aveva acconsentito, dopotutto. Se era in ballo, tanto valeva ballare. Se Kai avesse cambiato idea sul tenerla come schiava, lei ci avrebbe pensato quando, e se, fosse stato il caso. Fino ad allora, se il marchio di Kai cementava la propria posizione e teneva lontano Stephan, lei l'avrebbe esibito volentieri.

Dopo la doccia, rimase a guardare il coso inconsistente fatto di cuoio e catene appeso nell'armadio. John doveva essere entrato quando lei dormiva per sistemarlo lì. Si era anche accorta che il sangue versato e il bicchiere erano scomparsi. Farsi fare il marchio di Kai significava andare nella Città. Andare nella Città significava che avrebbe dovuto indossare il coso maledetto... O uscire nuda.

Fece un respiro profondo. Nessuna delle due opzioni l'attirava. In effetti, erano alla pari sulla scala delle *Cose che trovo terrificanti*. Per fortuna, la P2 l'aiutava a distaccarsi emotivamente. Ricordò quello che sia Kai, sia Lord Te le avevano detto degli schiavi e delle loro decorazioni. Poteva uscire nuda, vero, ma la sua posizione di schiava sarebbe stata più alta di ciò che era, se avesse indossato il coso. Se andava fino in fondo con la questione del marchio di Kai, era ragionevole che accettasse anche la decorazione che aveva ricevuto in dono.

Roberta sentì John rientrare nella suite. *Posso farlo*. Quando uscì dalla camera da letto, vide che l'Eineu era triste.

"John non ha trovato Lord Te e Lord Kai". Serrò le mani davanti a sé.

Dannazione. Mettendosi davanti a lui, Roberta lo fissò negli occhi. "John, devo farlo".

L'Eineu scosse la testa. "Signorina deve restare. È dovere di John occuparsi di Signorina".

Quello che gli disse in seguito la fece sentire vile, ma l'avrebbe detto comunque. "È tuo dovere occuparti di me, John. Lord Kai mi ha detto che potevi farmi da scorta. Portami a fare il marchio di Lord Kai.

Sarò più al sicuro con il suo marchio, vero? Forse Stephan mi lascerà stare?" Capì che l'idea a John non piaceva, ma al nome di Stephan, la creatura si raddrizzò e la guardò negli occhi con nuova risoluzione.

"Il marchio di Lord Kai protegge Signorina. John aiuta a proteggere Signorina".

Roberta emise un sonoro sospiro di sollievo e sorrise. John ricambiò con un sorriso luminoso. Poi lei lo interrogò sui marchi: cos'erano, dove procurarsene uno, e se lui conosceva il marchio che Kai considerava proprio. Venne fuori che i marchi spaziavano da semplici disegni geometrici a creazioni personalizzate. Dato che Kai non aveva mai posseduto schiavi prima, come sarebbe stato il suo marchio era un mistero. Roberta era sorpresa dalla sensazione di urgenza e dal desiderio di arrivare fino in fondo che provava. Si era fissata sull'idea di avere il marchio di Kai, e l'avrebbe avuto.

"Quelli che fanno i marchi, possono disegnare qualcosa che sia adatto a Lord Kai e alla mia posizione di schiava decorata?"

"Sì, Signorina. John conosce grande artista, fa bellissimo marchio per Lord Kai e Signorina".

"Ok, allora vediamo di infilarmi il coso che c'è nell'armadio".

John l'aiutò a metterselo. Con somma sorpresa, Roberta scoprì che non solo le stava, ma anche che non era scomodo. Dal collare di cuoio scendevano strisce di catenelle, che si avvolgevano intorno alle braccia, rette da sottili strisce di cuoio, e smerlavano intorno al torso, fermate da un'altra sottile striscia di cuoio sotto il seno. Da lì altre catenelle smerlavano come una rete verso le gambe, distribuendosi poi fra le strisce di cuoio più larghe avvolte intorno alle cosce. Le catenelle erano leggere e tintinnavano quando lei camminava.

Evitò di proposito di guardarsi allo specchio per due motivi. Primo: quello che pensava di come la faceva sembrare il coso non era importante. Secondo: se si fosse vista, c'erano buone possibilità che non uscisse dalla suite. Mai più. Sapendo che il proprio coraggio era limitato, non volle tentare la sorte.

Alla porta della suite, fece un respiro profondo e cercò di calmare i nervi. La possibilità di prendere un'altra dose di P2 le passò per la mente, ma decise di non farlo. Già non poteva più decidere della propria vita; le mancava solo di abdicare anche dalle proprie emozioni.

Annuendo a John, si fece da parte per farlo passare. Con una mossa sorprendente, ma non sgradita, lui le prese la mano e la strinse un attimo, lasciandola subito andare, poi aprì la porta e la guidò fuori. Roberta aveva avuto l'impressione che essere sotto la protezione di Kai – e quando era con John, per estensione, di Lord Te – significasse qualcosa. O almeno lo sperava. Mentre usciva scalza nel corridoio, sperò che fosse abbastanza da tenerla al sicuro.

Percorsero il corridoio senza imprevisti. Roberta

si era portata il cuscino e teneva gli occhi bassi, grata dei capelli lunghi che le permettevano di infrangere le regole sbirciando intorno di tanto in tanto, per osservare l'ambiente circostante. Superarono diverse aperture lungo il corridoio principale di pietra. Alla sua sinistra, c'erano archi intermittenti da cui si accedeva alle terrazze affacciate sulla grande caverna. I pochi archi alla sua destra portavano alle stanze; se erano suite come la sua o no, non era in grado di dirlo.

Svoltarono a destra accedendo a una lunga scala a chiocciola dalle curve delicate. Scesero fino a ritrovarsi nello spazio aperto che aveva visto dal suo balcone. Era enorme e caldo; si rese conto che essere nudi con quella temperatura non era un male.

Desiderava lasciar vagare lo sguardo, assorbire ogni dettaglio, conservarlo per poi riesaminarlo in seguito, forse parlarne con Kai e fargli domande. Ma non osò farlo, lasciando invece che fossero gli altri sensi a perlustrare il paesaggio. Intorno a lei fluivano suoni di lingue diverse: alcune erano dure e gutturali, altre tintinnanti e musicali. Gli odori le ricordarono New York d'estate: le note alte, bruciate, dolciastre della spazzatura marcescente, quelle saporite della carne cotta, la puzza acida di corpi senza deodorante. A un certo punto, superarono un gruppo di esseri cinguettanti con un pesante odore di spezie. Data la folla, camminavano lentamente, il che le permise di vedere quel che poteva.

"Ooh! Questa sembra saporita".

John si era fermato di botto. Vicini com'erano, a momenti lei andò a sbattere contro la sua schiena; lui odorava lievemente di arance. Azzardando un'occhiata, vide quattro esseri molto grossi e spaventosi che sbarravano loro la strada.

"Lord Te vende questa, John? Vai avanti, la prendiamo noi".

Roberta sapeva che si stavano riferendo a lei; essere considerata come un oggetto in vendita le sembrò strano.

"Signorina non in vendita. Signorina ha padrone. Vi prego di scusarci".

I quattro giganti verdi si fecero più vicini. La puzza che li accompagnava, il peggior tanfo che avesse mai annusato, le riempì le narici. Strinse più forte il cuscino, abbassò ancora di più la testa e maledisse gli eventi che l'avevano portata fino a quel punto. Uno di loro invase il suo spazio e l'annusò rumorosamente, facendola piagnucolare e rabbrividire.

"Questa viene dalla superficie. Paffuta e succulenta".

"Offriamo un buon prezzo", disse un altro.

Sentì tintinnare di quelle che potevano essere solo monete. Il gigante che l'aveva annusata ora le stava sbavando addosso. Chiuse più forte gli occhi quando sentì la bava colarle sulle spalle e lungo la schiena. Percepì un movimento: aprendo gli occhi, vide John annullare la piccola distanza tra loro, met-

344

tersi davanti a lei e cercare di farle scudo con il proprio corpo.

"Niente vendita", ribadì l'Eineu.

Gli fu grata dello sforzo, ma sapeva che era una causa persa.

"John pensa di poter prendere di più all'asta", lo prese in giro un gigante. Risero tutti. "Lasciagli la borsa. La prendiamo ora", disse il bavoso.

Alla faccia della protezione di Lord Te. Roberta era ormai certa che da un momento all'altro il bavoso, stanco di aspettare, le avrebbe staccato un pezzo. Se fosse stata fortunata, le avrebbe morso il collo, paralizzandola o uccidendola all'istante. Tutto sommato, sarebbe stato meglio così.

"No". La voce di John era cambiata, diventando profonda e sonora. Fu una sorpresa non solo per lei, ma anche per i Non-umani che li circondavano, a giudicare dal silenzio improvviso. Roberta non sentiva più la bava colarle addosso; anche la puzza del bavoso era diminuita. Arrischiando un'occhiata, alzò leggermente la testa, per sbirciare da dietro la cortina di capelli. Quello che vide le mozzò il fiato in gola e le fece alzare gli occhi di scatto, cosa che nessuno notò, perché la zona immediatamente intorno a loro era ancora silenziosa per lo shock. Tutti gli occhi erano puntati su John.

La creatura umile e sottile per cui lei sentiva una forte affinità non c'era più. Al suo posto c'era un essere terrificante. L'unica cosa che le dava la certezza che fosse John, era la stoffa color lavanda che lo avvolgeva.

L'essere in posa protettiva davanti a lei era alto quanto i loro aggressori. Il suo corpo era ricoperto di vistosi muscoli; la sua pelle, prima iridescente, ora era completamente nera. Sulla sua testa triangolare si ergeva una corona di spuntoni rossi; dalle sue dita erano spuntati artigli rossi dall'aria pericolosa. Mentre lei lo guardava, una grossa coda nera, terminante con un enorme pungiglione rosso, le si avvolse intorno. Il pungiglione guizzava, pronto ad attaccare chiunque si avvicinasse troppo.

John voltò la testa e la guardò: i suoi occhi adesso avevano pupille verticali e iridi rosse. Più che rassicurante, la sua espressione le parve possessiva, sensazione che trovò conferma quando lui si rivolse alla folla.

"Ho detto che questa non è in vendita. Questa appartiene a Lord Kai e a Lord Te". La voce di John si era trasformata in un suono tetro, letale come il suo corpo.

Altri due esseri uguali a lui – alti, con le squame nere, i pungiglioni e gli artigli rossi – arrivarono di corsa, fiancheggiandoli.

"È passato molto tempo dall'ultima volta che abbiamo assaggiato carne viva", disse quello in giallo.

"Sì, e abbiamo fame", disse quello in rosso, i cui occhi lampeggiarono mentre si spostava verso uno dei giganti verdi. Si fermò proprio davanti a lui, leccandosi i denti rossi.

Porca miseria.

Poteva solo finire male. Se fosse stato uno scontro in superficie, forse avrebbe cercato di convincerli a stare calmi... Forse. Ma lì? Se avesse davvero creduto di farcela a scappare per nascondersi nelle sue stanze, l'avrebbe fatto in un nanosecondo. Ma per come stava andando, dubitava di riuscire a liberarsi dalla coda di John e fare più di un paio di passi prima che qualcosa la mangiasse. E così fece l'unica cosa che poteva fare: abbracciò il cuscino e pregò per una morte rapida e indolore.

Era sceso il silenzio. Sentiva solo il proprio battito cardiaco, il sibilo delle code e il ringhio gutturale di John e dei suoi simili. Né le creature nere, né i giganti verdi si facevano indietro.

"Ehi, belli, che si fa?" Una voce allegra si alzò dalla folla.

Roberta distolse gli occhi dalla scena tesa, cercando chi aveva parlato. Sfortunatamente, non le era sembrato Lord Te. Avevano la polizia, laggiù? Qualcosa di equivalente alla polizia? Sperò che fossero arrivate le autorità a mettere pace. Una volta che si fossero dati tutti una calmata, forse sarebbe riuscita a convincere John a dimenticare quel fiasco e a riportarla nelle sue stanze.

Una creatura mezzo-uomo, mezzo-animale entrò nella zona calda e li guardò sogghignando con le mani sui fianchi. Capelli castani lunghi e ricci ricadevano intorno a corna ricurve e incorniciavano un volto umano piacevole e rubizzo. Anche il torso e le braccia erano umane, da copertina di *GQ*: muscolosi e finemente scolpiti. Aveva un kilt scozzese rosso e verde intorno ai fianchi. Due zampe dalla pelliccia marrone, complete di zoccoli, uscivano da sotto il kilt, dandogli un aspetto decisamente surreale.

"Perbacco, John, sei tu? Porca miseria, pezzo di merda, non sei un figlio di puttana spaventoso?". Rise ammirando John, prima di spostare lo sguardo su Roberta.

Merda.

"E cos'abbiamo qui? Be', salve, mia dea rotondetta". Si avvicinò, fermandosi solo quando John sibilò in sua direzione. "Fa' il bravo, John, fa' il bravo. Fammi indovinare, questa bellezza sexy è al centro di questo casino, vero? Non sono sorpreso. Non sono sorpreso". Continuò a emettere suoni di apprezzamento.

Roberta di rado si trovava a ricevere quel tipo di attenzione, ma quando succedeva, si sentiva sempre a disagio. Il disagio però, in quel preciso istante, era elevato all'ennesima potenza, dato che sentiva gli occhi della creatura muoversi sul proprio corpo esposto. Sprofondare in un buco nel suolo non sarebbe stato un male.

Accomiatandosi da lei con un suono pieno di rimpianto, la creatura guardò le sette figure che si fronteggiavano. "Ok, ecco le ultime notizie. Per quanto mi piacerebbe vedere chi vince in una rissa fra voi – scommetto su John e compagnia, per la cronaca – Lord Te vi farà a fette se fate anche un solo graffio ai suoi protetti. Capite che sto dicendo? Kazat! Parlo con voi. Dopo quello che il vostro ragazzo…"

"Non-nato", ringhiò un Kazat, estraendo un coltello da un fodero nella cintura.

La creatura alzò le mani, sempre sorridente. "Ehi, Non-nato o no, pensi che a Lord Te freghi un cazzo?" Fece un cerchio nell'aria, per indicare tutti loro. "Se dovete farlo incazzare, è meglio che ne valga la pena, tutto qui". Si voltò verso Roberta. "Spero di rivederti". Si leccò le labbra, puntò entrambe le mani in sua direzione, mimando una pistola e facendo il gesto di spararle, poi arretrò davanti a John, portandosi ai margini della folla.

Evidentemente le sue parole avevano colpito il tasto giusto: pian piano, i Kazat abbandonarono le posizioni da combattimento.

"Possiamo ottenere schiavi grassi gratis in superficie", disse quello con il coltello, rinfoderandolo.

"Sì, lì ce ne sono tanti, grassi e succulenti".

"Se son lenti, son più saporiti". Suonò come una battuta fra loro o il verso di una canzone. Scoppiarono a ridere, come se non fosse successo nulla, poi si allontanarono, persi nei loro piani, senza neanche degnare di un altro sguardo lei e John.

Un dolore forte alla spalla le strappò una smorfia. Spostò lo sguardo su ciò che l'aveva causato: John l'aveva punta con un artiglio. Vide la sua lingua saettare per leccare il dito sporco di sangue. I suoi due simili si avvicinarono con le mani tese, intenzionati a emularlo. Lui però soffiò contro di loro; loro soffiarono contro di lui. Seguì una breve sfida di sguardi, punteggiata di vocalizzazioni. Alla fine i due cambiarono forma, tornando al loro aspetto familiare e sereno.

"Signorina ora è al sicuro", le disse l'Eineu in giallo; un sorriso felice scoprì le gengive nere allargandosi sul suo volto. Poi se ne andò con l'Eineu in rosso nella direzione da cui erano arrivati.

Nessuno fiatò. Testimoni dell'inattesa trasformazione degli Eineu in esseri pericolosi e viceversa, Roberta e la folla stavano ancora digerendo l'evento, quando la creatura insolente mezzo-uomo, mezzo-animale si avvicinò di nuovo.

"Ehi, John! Ciarliamo". Guardò John da capo a piedi con un fischio. "Bella trovata da Superman". Scosse la testa. "Ce l'hai tenuto nascosto tutto questo tempo. Il Pezzo Grosso lo sa?"

"Vattene, Rys". Gli occhi rossi del nuovo John si fissarono sull'insolente. La sua coda circondava ancora Roberta. Delicatamente, la spinse perché riprendesse a camminare.

La folla si disperse, ciascuno tornò a fare ciò che stava facendo prima del plateale diverbio; quei pochi che restarono nei paraggi, avevano gli occhi incollati alle nuove sembianze di John, che avanzava lento con lei.

Rys gli trotterellò di fianco e continuò a parlargli come se non avesse sentito. "Scommetto di no, ho ragione? Fantastico, amico, fottutamente fantastico! Comunque, voglio solo un favore, ti va? Al massimo mezz'ora con il bocconcino". Guardò Roberta, passandosi una mano sul gonfiore coperto dal kilt che lei prima non aveva notato.

John si fermò e si voltò verso Rys. "Lasciaci in pace, o ti squarto".

Rys alzò le mani in segno di resa. "Va bene, sei tu il capo. Me la squaglio". Con un ultimo sguardo a Roberta, si confuse tra la folla.

Per quanto volesse tornare nelle sue stanze, Roberta non si azzardava a parlare con John. Non si era ritrasformato e la sua coda la ingabbiava ancora. Fece appello alle sue ultime riserve di coraggio, per continuare a muoversi. Per fortuna, nel resto del percorso non ebbero incidenti.

Aveva visto i podi dei banditori con il cannocchiale; ma visti da lontano non erano per niente come visti da vicino. Intorno alla piattaforma centrale, dove gli schiavi venivano messi in mostra e venduti, c'erano tante bancarelle: bancarelle di gabbie, bancarelle di abiti "decorativi" e bancarelle di cose di cui non conosceva il nome e a cui non voleva pensare. C'erano anche bancarelle per le cure mediche degli schiavi, che superò cercando di non guardare; di certo, le avrebbero dato gli incubi.

Quello che la raggelava fino all'anima era il disprezzo dei Non-umani verso la sua specie. Per loro era normale riferirsi agli umani come fossero oggetti. "Mettici sopra questo unguento due volte al giorno", oppure "Puoi usarlo per cinque o sei anni prima che si consumi". Niente di quello che Lord Te o Kai avevano detto l'aveva adeguatamente preparata alla realtà del mercato degli schiavi.

Al di là della zona di bancarelle, c'era la zona di raccolta degli schiavi, o almeno così le parve di capire. John la stava portando lì. Gli umani, nudi e sporchi, erano separati in gabbie per sesso. La zona puzzava di rifiuti e di corpi non lavati. Non solo nessuno era vestito come lei, ma nessuno la guardava con un'espressione che le lasciasse intuire che il loro destino fosse lo stesso del suo. E infatti lei non aveva il loro stesso destino, vero? Fu quel contrasto a farla vergognare per tutte le sue proteste. Persino nuda, non aveva il loro stesso destino. Si sentì egoista per aver protestato tanto con Lord Te, Uriele e Kai, e tutto il suo orgoglio le parve fuori luogo.

Andarono in una sezione in cui gli schiavi erano allineati davanti a varie tende per essere marchiati. Capì all'istante perché Kai non gliene aveva parlato e maledisse Stephan per averlo fatto; d'altro canto, lei era stata tanto credulona da cadere nel suo tranello.

Gli schiavi della prima fila venivano marchiati con una "X" sul viso.

Le si riempirono gli occhi di lacrime; dovette trattenere il fiato e stringere il cuscino per non crollare. Trattenere il fiato però non era un buona idea, perché avrebbe finito con l'avere un attacco di panico e andare in iperventilazione, il che avrebbe attirato l'attenzione su di lei, e come prima, ci sarebbero state alte probabilità che l'uscita nella Città finisse male.

Si rilassò quando John la condusse oltre le tende in cui marchiavano, in un'area di artisti che facevano veri e propri tatuaggi usando strumenti passati nell'inchiostro e appoggiati sulla pelle. Vide che alcuni artisti erano migliori di altri; o forse, alcuni simboli le parvero più belli di altri. Ormai non poteva più tirarsi indietro; temeva però di finire con un simbolo brutto e grossolano inciso sulla pelle. Ma sarebbe stato comunque il marchio di Kai, ed era quello l'importante, no? Non era questione di cosa voleva lei, ma di cosa avrebbe fatto piacere a lui. Una dose di P2 in quel momento le avrebbe spento il cervello, ma temeva che la nuova versione di John non fosse altrettanto solerte nel procurargliela dell'Eineu che era stato.

"Siedi", disse John, indicando un punto e srotolando la coda.

Obbediente, Roberta mise il cuscino per terra e si sedette.

* * *

353

"Sta... Starr?"

Era seduta da un po', cercando di calmare i nervi, quando sentì la voce familiare. Voltando la testa nella direzione da cui proveniva, trovò conferma ai suoi sospetti: lo Stronzo la fissava da dietro le sbarre di una gabbia. Era seduto sul pavimento, sul fianco destro; una benda gli copriva la chiappa sinistra. Aveva una stecca al braccio sinistro. Pur essendo sporco e coperto di lividi, le sembrò ancora in tutto e per tutto lo Stronzo che ricordava.

"Che dovresti essere, eh? Halloween è arrivato prima, quest'anno?"

È in una gabbia, nudo, e non gli è ancora passata la voglia di insultarmi. Incredibile. Lo guardò. Per la prima volta in vita sua, non sentì il bisogno di ribattere, né di essere educata. Fu una bella sensazione.

"Scusa, vecchie abitudini. Comunque, non sei in gabbia, quindi te la passi bene, eh? Tu e io, noi abbiamo un passato. Eravamo una bella squadra. Forse possiamo aiutarci a vicenda".

"Perché?" Il cervello di Roberta si era spento: le sembrava un suggerimento troppo assurdo.

"Ti ho dato un buon lavoro. Ti pagavo bene. Mi sembra che tu sia in debito con me".

"Io in debito con te". Si sentì ridicola anche solo a dirlo. "Sai perché sono qui? Sono qui perché ero tua schiava. Tua. Per cinque anni. Quando Lord Te ti ha recuperato, sono diventata sua schiava. Non ti devo niente".

"Appartieni a Lord Te? Be', è perfetto. Puoi parlargli, capisci? Digli che è stato tutto un errore. Non me lo merito".

Come al solito, lo Stronzo non aveva sentito una parola di quello che gli aveva detto.

"Ciao, bellezza", la salutò un uomo, sorridendole. Era seduto in un angolo della gabbia, dal lato opposto rispetto allo Stronzo. "Ho sentito bene? Sei una schiava per colpa sua?" Quando Roberta annuì, l'uomo si sporse verso lo Stronzo, caricò e lo colpì alla mandibola. "William, sei sempre stato, e sarai sempre, uno stronzo".

Roberta provò lo stesso senso di soddisfazione che aveva provato quando Kai aveva fatto la stessa cosa. Nella sua vita, il numero di persone – in particolare, uomini – che l'avevano difesa si poteva contare con le dita di una mano. Quante volte l'aveva desiderato? Quante volte le sarebbe piaciuto stare a guardare mentre qualcuno reagiva al posto suo contro chi le aveva arrecato un affronto? Vederlo fare da quell'uomo fu molto soddisfacente. Lui le piaceva. Ah, sì, le piaceva molto. E poi, aveva un che di familiare.

Gregory si abbassò, temendo un altro colpo. "Perché l'hai fatto? Io non ti conosco".

"Ma dai, Willie! Mi si spezza il cuore. Davvero non riconosci tuo fratello?". L'uomo si mise una mano sul cuore, in un gesto addolorato, per poi mostrare il dito medio allo Stronzo.

Roberta trattenne una risata.

"Edward? Non può essere. Edward è... Lui è..."

"È cosa? Morto?" ridacchiò l'uomo.

"Edward è morto più di quattrocento anni fa".

"Ti piacerebbe. Se solo fosse vero".

Roberta li guardò e trovò difficile credere che fossero fratelli. Erano parecchio diversi. Lo Stronzo era scuro, Edward era chiaro. Capelli biondi, sporchi e arruffati, cadevano sugli occhi blu e sulle spalle di Edward. Una barba folta e incolta gli copriva la metà inferiore del viso scarno ma ancora attraente. Anche lo Stronzo aveva un viso magro, ma con lineamenti rigidi, brutti. O forse era lei che lo vedeva così perché lo odiava. "Non vi somigliate per niente".

"Be', a nostra madre piaceva lo stalliere, no? Nostro padre aveva dei sospetti, per quello mi ignorava, anche se ero il maggiore".

Lo Stronzo era rimasto a bocca aperta per lo shock.

Edward lo ignorò e continuò a parlare rivolgendosi a Roberta. "Dopo che Willie e gli altri avevano fatto i loro accordi, mi sono intrufolato e ho fatto anch'io il mio. Mi sono detto: 'Che diamine, perché no?' Ai tempi uscivo di nascosto per andare a teatro. Pensavo che non ci sarebbe stato niente di meglio per me che esibirmi davanti alla folla. Ma anche se mio padre mi odiava, ero ancora considerato un nobile, e recitare era mal visto dalle classi sociali più abbienti. Il mio accordo è stata la mia via di fuga. Tutti hanno pensato che fossi morto; in realtà, finalmente ero libero di fare la mia vita".

"Come sei finito qui?" chiese Roberta, troppo presa dalla storia per rendersi conto che la sua probabilmente era una domanda maleducata.

Edward sospirò e fece ruotare la testa, stiracchiandosi. "Credo fosse inevitabile. Gli umani non sono fatti per essere immortali". Indicò la Città. "La gente di qui? È nel loro DNA: vivere centinaia, anche migliaia di anni non li sconvolge. Ma noi, la nostra vita è troppo frenetica, troppo dura". Fece una pausa, tenendo gli occhi bassi. "Sono diventato pigro, stupido. Scegli tu. Ho fatto qualche film d'azione negli anni Novanta, roba di successo".

Gli occhi di Roberta si accesero. "Oh mio Dio, sei..." Aveva il nome sulla punta della lingua.

Lui rise, improvvisamente a disagio. "Marc Michaels".

Gregory lo guardò sconcertato. "Ne ho visto un paio. Recitazione di merda".

Edward lo ignorò. "Come stavo dicendo, credo che volessi farla finita. La vera fama, quella che volevo io, quella immortale, be', ci voleva tantissimo per raggiungerla. Poi però, come al solito, non potevo tenermela. Massimo vent'anni, e dovevo sparire dalla circolazione. Willie, lui a modo suo è stato fortunato: i pezzi grossi degli affari durano di più, soprattutto se non finiscono sui giornali. Mi ero stancato di scappare. Ho perso l'occasione di fare i film muti perché stavo scappando. Ero all'apice della fama, pensavo di essere arrivato. Persino dopo vent'anni, non avrei potuto fare un altro film. Era deprimente".

"Sei ancora un frignone. Quattrocento anni, e non hai imparato niente", disse lo Stronzo.

"Tra un minuto ti do un altro cazzotto", gli rispose Edward, poi lo ignorò di nuovo. "Ho fatto quello che prima o poi fanno tutti. Sai, Lord Te ha fatto sei contratti, quella notte. Noi eravamo i primi. Di quei sei, Willie è stato l'ultimo a essere portato qui". Guardò Gregory. "Nessuno di noi era in grado di affrontare l'immortalità. Hanno rinunciato tutti".

"Non so di cosa stai parlando. Io non ho rinunciato".

"Allora che ci fai qui? Sei finito sul lastrico all'improvviso?"

"È tutto un errore. Vedrai".

La risata di Edward fu amara, derisoria. "Il tatuaggio che hai in faccia dice il contrario".

Lo Stronzo si coprì il viso con la mano e cercò di allontanarsi dal fratello, ma la gabbia era troppo piccola, non aveva dove andare.

Edward se ne accorse e rise ancora più forte.

L'umiliazione dello Stronzo fu sgradevole persino per Roberta, che dovette distogliere lo sguardo. Quando lo fece, notò John che parlava con il suo artista... Be', in realtà lo minacciava.

"Quella è la prima e più cara schiava di Lord Kai", stava dicendo John, indicandola. "Falle un tatuaggio per cui lui sia fiero di lei, e non tornerò per mangiarti gli occhi".

Un fischio basso risuonò dalla gabbia. "Fa sul serio, eh? Sono impressionato. Cos'è? Non ne ho mai visto uno prima".

"Quello è John". Roberta raccontò a Edward gli eventi di poco prima.

"Mi prendi per il culo? È una novità. Sei fortunata che sia riuscito a trasformarsi. Ti ha risparmiato un sacco di guai. Vedi, per quanto ne so, ai Kazat piacciono due cose: dare la caccia agli umani e mangiare gli umani". Guardò Gregory. "Se stai pensando di scappare, ripensaci. I Kazat inseguono i fuggiaschi per divertimento. Ho sentito che quando ti prendono, ti lasciano andare per prenderti di nuovo. A loro piacciono anche i trofei: dita, nasi..." Era visibilmente deliziato dall'espressione orripilata sul volto di Gregory. Quando ne ebbe abbastanza, si rivolse di nuovo a Roberta.

"Lord Kai è un enigma, da queste parti. Era lì con Lucifero, la notte in cui abbiamo stipulato i nostri contratti". Indicò se stesso e Gregory. "Non avrei mai pensato di rivederlo, ma pensa un po', è venuto a prendermi proprio lui. Certo, ho lottato. Ero una star dei film d'azione, giusto? Conoscevo alcune mosse. Forse avrei avuto qualche possibilità di farcela, se lui non fosse un guerriero vampiro centenario. Mi ha preso a calci in culo in tutti i modi possibili". Rise. "Sai cos'ha fatto, dopo?" Gli occhi di Edward brillavano mentre la guardava. "Mi ha *ringraziato*. Non per la sfida, bada bene, ma per averci *provato*. Ha detto che gli ho mostrato rispetto con la mia volontà di combattere per la mia vita". Edward scosse la testa, con un sorriso divertito sulle labbra.

Roberta notò lo sguardo imbarazzato dello Stronzo. Lui se ne accorse e sbiancò. Lei l'aveva visto implorare. In un'altra occasione, l'avrebbe detto a Edward perché lui lo prendesse in giro, solo per la soddisfazione di contribuire al suo imbarazzo. Ma adesso era presa da un nome: Lucifero.

"Dunque, Kai ha la sua prima schiava". Edward la guardò con gli occhi accesi di curiosità. "Lucifero sta perdendo la presa".

Lucifero. La capacità di pensare di Roberta si era inceppata su quel nome. Aveva chiesto a Kai se Lord Te fosse il Diavolo, e lui aveva detto di no, omettendo però il fatto di essere, a quanto pareva, in buoni rapporti con il vero Diavolo. Guardò Edward con occhi impotenti e spaventati. "Lucifero?" sussurrò.

"Non lo sapevi. Be', interessante". Si sporse in avanti, "Lucifero è il suo amante, stanno insieme da secoli".

Ora fu il turno di Roberta di assumere un'espressione orripilata. Le tornarono in mente le parole di Stephan. *Sei solo un giocattolino, e pure brutto.* Una distrazione. Uscire per farsi fare il marchio di Kai era stato inutile, dopotutto. Non poté evitare di sentirsi inerme. Ancora una volta, le si riempirono gli occhi di lacrime.

John fu immediatamente al suo fianco; le mise della stoffa davanti al viso. Quando si fu asciugata le lacrime, che però non si fermavano, e si fu soffiata il naso, le diede una dose di P2, che lei prese, grata, senza protestare.

"Tu". John si rivolse a Edward. "Ti strapperò un braccio per aver turbato la mia protetta".

Edward chinò la testa e alzò le mani in segno di resa.

John fece un passo verso la gabbia, ma Roberta lo afferrò per un braccio: lui si fermò e si voltò. "Va tutto bene, John. Ti prego, non fargli del male".

"È mio dovere assicurarmi che non ti venga fatto del male".

"Sto bene, davvero. È stata una giornata stressante".

Lui la studiò. Quando si fu convinto che lei stava davvero bene, rivolse a Edward uno sguardo d'ammonizione e tornò dall'artista.

Edward la guardò con evidente sollievo. "Grazie. Chi se l'immaginava che una creatura tanto timida potesse trasformarsi in qualcosa di così spaventoso". Guardò John per un attimo, prima di riportare l'attenzione su di lei. "P2, che roba fantastica. Io mi facevo di eroina". Fece una pausa. "Davvero non lo sapevi".

Roberta scosse la testa.

"Guarda, se fossi in te, io non mi preoccuperei.

Kai ti ha dato dei vestiti, se li possiamo definire così. Stai per avere il suo marchio. Significa qualcosa".

"Come fai a sapere tante cose?" La P2 stava smorzando la sua reazione all'associazione di Kai con Lucifero; non voleva più parlare di cose fuori dal suo controllo.

"Vivi e impara".

Le sembrò che Edward fosse felice e impaziente di continuare a rispondere alle sue domande; probabilmente non aveva molte opportunità per fare conversazione.

"Prendi quel tizio, Rys, di cui parlavi. È un satiro. I satiri gestiscono i bordelli quaggiù. Ha visto i miei film, è un mio grande fan. Quando Lord Te mi ha dato al suo bordello, Rys ha sviluppato un interesse speciale per me, se mi capisci".

"Ho sempre saputo che eri un finocchio", sputò Gregory, ripresosi dall'imbarazzo.

Edward sospirò e alzò gli occhi. "Non sono gay, idiota. E comunque, qui non importa. A nessuno frega un cazzo".

Gregory strabuzzò gli occhi, intuendo le implicazioni.

"Per loro, è solo sesso. I satiri sono macchine del sesso ambulanti. Secernono qualcosa che ti fa supplicare che ti scopino. Oh, che darei per essere una mosca sul muro, la prima volta che ti succede".

L'espressione sul viso di Edward fece rabbrividire Roberta nonostante la P2. Per quanto odiasse lo

Stronzo, lei non aveva piacere all'idea che venisse violentato. Edward, al contrario, godeva. "Lord Te ti ha dato al bordello di Rys?" gli domandò.

"Già. Vedi, quelli come noi", indicò se stesso e Gregory, "sono diversi dagli schiavi che sono nati qui o da quelli catturati. Siamo speciali. In sostanza, apparteniamo a Lord Te. In superficie, i soldi sono alla base di tutto. Più ne hai, più alta è la tua posizione sociale. Lo sai, no? Be', quaggiù è diverso. Qui si prospera solo sulla posizione. Se ci riesci, quando sei in giro, guarda cosa usano come denaro: usano di tutto, dalle monete, alle perline di vetro ad altre cianfrusaglie. Perché? Perché il denaro qui non ha valore, è solo una questione di preferenze personali. Noi? Veniamo presi a noleggio". Fece un sorriso davanti allo sguardo disperato di Gregory. "Sì, piccolo Willie, questa è la nostra punizione: passare l'eternità come bomboniere".

"Se la posizione è come i soldi, come se la fanno?" chiese Roberta, curiosa. C'era così tanto da imparare.

"Dipende". Edward alzò le spalle. "Prendi Atal". Indicò il tatuatore che scarabocchiava e cancellava sotto lo sguardo attento e le indicazioni di John. "È l'artista migliore, qui. Ha ottenuto la sua posizione grazie alle sue abilità. I tuoi 'amici', i Kazat, l'hanno ottenuta con la forza bruta".

"E Lord Te?" Non riusciva a immaginare cos'avesse dovuto fare per essere nella posizione di dirigere tutta la baracca.

"Oh, è una bella storia". Cambiò posizione, rivolgendosi solo a lei. I suoi occhi brillavano di aspettativa. Forse non gli piaceva solo avere l'opportunità di conversare; forse gli piaceva avere lei come pubblico. L'idea le piacque. "Questo posto era amministrato da un enorme drago, un dio di nome Uru..."

Gregory sbuffò dal naso, interrompendolo. "Sciocchezze. I draghi non esistono".

"Così dice quello che ha venduto l'anima a un demone", lo liquidò Edward, per poi rivolgersi a Roberta. "Stavo dicendo, vedi le colonne luminose incastonate nella roccia, che arrivano fino al soffitto?" Indicò in alto. "Nessuno può avvicinarsi. Sono troppo luminose, troppo calde. Prima di morire, Uru ne ha spenta una. Un istante prima era accesa e poi, poof! Non lo era più. E ha detto che chi sarebbe riuscito a riaccenderla, avrebbe preso il suo posto".

"Stupidaggini. Sono solo favolette", borbottò Gregory.

Roberta lo ignorò; era più interessata alla storia di Edward. "Lord Te l'ha riaccesa?"

"Oh, sì. Prima che arrivasse lui però, è stato come *La spada nella roccia*. Ci hanno provato tutti. C'era chi provava con rituali di magia complessi, chi con semplici parole magiche... Tutto quello che ti viene in mente, è stato provato. Poi un giorno arriva Te, aspetta pazientemente in fila il suo turno, e quando tocca a lui, mette una mano sulla colonna. Tutti ridono, perché, dai, chi è che lo fa? Come se quella stronzata non fosse già stata provata prima. Be', invece a lui è bastato mettere la mano sulla colonna, e in pochi secondi, senza spiccicare parola, la colonna si è illuminata. Il suo è vero potere". Sostenne lo sguardo di Roberta, per darle idea delle implicazioni. "Lord Kai è il suo miglior amico".

Quindi, Lord Te era un demone; il che spiegava la sua associazione con Lucifero. Ma allora, perché Te aveva deciso di educarla e di essere gentile nei suoi confronti? Era stato lui a darle la P2 per combattere il giogo di Uriele. E Uriele era nella Città... Ma angeli e demoni non dovevano essere nemici? La situazione aveva sempre meno senso. Grata, lasciò che la propria confusione si allontanasse su una nuvola color P2.

"Da quanto tempo sei qui?" Gregory chiese a Edward.

"Che anno è?" Glielo disse Roberta, e lui fischiò di nuovo. "Wow. Da poco prima della fine del secolo. Dimmi, il Millenium Bug c'è stato?"

"No, ci siamo spaventati per niente".

Edward sembrò esserne divertito.

"E gli altri schiavi, per cosa vengono usati?" La condizione di drogata aveva bandito ogni sua paura di saperlo. Essere una tossica non era poi così brutto, almeno nelle circostanze in cui si trovava in quel momento. Abbracciò il desiderio di non sentire più le emozioni.

"Be', ci sono classi diverse. Quelli nati quaggiù

vengono allevati per lo più per essere cibo. Viene usata la magia per accelerare la crescita: dalla nascita alla tavola in circa un anno. Sono quelli che vengono marchiati con la "X". Li hai visti, probabilmente". Roberta annuì. "Già, loro sono cibo: sangue per i vampiri, eccetera".

"Erano docili".

"Sì, e stupidi come capre. Non hanno la possibilità di svilupparsi in modo normale, quindi non sanno niente". Alzò le spalle. "Mi è stato detto che fa parte della magia".

"Non avevo idea che la magia esistesse davvero". Guardò Gregory, che ricambiò lo sguardo con indifferenza.

"Oh, non ne hai idea. In superficie, abbiamo la tecnologia; quaggiù, è tutta magia. Ho visto cose stupefacenti". Edward fischiò. "A ogni modo, i più intelligenti, se non sono usati come cibo, sono considerati servi o animali da compagnia. Gli umani che arrivano dalla superficie, se sopravvivono all'addestramento, sono usati come esemplari per la riproduzione, o nelle miniere, nella costruzione di gallerie, nell'allevamento di cho, nella coltivazione di funghi o come prostitute".

"Sopravvivere all'addestramento?" chiesero insieme Gregory e Roberta. "Allevamento di cho?"

Edward rivolse a Gregory uno sguardo gelido. "Già, Willie, imparerai come essere un bravo schiavo. Ogni lavoro ha requisiti diversi, sai? Di solito, ne perdono un sacco, di schiavi, perché molta gente proveniente dalla superficie non ce la fa in questa realtà. Ma noi? Dato che siamo di proprietà di Lord Te, siamo protetti dalla follia, un lusso che non ci è concesso".

Sollevò la mano sinistra: il dito medio era mozzato alla seconda falange. "Siamo protetti anche da altre cose. I cho si erano presi tutto il dito. Sono bestiacce aggressive, un incrocio fra un gatto e un topo. Senza peli, brutti da far schifo. Ti mangiano, se gliene dai la possibilità". Indicò un mignolo mancante del piede. "Le mie dita però stanno ricrescendo. Lord Te si assicura che i suoi schiavi siano sempre in grado di lavorare". Guardò di nuovo Gregory. "Benvenuto all'Inferno, Willie. Non sarebbe potuto succedere a una persona migliore".

Roberta aveva tenuto gli occhi fissi sul viso di Gregory, vedendo passare un'intera gamma di emozioni culminate nel terrore: forse lo Stronzo aveva finalmente capito in che situazione si trovava.

"Se mi fosse concesso di scegliere", riprese Edward, "tornerei subito al bordello di Rys. È stato l'unico periodo in cui potevo lavarmi, farmi la barba e dormire su un letto vero regolarmente. Senza contare che Rys è un grande fan del cinema. Pellicole, cassette, DVD o Blu-Ray, lui ha tutto. Per quello, e per le sue riserve infinite di P2. È la vita migliore in cui possa sperare, per ora".

Chissà se ad aspettarla c'era lo stesso destino, solo

con un padrone diverso. Kai aveva perorato la propria causa, ma tutto quello che lei aveva appena scoperto, le dava motivo di dubitare di lui. Fece le sue considerazioni confortata dalla P2. Stonata com'era, ipotizzò che Stephan avesse ragione, che Kai l'avrebbe gettata via al ritorno di Lucifero. Ma perché doveva aver ragione Stephan?

Nel poco tempo che aveva passato con Kai, il vampiro aveva guadagnato la sua fiducia. Si era aggrappata a lui davanti alla derisione di Stephan. Perché non farlo anche adesso? Perché Kai aveva mentito. Non solo aveva un amante – forse non doveva darle fastidio, ma gliene dava – ma l'amante era pure *Lucifero*. Tutto ciò che Kai le aveva detto, era stato ribaltato da Stephan. Era stato furbo, però. Presentandole le cose nel modo giusto, si era assicurato la sua obbedienza e la sua cooperazione. Si era divertito alle sue spalle: era caduta facilmente nella trappola, perché lui le era parso molto ragionevole, e perché lei non aveva scelta, date le alternative. Non poteva fidarsi di lui. Non poteva fidarsi di nessuno.

Il disegno dell'artista finalmente incontrò l'approvazione di John, e Roberta venne chiamata.

"È stato bello conoscerti, Edward. Spero di rivederti", gli disse con un sorriso, anche se dubitava della possibilità che accadesse.

Edward le sorrise a sua volta; il suo viso era bello e luminoso, nonostante gli anni passati a vivere in condizioni dure. "Grazie. Anch'io".

Gregory borbottò qualcosa, che lei ignorò.

L'artista era grosso come Fezzik, il gigante del film *La storia fantastica*. La fece stendere sul fianco destro, con la guancia sinistra rivolta verso l'alto. L'ultima cosa che voleva Roberta era un tatuaggio sul viso, ma ormai non poteva più cambiare idea. Chiuse gli occhi e accettò il proprio destino.

Da quando aveva lasciato la superficie, scandire il passaggio del tempo si era dimostrato impossibile. Non aveva idea di quanto tempo fosse rimasta sdraiata prima che il tatuaggio fosse completo. Era stata una sorpresa constatare che, pur essendo così grosso, l'artista aveva la mano leggera. Se le aveva fatto male, non l'aveva fatto apposta.

Adesso però, il tatuaggio le faceva un male cane. La P2 purtroppo non era anche un antidolorifico. L'artista le applicò una benda morbida sulla guancia e diede istruzioni a John su come medicarla. John sembrò offeso a sentirsi dire cose che sapeva già.

La giornata era stata sfiancante. Roberta voleva solo tornare in camera a dormire. Fece un cenno di saluto a Edward e seguì John verso le sue stanze. Il viaggio di ritorno fu molto meno eccitante. Persino il nuovo aspetto del suo protettore destò meno attenzione. Quando fu al sicuro nella suite, lui l'aiutò a togliersi la "decorazione".

"Allora, è così che sarai d'ora in avanti?" gli domandò.

Lui si prese qualche attimo per rispondere. "Sono come dovrei essere".

Lei non aveva idea di cosa intendesse dire, e dopo la giornata che aveva avuto, non aveva l'energia mentale per capirlo.

"Dovrei portarti del cibo".

"Non si può aspettare? Voglio solo stendermi".

"Come vuoi. Sei stata brava, oggi". Le sorrise. Il suo nuovo sorriso era orripilante. I luminosi occhi rossi e i denti rossi non si prestavano molto all'allegria senza implicare la tortura. Prese posizione vicino alla porta della camera da letto quando lei vi entrò, e la chiuse alle sue spalle.

Roberta aveva i piedi sporchi e residui della bava puzzolente, secca e squamata del Kazat appiccicati addosso. Una doccia sarebbe stata una buona idea, ma aveva i nervi a pezzi; il suo corpo non voleva altro che spegnersi per un po'. Sdraiata sul letto, si addormentò in pochi minuti.

DICIANNOVE

La ripresa di coscienza di Kai fu lenta ma inevitabile. Quando riprese i sensi, il dolore divenne più acuto; ben presto il suo corpo urlava di dolore. Il vicino odore di ozono e di cedro gli disse che Te era nella stanza. "Sai, la decenza impone che tu ponga fine alle mie sofferenze", disse, concentrandosi per non aprire gli occhi.

Te ridacchiò. "Dovresti sapere che sono tutt'altro che decente. Come ti senti, amico mio?"

Kai gemette. "Come se mi avessero trascinato sull'asfalto per chilometri". La sua voce era debole, a riprova di quanto fosse debilitato. Era anche affamato e nauseato al contempo, le due sensazioni più difficili da conciliare. Era passato molto tempo dall'ultima volta che aveva avuto un avvelenamento da sole, ma i sintomi se li ricordava ancora.

"Mentirei se ti dicessi che non sembra".

Le parole di Te, oltre al dolore che temeva di sentire, sostennero la sua decisione di tenere gli occhi chiusi.

"So cos'è successo. Julian ti ha trovato e ti ha portato da Risha. Mi hanno chiamato e quando sono arrivato, deliravi. Dovevo vedere cosa ti ha fatto questo. Quindi, ho guardato nella tua mente".

Bene. Almeno Te sapeva cos'era successo. Al momento, i ricordi degli eventi al di là dell'agonia erano nebulosi. Ne avrebbero parlato più tardi. "Ecco perché sento puzza di licantropo. E io che pensavo che l'avvelenamento da sole fosse brutto abbastanza".

Una risata maschile riempì la stanza. "Date le circostanze, non posso ritenermi offeso".

Kai aprì appena gli occhi, ma il dolore lancinante glieli fece richiudere immediatamente. "Julian, sono onorato dalla tua ospitalità". In circostanze normali si sarebbe sentito in imbarazzo, non solo perché i licantropi l'avevano visto in quello stato, ma anche per essersi ritrovato sotto la loro protezione. Avvertiva comunque un po' di disagio, ma era mitigato dal fatto che Te doveva aver rivelato a Risha più cose su di lui di quanto lui si sarebbe sentito di fare.

"Siamo il mio compagno, il mio clan e io a essere onorati. Sei il benvenuto e puoi restare tutto il tempo necessario. Il Clan Orione ti dà la sua completa protezione".

"Non posso restare". Per quanto Kai fosse grato,

non voleva essere in debito con loro più di quanto non fosse già.

Julian era sul punto di protestare, ma Te lo precedette. "Non essere ridicolo. Non riesci nemmeno ad aprire gli occhi, figurarsi a stare in piedi. Resti qui finché non riesci a fare almeno queste due cose".

Kai voleva protestare, ma non aveva argomenti. "Sono conciato così male?" Non riuscì a nascondere l'ansia nella voce.

Il silenzio che seguì non fece che amplificare le sue paure.

"L'esposizione al sole è stata minima, ma complica il processo di guarigione delle altre ferite".

Tutto il suo essere sembrava una ferita aperta. Non si era aspettato di sopravvivere sia alla rimozione dei sigilli, sia all'esposizione al sole. L'avvelenamento da sole, come per l'avvelenamento da radiazioni per gli umani, si misurava in livelli di esposizione. Era vecchio, quindi riprendersi da un'esposizione minima era possibile, per quanto doloroso. Doveva nutrirsi, ma l'idea lo nauseava, il che costituiva il maggiore ostacolo alla sua guarigione.

Te si schiarì la gola. "Ho rimandato la Rappresentazione".

Kai fu sollevato di sentirlo; uscire dal letto ora con le proprie forze era impossibile. "Motivo?"

"Il mio desiderio che tutto sia perfetto", rise Te. "A che serve avere il potere, se ogni tanto non si fanno richieste irragionevoli?"

Il sorriso di Kai apparve debole e storto. "Rimandata fino a quando?"

"Finché non sarò soddisfatto".

Kai si rilassò. "Sei peggio di Luc".

La risata calda di Te lo calmò. "Lo prendo come un complimento".

"Roberta..."

"Andrò a controllare. Adesso, voglio che ti nutra".

Lo stomaco di Kai si rivoltò all'idea, ma Te aveva ragione. "Lascia, lo faccio da solo".

Il silenzio di Te rivelò che aveva dei dubbi.

"Promesso".

"Lord Te, se dovete andare, ci penso io a farlo nutrire", disse Julian.

In un altro momento, Kai avrebbe messo alla prova l'abilità di Julian di fargli da balia. Se ci avesse provato adesso, sarebbe stata solo una spacconata, niente più di un debole tentativo di sfida che l'avrebbe solo messo in imbarazzo. Si limitò a tenere il broncio.

"So che non vuoi, ma hai bisogno di nutrirti. Non posso guarirti, Kai. Il tuo corpo è troppo debole. Non riesci nemmeno più a tollerare il mio sangue".

"Forse posso sviluppare una tolleranza. Provaci, per favore".

Te sospirò, ma mise il polso vicino alla bocca di Kai senza farselo chiedere un'altra volta.

Al primo assaggio, il vampiro spinse via il braccio dell'angelo e voltò la testa. Era troppo davvero. Non sarebbe sopravvissuto, se Te avesse usato il suo potere per guarirlo. La delusione crebbe, ma fu bloccata dall'inaspettato effetto collaterale soporifico del sangue. Il dolore si alleviò, mentre lui scivolava grato nel sonno.

* * *

Te guardò preoccupato Kai che si addormentava. Qualcosa aveva fatto scattare l'allarme che aveva messo nella Città per avvertirlo di eventuali problemi. Ne aveva sentito il richiamo quasi nel momento stesso in cui Kai si era svegliato, ma doveva assicurarsi che Kai stesse bene, prima di andarsene. Si alzò dalla sedia accanto al letto e si rivolse a Julian. "Hanno bisogno di me nella Città. Hai il mio biglietto: chiamami se hai bisogno".

Anche Julian si alzò, e si inchinò. Sembrava stanco. Aveva mandato Risha a letto, assumendosi lui l'incarico di vegliare il loro onorato ospite. "Lo farò, mio Signore".

Sapere di potersi fidare di Julian non gli rese più facile andarsene.

Julian se ne accorse. "Sulla mia vita, mio Signore".

Te sperò che non arrivasse a tanto. Con un ultimo sguardo a Kai, scomparve.

Non essendo mai stato abile nelle protezioni come Lucifero, Te si era riproposto più volte di parlargli perché le rendesse migliori e più precise, ma non l'aveva mai fatto. Quando entrò nella Città, non aveva idea di cos'avrebbe trovato. Fu più che sollevato di trovare tutto come doveva essere; il passo successivo era capire perché era scattato l'allarme. Nemmeno a farlo apposta, Rys corse da lui.

Il motivo per cui aveva continuato a rimandare il rafforzamento delle protezioni era che nella Città non mancavano i Non-umani che lo tenevano al corrente di tutto; bastava pagare il loro prezzo. Se era disposto a pagare, ben poco gli sarebbe sfuggito del suo territorio.

"Ehi, Pezzo Grosso. Perbacco, chi è morto?" Rys lo guardò da capo a piedi.

Te non si vestiva mai di nero, scegliendo piuttosto di indossare ogni colore possibile e immaginabile per celebrarne l'esistenza. Ora, con la sua famiglia morta o dispersa e il suo caro amico in punto di morte, gli sembrava che i colori allegri si prendessero gioco di lui.

"Comunque, è quasi scoppiata una rissa di grandiosità epica", lo informò Rys quando si fu ripreso.

"Me ne vuoi parlare?"

"Sai, paparino, lo farei, ma non sono uno spione, mi capisci?"

Di solito Te lo assecondava, ma in quel momento non era dell'umore adatto, e gli rivolse un'occhiataccia che lo diceva chiaro e tondo.

"Ok. Forse puoi farmi un favore? Ho visto il

nuovo giochino di Lord Kai. Non è che ci puoi mettere una buona parola, così mi lascia fare un giro?"

"Finora, ho bloccato ogni azione diretta in risposta alle lamentele dei Lisatu sulla carenza di alcolici Corolon. Diciamo che le cose potrebbero cambiare".

Rys lo fissò per un attimo, fingendo di pensare. Poi vuotò il sacco. "A posto?" chiese infine.

"Sì. Ma ti consiglio cautela. Se le cose continuano così, dovrò intervenire. E i risultati potrebbero essere meno che soddisfacenti, per te".

"Capito, Capo. Capito", disse Rys prima di sparire tra la folla.

Te stentava a credere a ciò che era successo. E infatti, quando entrò nella suite di Roberta, rimase scioccato: le sembianze di John erano proprio come le aveva descritte Rys. Si chiuse la porta alle spalle, fissando il nuovo John, il quale ricambiò il suo sguardo con aria minacciosa. Era dritto, pronto a sfidarlo, con il corpo in tensione. "Avremo un problema, John?"

"No", rispose la creatura, ma non abbassò gli occhi rossi, né cambiò posizione.

Te ebbe la sensazione che avere a che fare con il "nuovo" John sarebbe stato stancante. Entrò, si sedette sul divano, si mise comodo e lo studiò. Il cambiamento era notevole: l'altezza, la muscolatura, il comportamento, quello non era lo stesso Eineu. Ma c'erano testimoni oculari della trasformazione. "Ho sentito la storia. Vuoi dirmi che sta succedendo? Chi sei?"

John lo fissò e pian piano si rilassò: ritirò gli artigli, gli spuntoni sulla coda e quelli sulla testa. La sua postura cambiò lievemente – non era più pronto a combattere – e guardò Te come un suo pari, con rispetto. Rimase accanto alla porta della camera da letto di Roberta. "Quanto ricordi di Prima?"

Te fu sorpreso da due cose: il modo in cui John articolò la domanda, così diverso dal modo di parlare dell'Eineu che era stato, e il fatto implicito che John, di lui, sapesse più di quanto sapevano gli altri Nonumani. "Abbastanza", rispose senza sbilanciarsi.

John sorrise; aveva capito che Te era stato volutamente evasivo. Non c'era calore in quel sorriso. Era un "sorriso" allo stesso modo in cui gli umani pensavano che un cane sorridesse quando mostrava i denti; dunque, più un avvertimento, o una dimostrazione di aggressività. "C'erano tre razze dominanti in questo mondo: la mia razza, i Jh'tishal, i Banari e i Kazat. Eravamo in costante conflitto. Quando tu e i tuoi siete arrivati, avevamo quasi sterminato i Kazat e stavamo per fare lo stesso con i Banari. Ma voi l'avete fatto per noi". Di nuovo, quel sorriso.

"Allora lo sai".

"So cosa sei? Sì. Nel caso ti interessi, i Pietra Nera lo sanno, i Lisatu sospettano e i Kazat hanno scelto di dimenticare per ripagarti di averli salvati dall'estinzione".

Te in effetti si era sempre chiesto quante delle vecchie specie lo sapessero. Dato che la notizia non si era diffusa, dedusse che a loro non importasse così tanto da farlo sapere a tutti. "Perché sei qui?"

"Ah. In realtà intendi fare tre domande. Perché gli Eineu sono qui. E perché e come sono arrivato qui. Vedi, non posso rispondere all'ultima senza rispondere alla prima".

Ecco, sì: il nuovo John era davvero stancante. Se avesse ripetuto la domanda, gli avrebbe dato prova di debolezza. Aveva voglia di sbatterlo in giro per la stanza fino a fargli sputare tutte le risposte; invece trasse un respiro profondo e aspettò. Per fortuna, non ci fu bisogno di attendere a lungo.

"Siete arrivati voi, e all'improvviso stavamo morendo tutti. Civilizzati e non civilizzati, non importava; ci stavamo avviando tutti all'oblio. Ma poi si è sparsa la voce che c'era un rifugio. Persino i Kazat venivano accolti. Dimmi, te ne sei pentito?"

"Occasionalmente". Te alzò le spalle.

"Avevamo bisogno di un rifugio anche noi".

"Non l'avete mai chiesto".

"Ce l'avreste concesso?" Gli occhi di John lampeggiarono quando Te non rispose. "Ci siamo scambiati idee e suggerimenti riguardo la nostra sopravvivenza. L'alternativa più accettata era di mandare in letargo un numero selezionato di individui della nostra razza fino al momento in cui avremmo potuto risvegliarci e reclamare il nostro mondo. Alla fine, è stato deciso di andare in letargo in piena vista. Essendo la razza più dotata di magia, sapevamo di poterci riuscire. Ci serviva solo un catalizzatore potente. Abbiamo aspettato finché uno di voi non è rimasto ferito, e il suo sangue è stato... rubato".

Te scattò in piedi. Non poteva restare seduto tranquillo ad ascoltare simili parole. Raggiunse John e torreggiò su di lui, aggiungendo alla propria statura i centimetri necessari. "È stato usato il sangue dei miei fratelli? A che scopo?"

"Per trasformarci. Per creare un travestimento. Per creare gli Eineu". John sogghignò; quell'espressione sembrava più adatta al suo viso. "Tian ha accolto gli Eineu".

"Tian è caduto".

John chinò la testa. "Sì. Abbiamo fatto male i calcoli. La nostra vera natura era vicina alla superficie, e tale natura non ci permette di prosperare a stretto contatto fra noi".

Fu il turno di Te di sogghignare. "Non vi trovate bene con gli altri? Sorprendente".

Per la prima volta da quando Te era entrato nella stanza, John abbassò gli occhi e si allontanò, mettendo distanza fra loro. "Sì. È stato allora che gli Eineu hanno deciso di ritirarsi sugli alberi. Non ci aspettavamo che loro prendessero volontariamente l'iniziativa di separarsi da noi come razza a sé stante. Si sospettò che il sangue dei tuoi fratelli li avesse corrotti".

Anche se l'uso di sangue d'angelo nella magia di sangue dei Jh'tishal gli era rimasta sul gozzo, Te si rilassò e andò di nuovo a sedersi. Almeno, gli Eineu erano innocui come sembravano. La questione era, sarebbero rimasti così? "Loro? Dici 'loro' e 'noi'. Ma non siete forse la stessa razza, seppur con sembianze diverse?"

"Sostanzialmente, siamo due specie diverse. Da Eineu, i miei ricordi di Jh'tishal erano lontani, simili a un sogno. E adesso, i miei ricordi di Eineu mi sono alieni, come se appartenessero a qualcun altro. Parlo degli Eineu come 'loro', perché 'loro' non sono me". John si accigliò e si guardò le mani, flettendole: pareva che trovasse la situazione snervante quanto Te.

"E ora? Perché siete tornati?"

"Ci ho riflettuto da quando la mia protetta è andata a letto".

Te intuì che era confuso più dalla sua postura che dal suo viso.

"Gli Eineu hanno ricevuto dai Jh'tishal un senso del dovere altamente sviluppato. Implica responsabilità gli uni verso gli altri, verso la nostra razza. Quando Roberta è stata assegnata alle cure di John, lui si è legato a lei e l'ha accettata come sua *matah*. La traduzione migliore è 'sacra protetta'. Il suo dovere è occuparsi di lei, proteggerla. Credo che i Kazat abbiano scatenato il mio ritorno. Come Eineu, John non aveva modo di proteggere la sua *matah*, e così il suo bisogno di adempiere al suo dovere ha risvegliato me

– l'antico nemico dei Kazat – dal letargo. John mi ha obbligato a soddisfare i requisiti dell'antico rituale, e ora lei è anche la mia *matah*. Sono sorpreso dal fatto che sia riuscito a influenzarmi. Credo che fosse vicino alla superficie, in quel momento. Da allora, è sprofondato nel letargo".

"Quindi Roberta ti ha risvegliato. E gli altri due?"

John fece ancora il suo sorriso sinistro. "Le mie sorelle".

Te non poté nascondere lo shock. "Vuoi dire che John-rosso e John-giallo sono femmine?"

"Sì".

"Gli Eineu si somigliano. Da quello che ho sentito, anche nelle sembianze di Jh'tishal siete simili".

John non sembrò offeso. "È quello che pensi tu. Le femmine hanno code più corte, oltre a un odore distintivo". Respirò profondamente; la sua espressione divenne lasciva. "Anche adesso mi attirano". Sembrò perdere la concentrazione.

"Mi stavi dicendo cos'ha risvegliato le tue sorelle". Te doveva stabilire se gli Eineu rimasti fossero una minaccia.

John riportò l'attenzione su Te. "Sono stato io. Era al di là del mio controllo. Il nostro odio razziale verso i Kazat è forte. Le ho chiamate a banchettare".

"Adesso sono ritornate alla loro forma precedente. Tu no".

"Così come le avevo chiamate, le ho liberate, e sono tornate Eineu. Quanto a me, all'inizio è stato il sangue della mia *matah* a tenermi ancorato alla forma di Jh'tishal; ora è la mia volontà".

Te si alzò di nuovo e si mise davanti a John. "Avremo problemi?"

Con un solo sguardo condivisero la conoscenza di quali sarebbero potuti essere quei problemi e l'inevitabile soluzione. "No".

"Hai un nome con cui preferiresti essere chiamato?"

"John va bene. Non ti rivelerò il mio vero nome".

Te non fu sorpreso e non si offese: i Jh'tishal erano una specie con i poteri magici, e i nomi per loro avevano potere. "E Roberta? Che significa per lei essere la tua *matah*?"

"È la mia protetta, e la proteggerò".

"Appartiene a Kai".

"Se Kai avesse fatto il suo dovere e l'avesse protetta, io non sarei qui".

Te dovette concederglielo.

"Non interferirò tra loro. E non permetterò che le venga fatto del male".

Te fece un passo indietro e andò verso la camera da letto di Roberta. "Diamo un'occhiata a questo marchio".

* * *

Roberta si svegliò. C'erano voci nell'altra stanza, ma non riusciva a distinguere di chi fossero. Forse di Kai e del "nuovo" John. Fece finta di niente. Si rintanò fra le coperte. Desiderò che se ne andassero, così poteva dormire un altro po'. Ma non riusciva a riaddormentarsi, perché le faceva male la faccia e aveva fame. Aveva avuto fame spesso, da quand'era arrivata, e quell'aspetto del vivere lì non le piaceva per niente. Solo quello? Chi voleva prendere in giro? Ce n'era più di uno, e non poteva ovviare a nessuno.

Improvvisamente accaldata, scalciò via le coperte. Gemette. Il viso le tirava sotto la benda. *Ottimo. Ho un'infezione.*

Di proposito, non aveva pensato all'igiene al mercato degli schiavi, soprattutto dopo aver superato le bancarelle mediche. Adesso era l'unica cosa a cui riusciva a pensare. Un'infezione da stafilococco sul viso sarebbe stata brutta. Ce li avevano, gli antibiotici, laggiù? O era destinata a vivere il resto della sua vita con solo mezza faccia? Sempre se fosse sopravvissuta. Di nuovo le si riempirono gli occhi di lacrime, che si riversarono sul cuscino già sporco. La testa le pulsava al ritmo del battito cardiaco. Rimase distesa, temendo che muoversi le avrebbe causato più dolore.

La porta si aprì.

Nel vano c'era un omone grosso. *Cazzo, è Lord Te.* Si sarebbe dovuta alzare e comportare da schiava. Peccato che il suo corpo non cooperasse. Quando le luci si accesero, dovette battere le palpebre più volte prima di vederlo chiaramente. Aveva un abito nero simile a quello che indossava Uriele. Era strano vederlo in nero. Roberta aveva avuto l'impressione che Te non si sentisse a proprio agio in nero, così come, al contrario, non riusciva a immaginare Kai con addosso un colore diverso dal nero. Pianse di più quando lui si avvicinò.

"Ssh, che c'è? So che non hai paura di me". Si sedette sul bordo del letto. "Ho sentito del marchio. Vediamolo". Le fece voltare delicatamente il viso e le tolse la benda con delicatezza. Si acciglì. "Scommetto che non ti senti bene".

John era entrato dietro di lui. "Atal morirà per questo".

"Potrebbe essere una reazione esagerata".

"L'avevo avvertito", disse John ringhiando.

"Mi serve un dottore, vero?" chiese Roberta. "Forse degli antibiotici? Non voglio morire". Tirò su col naso.

"È infetto, ma starai bene". Te toccò la pelle calda e gonfia.

In pochi secondi Roberta si sentì meglio. Il viso non le tirava più. Non aveva più né il mal di testa, né la febbre. "Quella era magia, vero?" gli chiese.

Lui le rivolse un sorriso bellissimo e perfetto. "Puoi dirlo forte". Il suo viso assunse un'espressione ammirata mentre esaminava il marchio. "Bellissimo. Credo che Kai sarà molto compiaciuto".

"Allora non ucciderò Atal. Mangerò solo uno dei suoi occhi", disse John.

Te lo guardò. "Come sei arrivato a questa conclusione?"

"Ho detto ad Atal che gli avrei mangiato gli occhi, se non avesse reso fiero Lord Kai. Tu hai detto che Lord Kai sarà compiaciuto, ma i modi sciatti di Atal si sono dimostrati dannosi per la mia *matah*. Gli mangerò un occhio".

"Se gli hai detto solo così, non gli hai detto nulla sulla prevenzione delle infezioni. Punire Atal in modo così severo solo perché non sei stato abbastanza preciso sarà visto come un'ingiustizia".

"Non è accettabile". Le labbra di John arretrarono sui denti in un ringhio.

"Rompigli qualche dito, se proprio devi, gusto un avvertimento a stare più attento. Più di così, sarebbe una reazione non giustificata. Potresti farti dei nemici, che poi sarebbero anche nemici della tua *matah*". Te si strinse nelle spalle. "Scegli tu".

Tutto insieme, era troppo. Roberta aveva creduto di aver iniziato a adattarsi a quel nuovo mondo, ma lì, nuda, con quei due che discutevano della minaccia di John di mangiare gli occhi di qualcuno, la sua capacità di adattamento raggiunse il limite. Piangere con vigore richiedeva troppa energia, come si era già dimostrato, così rimase sdraiata e lasciò scorrere le lacrime sulle guance. Voleva solo che tutto si fermasse almeno per un attimo.

John andò all'altro lato del letto e prese il vasetto di P2.

Roberta scosse la testa. "No. Non voglio diventarne dipendente. Devo essere guarita dal giogo: non penso a Uriele. Non la voglio". Era una bugia. Adesso che era di nuovo sobria, la voleva, perché la P2 le dava la pace e il distacco. Ma era anche vero che non voleva diventarne dipendente; solo quando era fatta, non gliene importava niente.

Te la guardò, ma lei non riuscì a leggere la sua espressione. "Quand'è stata l'ultima volta che hai pensato a Uriele?"

"Non lo so". Dovette rifletterci. "Forse dopo che mi ha mandato le cose da leggere".

"Uhm. Ok". Guardò John e lo allontanò con un cenno. "John avrà ancora la P2", disse poi rivolgendosi a Roberta, "per cui, se ne hai bisogno, ricordati che c'è".

"Grazie".

"So che ti ho detto – e suppongo che l'abbia fatto anche Kai – di restare nelle tue stanze. Dimmi, perché hai disobbedito?" Fece apparire una scatola di fazzolettini e gliene porse uno.

Merda. Merda. Merda. Aveva dimenticato che le era stato *ordinato* di non lasciare la suite. Concentrandosi sulle mani grandi di Te, disse: "È venuto Stephan. Ha detto che Lord Kai non mi ha marchiata perché così faceva sempre in tempo a liberarsi di me. Avevo paura che avesse ragione. Ma avevo più paura di lui. Speravo che se avessi avuto il marchio di Lord Kai, Stephan non mi avrebbe più dato fastidio. Ho chiesto a John di trovare te o Lord Kai, ma lui non ci è riuscito. E così l'ho implorato di accompagnarmi".

C'era altro, e le sarebbe uscito di bocca comunque.

"Perché sei così gentile con me?" Il rivoletto di lacrime divenne un fiume, mentre la paura che la P2 aveva allontanato il giorno prima riesplose dentro di lei. "Nella Città, ho scoperto alcune cose. So che sei un demone. So che tu e Lord Kai siete amici di Lord Lucifero... Be', Lord Kai è più che amico. So che Lord Kai sta solo giocando con me, finché non torna Lord Lucifero. Non sono una persona religiosa, ma so cos'è il Diavolo, e se è vostro amico e amante, dovete essere malvagi. Non capisco qual è il ruolo di Uriele, ma lui non può essere buono. Voleva che mi uccidessi. È così che vi divertite?" Fece un respiro profondo e singhiozzante. "Pensate che sia divertente? Torturare psicologicamente gli umani indifesi? Che siate dannati, tutti quanti!" Dopo l'ultima parola le sfuggirono grossi singhiozzi. Arretrò sul letto, mettendo quanta più distanza possibile fra loro.

Si alzò un ringhio familiare: aprendo gli occhi annebbiati dalle lacrime, Roberta vide John, rigido e curvo, pronto ad attaccare. Ancora seduto sul bordo del letto, Te lo ignorava. Lei non voleva guardarlo in faccia. Non voleva vedere quella che sarebbe stata solo una luce maligna nei suoi occhi, ora che gli altarini erano stati scoperti.

"Roberta, guardami", disse Te.

Il suo tono di comando era qualcosa a cui lei non poteva disobbedire, così alzò lo sguardo: nei suoi occhi c'era la stessa compassione di prima. "Smettila. Perché lo fai?" gli disse. E pianse di più.

"Ssh, calmati". Te le accarezzò delicatamente una mano.

Roberta si sentì confortata all'istante; le sue emozioni si erano placate.

"Ricordi quando ti ho detto che i miti dietro le cosiddette creature magiche sono inaccurati?"

Lei annuì, accettando un altro fazzolettino.

"Questo è vero anche per altre cose. Il Diavolo di cui hai sentito parlare non esiste".

"Ma..."

"Niente ma. Se gli umani in superficie sapessero di noi, ci classificherebbero tutti come demoni. È solo una classificazione usata per distinguere tra quello che credono sia bene e quello che credono sia male. Non ha altro significato".

Roberta si soffiò il naso e lo studiò.

"Hai sentito il giogo di Uriele. Kai ti ha dimostrato il suo?"

Lei annuì.

"In entrambi i casi, hai sentito la tua volontà annullata dalla loro, corretto?"

Lei annuì di nuovo.

"Quello che senti adesso non è un giogo, ma l'essenza di chi e di cosa sono io. La tua volontà è ancora intatta. Non voglio farti del male. Kai non vuole farti del male. Mi credi?"

"Ma..."

"Niente ma. Mi credi?"

Roberta annuì, perché era vero. Si sentiva al sicuro.

"Gli abitanti della Città amano spettegolare. Sentirai tante altre storie. Alcune sono vere, altre no. Quando avrai vissuto con noi abbastanza a lungo, riuscirai a distinguere da sola tra le due. Fino ad allora, sappi che puoi contare su di noi perché ti diciamo la differenza".

Roberta voleva lasciar perdere, ma qualcosa la tormentava. Spostò lo sguardo sul fazzolettino umido che aveva in mano. Non era a proprio agio a guardarlo mentre parlava. "Lord Kai mi ha detto perché Gregory è stato preso. Ha venduto la sua anima: come può non essere una cosa malvagia?"

Te ridacchiò. "Se dicessi a un umano qualsiasi che posso estendere la sua vita in modo indefinito e aiutarlo a ottenere tutto ciò che vuole in cambio della metà dei suoi guadagni, sai cosa direbbe?"

"Dov'è l'inghippo?" Non poté evitare il tono caustico.

"Esatto. Tutti si chiederebbero cosa ci guadagno io, anche se glielo dico dall'inizio. È troppo facile". Strinse le spalle. "Dato che la mitologia del Diavolo era già esistente, l'ho semplicemente usata. È interessante che quelli con cui faccio accordi sono più felici pensando di averla fatta franca".

"E quelli come Gregory?"

Te sospirò. "L'aspetto negativo di chi pensa di riuscire a farla franca è che ci prova sempre, persino con me. Considerato ciò che dovrebbero rappresentare, i contratti sono stesi in modo duro: 'Fa' così o te ne pentirai'. Se uno di loro, persino Gregory, fosse venuto da me e mi avesse detto 'È stato divertente, ma sono stanco e vorrei smettere', gliel'avrei lasciato fare. Perché? Perché questo", indicò lo spazio fra loro, "è tutto basato sulle scelte".

"Hai detto che io non ho scelta", gli ricordò.

Le sorrise. "Alcune scelte hanno conseguenze migliori di altre. Inoltre, cercavo di sottolineare il punto. Comunque, quelli come Gregory vengono puniti perché se l'aspettano".

Roberta ci rifletté. Era tutto molto ragionevole. Con un respiro profondo, chiese: "E Lord Lucifero? Che mi succederà quando torna?"

"Una volta che Kai gli avrà spiegato la situazione, ti accetterà. Dovrà farlo: Kai non ha intenzione di liberarsi di te". La situazione la preoccupava ancora. Probabilmente le si leggeva in faccia, perché Te si accigliò. "Non devi preoccuparti. Lascia che ci pensiamo noi".

Roberta guardò John, che sembrava più calmo, anche se non si era mosso. "John sta bene?"

"Sta bene, sì. Ha reagito al tuo turbamento". Te

scrollò le spalle. "E al fatto che non lascerò che mi attacchi. Si calmerà quando ti sarai calmata anche tu".

Ora era il turno di Roberta di accigliarsi. "Non capisco".

"Sente le tue emozioni e reagisce violentemente quando percepisce una minaccia nei tuoi confronti. Puoi appartenere a Kai, ma John ti proteggerà sempre".

Un movimento improvviso di John attirò la sua attenzione. Lei lo guardò: un brivido lo percorse, poi si rilassò, ritraendo le spine.

"Abbiamo un problema, John?" chiese Te, continuando a guardare Roberta.

John rabbrividì di nuovo e batté le palpebre. "No".

"Bene. Roberta?"

"Sto bene". Non riusciva a spiegarlo, ma era così. Dentro di lei, sapeva di dire la verità.

"Ok. Ne hai passate tante. Fatti una doccia. Puzzi come un Kazat. Mangia e riposa. Kai sarà indisposto per qualche giorno".

Anche se si chiedeva cosa stesse facendo Kai per non essere lì, era grata della tregua, grata di avere un po' di tempo per rilassarsi e per assorbire le informazioni.

Te si alzò. "John, prendi delle lenzuola pulite per il letto e portale del cibo. Quando Kai sta meglio, verrò a prendervi". E sparì.

Roberta si pulì di nuovo la faccia e si alzò per fare la doccia.

Fermandosi davanti allo specchio, tenne gli occhi bassi. Fece un respiro profondo, rinsaldò i nervi e sollevò lo sguardo senza poter trattenere il respiro rapido davanti al proprio riflesso. *Era* bellissimo. Il tatuaggio nero sfumato di tante tonalità di grigio era intricato e delicato. Riconobbe il simbolo del clan di Kai circondato da altri simboli, che suppose rappresentassero Kai. Fissando il marchio, si rese conto che avrebbe potuto conviverci. Per quanto avrebbe preferito non averlo in faccia, era confortante vedere che non era affatto orribile. E data la nuova popolarità dei tatuaggi in generale, il suo era anche molto alla moda. Sogghignò all'idea di poter essere considerata trendy.

Con sollievo entrò nella doccia calda, lasciò che l'acqua rilassasse il corpo stressato. Te aveva guarito l'infezione del tatuaggio con un tocco. Roberta sospettava che ci fossero altre cose che lui non le aveva detto. Da quand'era nella Città sotterranea, aveva imparato molto più di quanto volesse sapere del mondo. E non aveva finito. Ma c'era tempo. Al ritorno di Te, di lì a pochi giorni, lei si sarebbe fatta trovare ricaricata di energia e pronta per cominciare una nuova vita.

Nel frattempo, voleva solo finire la doccia, mangiare qualcosa e leggere *Cosmo*. Chissà se laggiù c'era della cioccolata, o un altro dolce da sbocconcellare.

Se John ne avesse trovato uno, sarebbe stato magnifico.

* * *

Te sedette al capezzale di Kai, guardandolo dormire. Al suo ritorno aveva mandato via Julian, che era sfinito. Era stata una sorpresa scoprire che Roberta era libera dal giogo di Uriele. Una piccola vittoria. Un'altra sorpresa erano le nuove sembianze di John, anche se aveva dovuto impedirgli di attaccarlo. John si sarebbe preso cura di Roberta come avrebbe fatto Kai, forse anche meglio, dato che Kai non era nella posizione di farlo. Un'altra vittoria.

Normalmente, si sarebbe aspettato che Kai punisse Roberta per avergli disobbedito. Ma visto che era crollata, Te intendeva suggerire all'amico di essere indulgente con lei. La brutta avventura al mercato, unita alle paure generate in lei dai pettegolezzi che aveva sentito, era una punizione sufficiente. Te era sorpreso dall'affetto che provava per lei. Gli tornarono in mente i suoi fratelli, rimasti fedeli ai loro principi: era così che si sentivano gli angeli verso gli umani? Avendo passato così tanto tempo tra i Non-umani e vicino a Lucifero – che derideva gli umani in continuazione – Te non aveva una gran considerazione dell'umanità. Roberta però stava cambiando le cose.

Si era sentito in dovere di confortarla, rivelandole

anche cose che altrimenti non avrebbe voluto dirle. Era sicuro che lei avesse ipotizzato la sua vera natura di angelo, e ciò costituiva un altro problema. Dato che faceva parte della vita di Kai, sarebbe venuta a sapere molti altri segreti, e dato che Kai si rifiutava di assicurarsi il suo silenzio con il sangue, era necessario trovare un altro modo per far sì che i loro segreti restassero fra loro. Avrebbe suggerito un legame. Finché lei era vulnerabile, lo sarebbero stati anche loro.

Su Stephan però, Roberta aveva ragione. Ora che lei aveva il marchio di Kai, se Stephan avesse anche solo cercato di farle qualcosa di inopportuno, Kai avrebbe potuto vendicarsi. E a giudicare dall'umore di Kai negli ultimi tempi, Stephan rischiava di perdere una parte del corpo, se non peggio. I vampiri dell'età di Stephan di solito avevano un sire che li teneva in riga. Te sarebbe dovuto intervenire assumendosi quel ruolo. Gli abitanti della Città davano libertà d'azione a Stephan perché era "il Consorte di Te"; Kai non aveva lo stesso rispetto per quel titolo. Se voleva sopravvivere, Stephan doveva imparare che era necessario tenersi fuori dagli affari di Kai.

Adesso, il problema principale di Te era la guarigione di Kai; il che era completamente nelle mani del vampiro. Se fosse stato per Te, gli avrebbe fatto ingoiare tutto il sangue possibile. Voleva disperatamente che stesse meglio.

L'idea di essere rimasto solo lo spaventava.

Quello che aveva visto nella mente di Kai l'aveva intristito e sconvolto. Chi erano quelle guerriere? Era rimasto meravigliato dalla portata del loro potere, dalla loro capacità di spegnere il fuoco sacro di Uriele, di spogliare Kai delle protezioni di Lucifero e di mandare Uriele all'Inferno, dove si supponeva si fosse unito a Lucifero. Gli arcangeli forse non erano morti, ma era come se lo fossero.

All'inizio, Te e i suoi fratelli avevano combattuto contro l'Oscurità. L'avevano ricacciata indietro. Stava tornando? Se sì, come? Erano state poste protezioni per evitare che succedesse. Non si stupiva del fatto che le guerriere l'avessero lasciato stare. Un angelo solo, per quanto potente, non aveva possibilità contro il ritorno dell'Oscurità.

Kai si mosse.

Te fu grato di essere trascinato via dai suoi pensieri. "Bene, sei sveglio. Bevi un po' di sangue". Era stato un po' troppo allegro; se Kai pensava fosse a suo beneficio, meglio così.

"Facciamola finita", disse il vampiro, ancora a occhi chiusi.

Te rise. "Questo è lo spirito giusto. Sarai in piedi in pochissimo tempo". Sollevò con cura l'amico e l'aiutò a bere.

Kai bevve solo due sorsi prima di allontanare la bottiglia. "È rancido".

"Non c'è niente che non va nel sangue; è l'avvelenamento che parla".

"Be', allora bevilo tu", mugugnò Kai, ma si sforzò di berne ancora.

"Cosa? E derubarti dell'opportunità? Mai".

Kai riuscì a bere un quarto della bottiglia prima di fermarsi. Te lo aiutò a risistemarsi a letto.

"Ho una brutta cera, vero?"

"Ho sentito dire che alle ragazze piacciono le cicatrici".

Inaspettatamente Kai rise, poi cercò la mano dell'angelo. "Grazie, Te".

"Riposa, amico mio". E lo vegliò mentre si riaddormentava.

VENTI

La prima cosa che Lucifero notò al risveglio fu il dolore. Intenso. Debilitante. Svenne.

Quando si svegliò di nuovo, si accorse di essere steso sui vetri rotti. Le schegge gli graffiarono le cornee quando aprì le palpebre. Strizzando gli occhi intrisi di lacrime, gli venne voglia di alzare una mano e scribacchiare 'lavami' nel cielo sporco senza nuvole. Quel cielo non sarebbe mai stato plumbeo di pioggia, né sarebbe mai stato limpido. Non sapeva come facesse a saperlo, ma, mentre restava sdraiato a censire il proprio corpo, gli parve vero.

L'aria era stagnante e viziata. Lì non soffiava mai nemmeno una brezza leggera. Sembrava fosse il crepuscolo, ma non c'era una fonte luminosa. Il corpo gli doleva, ogni nervo martoriato gridava. Si sentiva pesante; gli abiti che indossava, ancora più pesanti. Il vetro era penetrato nelle articolazioni, pungeva i tessuti molli. Persino la sua anima gli sembrava a pezzi.

Doveva sedersi. Doveva alzarsi. L'idea di muoversi, nel suo stato attuale, non era attraente, ma lo era ancor meno il pensiero di restare steso. I suoi sforzi di alzarsi a sedere vennero meno quando il movimento fece aumentare d'intensità ogni dolore che sentiva in corpo. Lo stomaco si contorse: il corpo non era a posto, desiderava buttar fuori anziché ingerire qualcosa. Quella sensazione – nausea? – era nuova per lui, e non gli piacque all'istante.

Non poté fare altro che restare immobile finché non gli passò. Aveva fratture in buona parte del corpo, se non dappertutto; l'idea che il suo corpo gli facesse così male ma fosse ancora intero gli sembrava impossibile. Rilasciò il suo potere per controllare le ferite. Il dolore ebbe un'impennata; i sensi già stremati lo travolsero. Svenne ancora.

Riprendere conoscenza fu inevitabile. Il dolore era un essere vivo, un essere che si nutriva. A occhi chiusi, aspettò, cavalcando la bestia-dolore finché quella non si stancò e si accontentò di pascolare.

Quando non fu altro che rumore di fondo dei suoi sensi, Lucifero, lento e cauto, si tirò su a sedere. Essendoci riuscito con poca fatica, continuò il movimento fino ad alzarsi. Finalmente in piedi, si guardò intorno. Si trovava in fondo a un cratere largo poco meno di due chilometri. Schiantarsi al suolo ad alta velocità era una spiegazione plausibile del perché si sentisse così male. Ma c'era dell'altro, vero?

Scoprì che il terreno non era fatto di vetri rotti, ma di una sabbia polverosa marrone spento, lo stesso colore del cielo. Gli si appiccicava addosso ovunque – tra i capelli, sotto la camicia, nei pantaloni e nelle scarpe – irritando la sua pelle sensibile, oltre che la sua natura schizzinosa.

Una volta tornato a casa, la prima cosa che avrebbe fatto sarebbe stata un bagno. Forse, se si fosse lamentato abbastanza, Kai l'avrebbe accontentato: gli avrebbe lavato i capelli e fatto un massaggio. Se avesse avuto fortuna, magari abbellendo un dettaglio o due nel suo resoconto – non che fosse davvero necessario – Te avrebbe stappato una bottiglia di Ambrosia. Poi, ripulito e rifocillato, avrebbe trovato i suoi fratelli e pianificato cosa fare dei Nammu.

Con salda in mente l'immagina di casa, si teletrasportò...

...e atterrò di nuovo su quel terreno, in mezzo a una nuvola di polvere e con un dolore tale da fargli perdere di nuovo conoscenza.

Quando riprese i sensi per la quarta volta, maledisse violentemente i Nammu. Cadendo, era finito di faccia nella polvere. Con attenzione rotolò sulla schiena, si pulì la faccia dalla polvere meglio che poté e rimase steso in fondo al cratere, gli occhi rivolti al cielo crepuscolare. Era in trappola.

Senza preavviso, il cielo e il suolo marrone slavato si serrarono intorno a lui. Incapace di combattere la paura e il dolore allo stesso tempo, scelse di lasciare la paura a briglia sciolta. E quella arrivò, calò su di lui con intensità soffocante. Solo quando il dolore fisico si placò, riuscì a concentrarsi abbastanza da fermare le emozioni opprimenti. Se era finito lì dentro, poteva anche uscirne: era possibile, solo non facile. Quando riebbe le emozioni sotto controllo e si sentì di farlo, si rialzò lentamente in piedi.

Ora doveva scoprire cosa gli era possibile fare. Cercò di ripulirsi: con sollievo riuscì a rimuovere la polvere che lo copriva senza nemmeno una smorfia di dolore. Bene, era già qualcosa. Non era del tutto impotente.

Il test successivo fu teletrasportarsi fino al bordo del cratere. Macché. Riapparve a solo un paio di metri da dove si era smaterializzato, quasi svenuto e in ginocchio. Tuttavia, il calore della rabbia che lo pervase fu un gradito cambiamento.

Non gli restava che scegliere una direzione e camminare. Inerpicarsi su per il fianco del cratere con quello che aveva indosso si dimostrò impossibile. Non riusciva a far presa sulla sabbia sottile, che si sollevava in nuvole impalpabili a ogni passo. Se prima era coperto di polvere per la caduta, ora ne era ammantato; la sensazione di averla sulla pelle lo faceva sentire sporco, contaminato. Faceva anche freddo, non un freddo pungente, ma freddo abbastanza da essere spiacevole – un'altra cosa da aggiungere alla lista intitolata *Cose a cui Lucifero non era abituato*. Ce ne sarebbero state altre, molte altre. Maledicendo di nuovo i Nammu, si fermò a cambiarsi d'abito.

Con un po' di sforzo, si ritrovò a indossare pantaloni di pelle infilati in stivali robusti. Scelse un soprabito di pelle lungo fino al polpaccio, abbottonato dal collo alto fino alla vita. Guanti di pelle gli coprirono le mani e le estremità delle maniche. Una sciarpa si avvolse intorno alla testa e gli velò il viso, lasciando visibili solo gli occhi. Poteva essere all'Inferno vestito da motociclista, ma non si sarebbe mai abbassato a indossare qualcosa di colore diverso dal bianco. E fece in modo che quella sabbia polverosa non si attaccasse ai suoi nuovi abiti.

Soddisfatto del cambio di vestiti, ricominciò a scalare il pendio. Stavolta fu più facile: riusciva a conficcare sia le mani guantate che gli stivali nel terreno. Procedeva lento, ma riuscì ad arrivare in cima. Osservando il paesaggio sterile da lassù, sentì il peso di tutto ciò che aveva passato. La rabbia si prosciugò, sostituita dalla desolazione.

Benvenuto all'Inferno.

Con la paura che minacciava di consumarlo di nuovo, elencò tutto quello che sapeva della situazione. *Uno: sono all'Inferno. Solo. Be', questo non è esattamente vero... Si suppone che qualche Caduto sia venuto qui volontariamente. Ma ci crederò solo quando lo vedrò.*

Due: si suppone che il Vecchio sia qui. Da qualche parte, ma vedi numero uno.

Tre: non ho poteri. Be', ne ho meno. Quanto meno, resta da vedere.

Quattro: Kai...

Si fermò. Perché ora stava pensando a Kai? Perché forse non l'avrebbe rivisto mai più. Si erano salutati come al solito, prima che Kai andasse a svolgere l'incarico di Te. Si sfregò il petto per allontanare un'improvvisa sensazione di vuoto. Era stato fin troppo vigile, quando si era trattato di proteggerlo. Si era assicurato che sopravvivesse alle più atroci circostanze. Buffo però, che alla fine il morto non fosse Kai, ma lui. Forse era davvero così. Forse non avrebbe rivisto mai più il suo compagno esigente, testardo, ma onorevole.

Da quando aveva cominciato a considerare Kai il suo compagno?

Sciocco, solo ora che l'hai perso lo riconosci come tale. La voce suonava sospettosamente come quella di Michele, il che non rendeva meno vero quel dato di fatto.

Secoli prima, quando Kai li aveva dichiarati compagni, lui l'aveva deriso. "Sono Lucifero. Non sono il compagno di nessuno", gli aveva detto.

Solo ora si vergognava. Kai l'aveva semplicemente guardato, gli occhi neri saggi, e non aveva detto un'altra parola al riguardo. Ora aveva voglia di scusarsi e urlare "Sì, sono il tuo compagno!" finché la terra stessa non avesse tremato. Le lacrime gli annebbiarono la vista; chiuse gli occhi, accettando la bugia che fosse per via della polvere.

Questo non è il momento per fare il sentimentale. Controllati. Di nuovo la voce di Michele. Persino all'Inferno, non aveva tregua dalla petulanza del fratello.

Improvvisamente molto stanco, Lucifero si accasciò a terra in una nuvola di polvere marrone. Sul serio, che cosa pensava di fare? Era letteralmente in mezzo all'Inferno, intorno a sé non vedeva niente di niente. Che cosa voleva fare? Era tutto inutile. Era bloccato, intrappolato all'Inferno. I Nammu avrebbero riempito il mondo di Oscurità.

Sapere che Kai sarebbe sopravvissuto era stata una bella sensazione, ma se la Terra fosse tornata allo stato pre-Epurazione, forse il vampiro non avrebbe voluto sopravvivere. E ipotizzando che il tentativo di salvare Michele, Raffaele e Gabriele fosse riuscito, i Nammu stavano comunque dando loro la caccia e alla fine li avrebbero uccisi. Lo stesso destino attendeva Uriele e Te, a meno che non fossero scappati, e dubitava che sarebbe successo. Gli faceva male pensarci, ma doveva affrontare la realtà.

Parlando di affrontare la realtà, forse i Nammu avevano mentito. Forse anche il Vecchio era stato mandato all'Inferno. Se Lui era imprigionato lì... Be', significava che la fuga era impossibile, o no? Se mandavano lì tutti i prigionieri, come poteva sperare Lucifero di fuggire? Se si fossero trovati, il Vecchio cosa gli avrebbe detto?

Lucifero era abbastanza sicuro che Lui sarebbe stato felice di non rivederlo mai più, giustamente. Era stato irrispettoso, sbruffone, arrogante, disubbidiente. La lista delle cose che era stato – e continuava a essere – era incredibilmente lunga.

Ma poi, sarebbe stato davvero così difficile fare quello che voleva Lui? Sarebbe stata una tale tortura? Perché doveva fare sempre il diverso, fare sempre il difficile? Cosa c'era di fondamentalmente sbagliato in lui, da non permettergli di essere un figlio migliore? Avrebbe potuto imparare ad amare gli umani, no? Facevano delle cose favolose da mangiare ed erano scaltri con i gadget. Non sarebbe stato impossibile, ma non ci aveva nemmeno provato.

Lucifero guardò il cratere. Meglio tornare indietro o stare dov'era? Muoversi richiedeva più energia di quella che era in grado di produrre. Solo pensare di muoversi gli faceva scappare la voglia di farlo.

Smettila subito, sbottò la voce di Michele.

"Oh, ma chiudi il becco!" disse Lucifero, notando subito quanto fosse piatta e fiacca la propria voce. Abbassò la testa fra le mani.

No, non lo farò. Questo è l'Inferno. Non lo senti? La natura stessa di questo posto vuole che ti arrenda. Non arrenderti. Combatti.

405

Anche quando era immaginario, Michele era una spina nel culo.

Fratello, se devo essere una "spina nel culo" per ricordarti la tua natura, così sia. Ora, alzati.

Il pensiero di stare seduto a farsi sgridare dalla voce di Michele era peggiore di quello di muoversi. Lucifero si rimise in piedi. Il dolore era quasi scomparso, sostituito da un pesante affaticamento. Con uno sforzo si concentrò e si guardò di nuovo intorno.

In tre direzioni, il paesaggio era un nulla piatto, scialbo e marrone. Nella quarta, era infranto da una montagna lontano all'orizzonte. Temeva di incamminarsi in quella scena desolata. Se non altro, il fuoco, lo zolfo e i demoni con i forconi sarebbero stati più interessanti.

È meglio regnare all'Inferno 'sto cazzo. Solo uno stupido umano poteva uscirsene con qualcosa di così... stupido. Non aveva nemmeno voglia di denigrare gli umani, cosa che l'aveva sempre fatto sentire meglio. Forse l'atmosfera infernale causava davvero disperazione e depressione.

Per sopravvivere, devi tener d'occhio l'umore. Stavolta era la voce di Raffaele.

Allontanò l'idea di sentire le voci; gli mancava solo quello. Ma la voce aveva ragione. Non solo era isolato da tutto e da tutti coloro che potevano aiutarlo, ma stava anche impazzendo. *Perfetto.*

Devi stare all'erta. La voce di Gabriele.

Era tutto ciò che aveva. Facendosi forza contro la disperazione che lo minacciava costantemente, si voltò nella direzione della montagna e cominciò a camminare.

Caro lettore,

Speriamo che leggere *L'oscurità imminente* ti sia piaciuto. Per favore, prenditi un attimo per lasciare una recensione, anche breve. La tua opinione è molto importante.

Saluti

Susan-Alia Terry e il team Next Chapter

L'oscurità Imminente
ISBN: 978-4-86747-622-2
Edizione Rilegata A Caratteri Grandi

Pubblicato da
Next Chapter
1-60-20 Minami-Otsuka
170-0005 Toshima-Ku, Tokyo
+818035793528

22 Maggio 2021